Roger MacBride Allen

DIE FACKEL DER FREIHEIT

Science Fiction Roman

Ins Deutsche übertragen
von Thomas Schichtel

BASTEI
LÜBBE

BASTEI-LÜBBE-TASCHENBUCH
Band 23 143

Erste Auflage:
September 1993

© Copyright 1985
by Roger MacBride Allen
All rights reserved
Deutsche Lizenzausgabe 1993
by Bastei-Verlag Gustav H. Lübbe
GmbH & Co., Bergisch Gladbach
Originaltitel: The Torch of Honour
Lektorat: Gabi Hoffmann/
Reinhard Rohn
Titelillustration: Arndt Drechsler
Umschlaggestaltung:
Quadro Grafik, Bensberg
Satz: KCS GmbH,
Buchholz/Hamburg
Druck und Verarbeitung:
Brodard & Taupin, La Flèche,
Frankreich
Printed in France

ISBN 3-404-23143-0

Der Preis dieses Bandes
versteht sich einschließlich der
gesetzlichen Mehrwertsteuer.

Für Dad — meinen Mentor,
Kollegen und Freund

AUF FLANDERNS FELDERN

Auf Flanderns Feldern blüht der Mohn,
spricht unser Gräber Reihen Hohn.
Am Himmel, während wir hier liegen,
die Lerchen tapfer singend fliegen.
Der Schlachtenlärm frißt jeden Ton.

Wir haben die Toten, doch noch vor kurzer Zeit,
da haben wir am Leben uns erfreut,
wir liebten und man liebte uns, nun liegen wir
Auf Flanderns Feldern.

Die Schlacht müßt ihr nun für uns schlagen,
euch reichen wir mit letzter Kraft
die Fackel; haltet treu sie und erhaben.
Übt ihr Verrat an denen, die ihr Leben gaben,
dann werden wir, blüht auch der Mohn, nicht schlafen
Auf Flanderns Feldern.

VORSPIEL

April 2115

Die Finnen wußten, daß die Hüter gesiegt hatten. Es war vorbei. Die Hüter hatten die Oberfläche des Planeten eingenommen, und innerhalb weniger Stunden würde auch die Übergabe des großen Satelliten Vapaus erfolgen. Die Hüter selbst hatten die Sache verzögert, indem sie darauf pochten, daß die Verhandlungen auf englisch geführt wurden. Die verzweifelt auf Zeit spielenden Finnen hielten den Feind hin, so lange es ging. Über Stunden verzögerten sie die Suche nach einem des Englischen mächtigen Offizier, den sie eigentlich innerhalb weniger Augenblicke hätten beibringen können.

Die ganze Zeit über wurde intensiv gearbeitet. Die letzte Hoffnung, so schwach sie auch sein mochte, war die Liga. Sie mußte informiert werden.

Sechs der letzten Torpedos wurden entschärft. Generatoren, die die Lichtgeschwindigkeit quadrierten, und Funksignalgeber wurden installiert. Daten mit den lebenswichtigen Informationen zum Schiffsabwehr-Raketensystem und auch das wenige, was die Finnen über die Hüter wußten, wurden an Bord untergebracht.

Die Nachricht mußte ans Ziel gelangen!

Die Hüter hatten den Ring um Vapaus noch nicht gänzlich geschlossen. Drei winzige Ein-Mann-Schiffe wurden aus dem vorderen Schleusensystem gestartet, jedes mit zwei behelfsmäßig mittschiffs montierten Torpedos. Die kleinen Fahrzeuge starteten mit sechs G, um die Hüterflotte zu durchdringen. Der Radar des Feindes war zu gut, um durch Täuschungsmanöver ausgetrickst zu werden. Nur Geschwindigkeit bot Schutz.

Aber nicht genug. Das Führungsschiff wurde innerhalb von

Sekunden durch das Laserfeuer eines Truppentransporters vernichtet. Die letzte Handlung des finnischen Piloten bestand darin, seine Fusionstriebwerke hochzujagen; die Detonation erzeugte eine Plasmawolke, die auf tausend Kilometer jeden Radarschirm und jeden Funkverkehr blockierte. Das war die Chance für die beiden übrigen Schiffe, den Ring der sich sammelnden Flotte zu durchstoßen.

Sie tauchten auf enge Kreisbahnen hinunter, um den Planeten zwischen sich und den feindlichen Radar zu bekommen, ehe sich die Plasmawolke verteilt hatte.

Sie stürzten auf den Planeten zu, um für ein schwerkraftunterstütztes Manöver Geschwindigkeit zu gewinnen. Einhundertachtzig Grad auf der Umlaufbahn von Vapaus entfernt, änderten beide den Kurs und leiteten sprunghafte Manöver ein. Eines wollte direkt über den Nordpol des Planeten hinweg, das andere über den Südpol.

Sobald der Kurs anlag, wurden die Maschinen kurz abgeschaltet und jeweils ein Torpedo freigegeben. Die Schiffe und die abgetrennten Torpedos zündeten daraufhin wieder die Triebwerke. Die Torpedos hielten in beiden Fällen den alten Kurs, während die Schiffe erneut die Richtung wechselten.

Das südlichste Schiff wurde von einem Novajäger, der von der Oberfläche gestartet war, abgefangen und vernichtet. Das nördliche Schiff warf den zweiten Torpedo ab und schwenkte ein letztes Mal herum, um als Köder für die feindlichen Torpedos zu dienen.

Wenig später erhellte eine weitere Fusionsexplosion den Himmel und kennzeichnete die Stelle, wo eine Rakete der Hüter das letzte finnische Schiff gefunden hatte.

Die Hüter erwischten nur den letzten abgeworfenen Torpedo und schossen ihn ab.

Von den sechs Torpedos waren jetzt noch zwei übrig und unbemerkt geblieben. Mit brennenden Triebwerken umrundeten sie den Planeten in genau entgegengesetzten Richtungen, einer über den Südpol hinweg, der andere über den Nordpol. Die Schwerkraft des Planeten schwenkte sie letztlich auf ein und denselben Kurs.

Die Triebwerke wurden exakt über den Polen abgeschaltet, gerade in dem Moment, in dem die Fluchtgeschwindigkeit erreicht war.

Vom Pol aus ging es jeweils in einer geraden Linie weiter, parallel zum Äquator und zur Fluchtbahn des jeweils anderen Torpedos.

Mit abgeschalteten Triebwerken ging es hinaus in den Leerraum, um in der Kälte und der Dunkelheit dort Schutz zu suchen.

Stunden nach dem Start, mehrere hunderttausend Kilometer jenseits der Umlaufbahn des Mondes Kuu, leiteten die Ortungsanlagen auf jedem Torpedo eine Untersuchung des Sternenfeldes ein. Die Triebwerke feuerten kurz und korrigierten den Kurs. Die beiden Torpedos waren jetzt exakt auf das Epsilon-Eridani-System ausgerichtet, in dem sich die Koloniewelt der Engländer, Britannica, befand. Nach wie vor waren die Torpedos der Sonne von Neu-Finnland zu nahe, um auf quadrierte Lichtgeschwindigkeit zu gehen. Über lange Wochen hinweg trieben sie weiter durch die Dunkelheit, während hinter ihnen die Hüter ihre Greuel an den Finnen verübten.

Auf einem Torpedo versagte das Energiesystem, und es gab wieder ein nutzloses Wrack mehr in den Tiefen des Alls.

Der andere Torpedo jedoch, der letzte, hielt durch. Und im richtigen Augenblick absorbierte der die Lichtgeschwindigkeit quadrierende Generator die gesamte, sorgsam gespeicherte Energie des Flugkörpers und griff nach dem Gewebe des Raums.

Der letzte Torpedo sprang über die Dunkelheit zwischen den Sternen hinweg.

Wenig später trieb er mit schwachen Batterien und kaum noch vernehmbarem Funksignal in das System von Epsilon Eridani.

Mit Mühe und Not hatte er es geschafft.

TEIL EINS

EIN LEERES GRAB,
EINE HOHLE WELT

Kapitel 1

Januar, 2115

Kalter Nieselregen sprühte auf die Helmscheibe meines Druckanzuges, während der Kaplan hier am Rand des leeren Grabes die Begräbsnisformel herunterleierte.

Der Helmscheibenwischer fuhr in meinem Blickfeld hin und her. Wahrscheinlich befanden wir uns auf der einzigen von Menschen besiedelten Welt, auf der die Druckanzüge Scheibenwischer benötigten. Wir alle hatten welche, und sie fuhren endlos von einer Seite zur anderen wie die Fühler riesiger Heuschrecken.

Sie waren verschwunden, tot, in den Tiefen des Alls vermißt. Sechs unserer Klassenkameraden. Ihr Schiff verschwand einfach auf dem Rückweg von einer der abschließenden Ausbildungsfahrten. Mit genau einhundert Schülern hatten wir angefangen. Natürlich war es mehrfach zu Ausfällen gekommen — teils durch Unfälle, teils durch Ausschluß der Kandidaten. Und jetzt das. Wir waren noch vierunddreißig, die auf dieser trostlosen Ebene standen.

»Eitel sind alle Dinge, heißt es beim Prediger«, intonierte der Kaplan. »Wir kommen mit leeren Händen auf die Welt, und mit leeren Händen verlassen wir sie wieder.« Die Worte hätten genausogut von einem Tonband stammen können. Die Stimme des Kaplans wirkte auf mich wie ein ausgetrockneter Toast. Rauh und in bombastischem Tonfall gab er weiterhin Bruchstücke der heiligen Schrift von sich, eine ausgeleierte Liturgie, die für alle Begräbnisse und traurigen Anlässe herhalten mußte. »Wer ist der Mensch, daß Du Dich seiner annimmst?« fragte er, und der Tonfall stieg für einen Moment, um dann wieder zu einem leisen Grollen herabzusinken.

Auf der Anzeigentafel in meinem Helm ging ein Licht an, und ich schaltete das Funkgerät auf einen privaten Kanal um.

»Mac, dieser Mann ist einfach furchtbar! Könnten wir ihm nicht den Mund stopfen, um wenigstens Gelegenheit für ein paar stille Gedanken zu finden?« fragte Joslyn. Derselbe Kaplan hatte uns vor drei Monaten getraut. Er hatte zwei Minuten auf unsere Eheversprechen verwandt und fünfundvierzig Minuten auf eine weitschweifige Predigt, bei der die Hälfte der Versammelten eingeschlafen war.

»Schalte doch deinen Empfang ab«, schlug ich vor.

»Dann würde ich aber immer noch seinen Mund auf- und zugehen sehen. Und jetzt sieht er uns auch schon böse an! O Mac, unsere Kameraden hätten wirklich einen besseren Abschied verdient!« Sie verschränkte die behandschuhten Finger mit meinen, und wir schalteten wieder auf Rundempfang.

»Lieber Gott, wir empfehlen uns Deiner Gnade an und überantworten Dir die unsterblichen Seelen der Dahingeschiedenen. Wir bitten Dich darum, die Seelen von Leutnant Daniel Ackerman, Leutnant Lucille Calder, Korvettenkapitän Joseph Danvers . . .«

Netter Zug, dachte ich. Er hatte sie sich in alphabetischer Reihenfolge gemerkt.

Das leere Grab war vorschriftsmäßig ein Loch von einem Meter Breite, zwei Meter Länge, zwei Meter Tiefe. Ich blickte zum Himmel hinauf und sah durch die düstere Wolkendecke den blauweißen Globus über uns. Dort, auf dem Planeten Kennedy, war die Tradition des leeren Grabes entstanden. Während der Schnellen Pest hatte es wegen der hohen Infektionsgefahr durch die Leichen kaum Erdbestattungen gegeben. Der einzig sichere Weg zur Bekämpfung der Ansteckungsgefahr war das Verbrennen der sterblichen Überreste in der Fusionsflamme eines stillgelegten Raumschiffes. So war es auch den Leichnamen meiner Eltern ergangen — ich erinnere mich noch an die helleren Stellen in den reinigenden Flammen. Dort, auf Kennedy, lag ein leeres Grab, einen mal zwei mal zwei Meter, darauf eine Granitplatte mit ihren Namen.

Ich nehme an, an den Grenzen der Zivilisation gab es seit eh und je eine Menge Begräbnisse ohne Leichen. Schiffe kehren manchmal nicht zurück. Jemand drückt einen falschen Schalter, und ein Schiff explodiert. Menschen verschwinden. Es gibt eine Menge Möglichkeiten.

Schließlich wurde die Deckplatte mit den sechzig Namen darauf sorgfältig auf die graue Betonummantelung gesenkt, die das Grab begrenzte. Ein paar Zentimeter Schmutzwasser blieben auf dem Grund zurück.

Wir marschierten zu den Druckunterkünften und der Offiziersmesse zurück. Ein Empfang sollte dort stattfinden.

Joslyn und ich blieben hinter den anderen und verweilten noch etwas länger auf der Oberfläche des Mondes Columbia. Als die Menschheit dieses System erreichte, besaß der einzige große Mond des Planeten Kennedy nur eine dünne Methanatmosphäre und eine Menge gefrorenes Wasser in Form von polaren Eiskappen. Inzwischen arbeiteten die Ingenieure in zahlreichen Projekten hart daran, hier eine freundlichere Heimstatt zu schaffen. Eines Tages würde der Mond durch ihre Arbeit zu richtigem Leben erwachen. Der Luftdruck war bereits auf ein Drittel des irdischen Wertes angestiegen. Trotzdem war Columbia nach wie vor ein feuchter, elender Sumpf, eine kalte, düstere Welt mit giftiger Luft. Es regnete zuviel.

Schweigend sagte ich unseren Kameraden ein letztesmal Lebewohl, dann gingen wir hinein.

Nachdem wir in unserer Unterkunft waren, dauerte es eine Zeitlang, bis wir die Druckanzüge mit der Galauniform vertauscht hatten, ergänzt um schwarze Armbinden.

Ich kämpfte mich in die nachtschwarze, ziemlich strenge Uniform der Marine der Republik Kennedy. Joslyn stammte aus dem Planetaren Commonwealth von Britannica und war eine loyale Untertanin des Imperators von Großbritannien. Ihre Uniform war von einem dunklen Marineblau, und im Vergleich zu meiner hatte sie einen niedrigeren Kragen, weit weniger Knöpfe und einen besseren Schnitt. Beide trugen wir die Insignien des Erkundungsdienstes der Planetenliga – ein Sternenfeld in einem rechteckigen Gitter. Wir waren beide Leutnants und einem speziellen Kurs im Columbia-Ausbildungszentrum des Erkundungsdienstes der Planetenliga zugeteilt worden.

Joslyn kontrollierte ihr Erscheinungsbild im Spiegel. Nach ihrer Aussage war sie fünf Fuß sieben groß und ich sechs vier. Nach *meiner* Aussage war sie einssiebzig groß und ich einsdreiundneunzig. Sie war schlank, muskulös und kräftig, mit ovalem Gesicht und vollen Lippen, die von Grübchen umrahmt wurden, wenn sie lächelte. Das Haar wies eine Schattierung zwischen brünett und blond auf. Sie trug es lang und zu einem Zopf geflochten, der ihr bis zur Taille reichte. Heute hatte sie ihn jedoch auf dem Kopf zusammengesteckt. Sie zog die Jacke glatt, kontrollierte ihr Profil und blinzelte mir im Spiegel lächelnd zu. Mochte sie auch schlank sein, ihre weiblichen Formen konnte selbst die Galauniform nicht verbergen. Als Joslyn mit ihrem Erscheinungsbild zufrieden war, drehte sie sich zu mir um, glättete meine Jacke und wischte Fusseln von meinem Arm.

»So wird es gehen«, meinte sie, »aber wenn du dir jemals die Schultern dieser Uniform auspolsterst, paßt du nicht mehr durch die Tür.« Auf einmal schlang sie mir die Arme um den Hals, zog meinen Kopf herunter und gab mir einen höchst unmilitärischen Kuß. Sie blickte mir in die Augen und seufzte. »Mac, ich liebe dich so sehr!«

Ich kitzelte sie hinterm Ohr und erwiderte ihr Lächeln. »Mach dir nichts draus. Bist du sicher, daß ich gut aussehe?«

»Aber natürlich. Das heißt, wenn man griechische Götter mag.«

Ich sah in den Spiegel und zuckte die Achseln. Ich war schon immer der Meinung gewesen, daß ich aussah wie aus einem Comic entwischt. Breite Schultern, eine Menge Muskeln, eine schmale Taille; das Gesicht lang und hohlwangig. Ich habe hellblondes Haar und die dazu passenden blauen Augen. Mein Lächeln ist ein bißchen unregelmäßig, aber recht freundlich. Die Arme und Beine sind lang, die Hände und Füße groß. Ich brauche von fast allem die größte erhältliche Größe.

Als Kind bin ich über die eigenen Füße gestolpert und gegen Wände gerannt. Heute jedoch ist Joslyn in meiner Begleitung auf der Tanzfläche vollkommen sicher; ich kann sogar Walzer tanzen! Trotzdem gleiche ich in förmlicher Kleidung von Größe und Statur her einem Todesengel.

Wir begaben uns zur Offiziersmesse.

Wir, die Überlebenden, hätten jetzt gerne Gelegenheit gehabt, uns in aller Stille zu versammeln, geeint durch das Band der Kameradschaft, das uns untereinander und mit den Toten verband.

Andererseits mußten wir diplomatisch mit den Vertretern der Staaten umgehen. Ein paar kamen von Nationen und Planeten, die nicht mit der Erkundung einverstanden waren, andere wiederum von Mächten, die die Rechnung bezahlten. Kapitän Driscoll hatte sie einladen müssen, und viele waren gekommen.

Joslyn machte sich auf die Suche nach einem Drink. Ich blieb stehen und suchte in der Menge nach einem freundlichen Gesicht. Pete Gesseti fing meinen Blick auf und kam zu mir.

Pete arbeitet für das Außenministerium der Republik Kennedy und ist einer der wenigen, die den Eindruck vermitteln, die Bürokratie wüßte, was sie tut. Er ist intelligent, offenherzig und ruhig. Freundschaftliche Warnungen von Pete hatten schon eine Menge Leute vor Schwierigkeiten bewahrt. Pete hatte meinen Vater gekannt und auch *mich* schon vor Problemen bewahrt.

Ohne ihn wäre ich wahrscheinlich einer dieser elternlosen Raufbolde geworden, wegen denen die Polizisten von Hyannisport nur noch paarweise Streife gehen.

Pete ist mittelgroß, seine Haare gehen allmählich aus, und sein Gesicht zeigt den Ausdruck ständiger Ruhe.

Er schüttelte mir die Hand. »Eigentlich ist jetzt nicht die richtige Gelegenheit, aber da ich dich seitdem noch nicht gesehen habe: Meinen Glückwunsch zum Patent, Zweiter Leutnant Terrance MacKenzie Larson, Sir.«

»Danke, Pete.«

Er erhob das Glas auf mein Wohl und nahm einen Schluck. Joslyn kam zurück und brachte mir einen Drink. »Noch zwei Glückwünsche mehr. Oder drei. Auf *dein* Patent, Leutnant Joslyn Marie Cooper Larson. Und darauf, daß du ihn geheiratet hast. Und daß er dich geheiratet hat. Auf Euer Wohl!«

Wir stießen miteinander an und lächelten. »Tut mir leid, daß ich die Hochzeit verpaßt habe«, fuhr Pete fort. »Wie ich gehört habe, war Reverend Buxley einfach umwerfend. Ich konnte nicht frei bekommen.«

»Wir haben dafür Verständnis, Peter. Es war ganz schön kurzfristig«, sagte Joslyn. »Als wir uns erst mal entschlossen hatten zu heiraten, wollten wir nicht mehr lange warten.«

»Von der Hochzeit mal abgesehen, hast du wenigstens keine Reise zu einem sehenswerten Ziel versäumt«, sagte ich.

»Wohl wahr, schätze ich. Allerdings hätte die Liga sich eine hübschere Gegend aussuchen können, um euch junge Leute auszubilden. Ich habe mir schon überlegt, daß es wohl Absicht war, euch in dieses Loch zu stecken — die wohlüberlegte Politik von Leuten, die sich ein Scheitern der Erkundung wünschen, wenn ihr an ein bißchen Paranoia interessiert seid.«

»Wie meinst du das?«

»Mac — sag mir mal, wie hoch wird Columbia als Ausbildungsbasis für ein Raumfahrtunternehmen eingeschätzt?« Pete neigt dazu, abrupt das Thema zu wechseln. Gar nicht einfach, damit Schritt zu halten.

»Na ja, okay — nicht so toll.«

»Nenn es ruhig schrecklich. Man hätte euch auf eine Umlaufbahn packen sollen. Hättet ihr dann in den Schiffen üben wollen, wäre es nur mal kurz zur Schleuse hinausgegangen. Da eure Schiffe nicht landen können, vergeudet ihr von hier aus eine Menge Zeit im Shuttle. Das macht Fahrpläne unmöglich. Selbst der Flug durch diese Atmosphäre ist für die Ausbildung nutzlos. Er ist sogar absolut verrückt, seit die Ingenieure für die Terraformung angefangen haben, daran herumzudoktern. Seit Jahren hat es nicht mehr aufgehört zu regnen, was einfach phantastisch für die Moral sein muß. Die Luft würde euch umbringen, also müßt ihr Druckanzüge tragen. Das Methan dringt trotzdem durch die Ritzen und stinkt zum Himmel. Die ganze Atmosphäre ist im Zustand der Umwandlung; alles mögliche Zeug kommt als Niederschlag herunter und ruiniert die Ausrüstung . . .«

17

»Okay, du hast dich klar genug ausgedrückt. Der Stützpunkt ist nicht sonderlich gut. Wer hat ihn also hier angelegt?«

»Ihr habt Glück, daß das schon mein dritter Drink ist, sonst bin ich nämlich ein ziemlich zugeknöpfter Diplomat. Es waren Leute, die die Erkundung zum Scheitern bringen wollen. Sie hatten Freunde, die ihrerseits einige irregeleitete Mitglieder der Handelskammer von Kennedy dazu überredeten, sich für eure Unterbringung hier auszusprechen — wenn ihr mir folgen könnt. Sie sind nicht am Erfolg der Erkundung interessiert, weil die Briten die zehn Langstreckenfregatten gespendet haben, die ihr fahren werdet, weil eure Befehlshaberin ihren Abschluß in Annapolis machte und weil die Berichte auf englisch publiziert werden sollen. Sie glauben, die Briten und die Yankees beabsichtigen, sich die besten Gebiete da draußen selbst unter den Nagel zu reißen. Denkt daran, daß Britannica, Kennedy und Newer Jersey bislang die wichtigsten Planeten sind — während Europa zum Beispiel gar nicht *so* bewohnbar ist. Es gibt schon ein paar Gründe für den Argwohn. Jeder, der auf diesem Empfang beispielsweise Französisch, Deutsch oder Japanisch spricht, hätte es wahrscheinlich gern gesehen, wenn ihr alle auf der *Venera* gewesen wärt, als sie in die Luft ging.«

»Du willst doch nicht andeuten, die *Venera* wäre . . .« begann ich.

»Absichtlich hochgejagt worden? Nein. Aber ich habe mir schon überlegt, ob eure Freunde wirklich tot sind.«

»Pete — damit gehst du zu weit. Wir sind auf ihrer Begräbnisfeier, oder ist dir das nicht aufgefallen?«

»Hmmm. Schau mal, ich führe meinen Gedanken noch zu Ende, und dann vergeßt, daß ich überhaupt was gesagt habe. Die *Venera* paßt in ein Muster. Während der letzten ungefähr zehn Jahre gab es mindestens dreißig ähnliche Fälle: Ein bewährtes, zuverlässiges Schiff startet auf eine gut bekannte Route. Eine Anzahl sehr tüchtiger Leute sind an Bord. Es gibt in manchen Fällen Hinweise — zum Beispiel auf dem Ladungsverzeichnis —, daß sich jemand durch Bestechung oder als blinder Passagier oder was immer an Bord geschlichen hat. Das Schiff verschwindet. Kein Wrack, keine Erklärung. Es kommt auf die Liste ›Verschollen mit der gesamten Besatzung‹, und die Akte landet im Schrank. Ich habe so ein komisches Gefühl, als wollte jemand auf irgendeinem abgelegenen Planeten einen Laden eröffnen und bräuchte mehr befähigte Leute, als er hat, also kidnappt er sie. Jetzt *vergeßt* alles, was ich gesagt habe, denn ich hasse es zu flunkern und zu dementieren, daß ich jemals so eine Idee gehabt hätte.« Er nahm einen Schluck.

Ich war von seiner Überlegung zu überrascht, um zu reagieren. Joslyn war allerdings nicht bereit, das Thema schon abzuhaken. »Peter, wenn du das wirklich glaubst, warum organisierst du dann kein Suchunternehmen?«

»Joslyn, bitte – okay. Ich kenne diesen Blick. Ich gebe auf. Ich bin wohl schon weit genug gegangen, so daß es keine Rolle mehr spielt. Hör mir gut zu. Erstens: Keine Chance, das zu beweisen. Zweitens: Ich würde es nicht fertigbringen, Tausenden von Verwandten und Freunden verschollener Besatzungsmitglieder Hoffnungen zu machen, deren Erfüllung nicht sehr wahrscheinlich ist. Drittens: Wie das Sprichwort sagt, ist das hier eine große Galaxis. Seit hundert Jahren betreiben wir die Sternenfahrt und haben noch nicht ein Zehntel aller Sternensysteme erreicht, die innerhalb von einhundert Lichtjahren um die Erde liegen. Viertens: Früher oder später – nächstes Jahr, im nächsten Jahrtausend – werden wir schon über sie stolpern, wenn wir weiterhin nach bewohnbaren Planeten suchen. Vorausgesetzt, die Erkundung wird eingeleitet. Ich verwende eine Menge Arbeitszeit darauf. Meine Vorgesetzten beschweren sich hin und wieder darüber. Also lassen wir lieber die Finger vom Thema und reden übers Wetter. Hat es schon aufgehört zu regnen?«

»Ist für die nächsten fünfzig Jahre nicht zu erwarten«, sagte ich. »Wir haben verstanden.« Wir murmelten einen Abschiedsgruß und mischen uns unter die Gäste. Ich entledigte mich meiner gesellschaftlichen Pflichten nahezu mechanisch.

Mein Kopf drehte sich. Ich hatte mich bislang nie viel um Politik gekümmert. Mir war nie in den Sinn gekommen, jemand könnte Einwände gegen die Erkundung haben, geschweige denn, daß er tatsächlich versuchen würde, ihr

Knüppel zwischen die Beine zu werfen. Und darüber hinaus, weit darüber hinaus die phantastische Vorstellung, all diese Leute könnten noch *am Leben* sein . . . Ich begriff, warum Pete seine Theorie nicht offen aussprach. Ich kannte ihn schon mein Leben lang, und es hatte ein Begräbnis, das sehr leicht hätte meins sein können, und ein paar Schluck zuviel erfordert, damit er sie mir gegenüber überhaupt erwähnte. Wie sollte er sich je aufraffen, sich damit an Fremde zu wenden?

Und dann diese ganzen Gerüchte, der Erkundungsdienst wäre eine Totgeburt. Bislang stand der Start des ersten Schiffes zu einer Erkundungsmission noch aus. Unsere Klasse, die erste Ausbildungsklasse des Dienstes, stand einen Monat vor dem Abschluß, als die *Venera* verlorenging. Ich hatte mir schon überlegt, daß der Verlust uns stark bremsen würde, aber konnte er uns wirklich ganz aufhalten? Mit all diesen Sorgen im Kopf war es eine trübe Party, selbst für ein Begräbnis.

Einige Stunden später war ich allein im Aussichtsturm. Ein vorstehendes Dach schirmte das überdimensionale Aussichtsfenster größtenteils vor dem Regen ab, so daß man etwas von der trostlosen Oberfläche Columbias und dem düsteren Himmel darüber sehen konnte. Es war Nacht, und Kennedy schimmerte kräftig durch die hohe Wolkendecke.

Ich blickte erneut zum Himmel hinauf und dachte an die Sterne hinter den schmutzigen Wolken.

So viele Sterne . . .

In der näheren Umgebung der Sonne, um die die Erde kreist, stehen die Sternensysteme in einem mittleren Abstand von fünf Lichtjahren. Das läuft auf um die vierundsechzigtausend Sterne hin bis zu hundert Lichtjahren Entfernung von der Erde hinaus. Unser heimisches Sonnensystem ist ein gutes Beispiel für das, was man in einem durchschnittlichen System findet — neun bis zehn Planeten von respektabler Größe, vierzig bis fünfzig nennenswerte Monde und ein paar Billionen Trümmerstücke in Größen, die vom entlaufenen Kleinmond bis hinunter zu einzelnen Atomen und Elementarteilchen reichen.

Zwischen dem Durchschnittlichen und dem Unglaublichen findet man unzählige Variationen. Wenn jeder im Jahr 2115 lebende Mensch als Wissenschaftler oder Entdecker arbeiten und seinen Beruf an jeden einzelnen Nachkommen vererben würde, müßte man trotzdem mit einem Zeitraum von tausend Jahren rechnen, bis man einen grundlegenden Katalog all dessen zusammengestellt hätte, was es innerhalb von hundert Lichtjahren um die Erde zu lernen gibt.

Man bedenke nur die unendliche Vielfalt der Erde selbst — ihre Geologie und Hydrologie, die Atmosphäre und Biologie, die ganze physikalische Realität unserer uralten Heimat. Das multipliziere man mit der Anzahl Welten, die ihrer Entdeckung harren. Dann beginnt man das Problem zu verstehen.

Forschungsexpeditionen sind nichts, was man aus müßiger Neugierde unternimmt. Zu erfahren, was es dort draußen zu finden gibt, ist eine unumgängliche Notwendigkeit und wird es mit jedem Jahr mehr.

Um den Anfang des dritten Jahrtausends fanden die Experimente statt, die die überlichtschnelle Raumfahrt von einer Unmöglichkeit zu einem Labortrick weiterentwickelten und dann zu einer realen Möglichkeit des Gütertransports. Der Menschheit, die es mit Mühe und Not lebendig ins dritte Jahrtausend geschafft hatte, fielen die Sterne in den Schoß.

Die Entdecker machten sich auf.

Ein paar von ihnen kehrten sogar zurück. Ihnen folgten die Siedler, und in mehr als einem Fall suchten sie sich selbst ihren Weg. Nur von ganz wenigen, die das riskierten, hat man je wieder gehört.

Im Jahre 2025 schätzte das Zensusamt der Vereinigten Staaten die außerirdisch lebende Bevölkerung zum ersten Mal auf über eine Million. Zehn Jahre später waren es bereits doppelt so viele, und diese Entwicklung beschleunigte sich noch. 2050 hatten zügige Emigration und hohe Geburtenraten die Mindestschätzung auf zehn Millionen getrieben. Bis zum heutigen Tag versuchen die Volkszähler, damit Schritt zu halten. Gegenwärtig liegt die beste Schätzung bei fünfundachtzig Millionen, plus oder minus zwanzig Millionen.

Die Kolonisten waren schlecht organisiert und konnten sich oft an nicht mehr klammern als die vage Hoffnung, einen Platz zum Leben zu finden. Nur wenige schafften es. Eine Aufgabe der Erkundung bestand darin, diese Leute zu finden und einen verläßlichen Katalog bewohnbarer Welten aufzustellen, damit die nächste Generation von Siedlerschiffen eine größere Überlebenschance hatte.

Und wir sollten Treibgut ausfindig machen, die unglaublichen Reichtümer, die buchstäblich am Himmel hingen. Welche unter exotischen Temperaturen und Druckverhältnissen entstandenen neuen Mineralien warteten auf Nutzungen und einen Markt? Wo fand man berggroße Klumpen aus reinem Nickel und Eisen in der Dunkelheit des Alls, wo sie nur darauf warteten, daß ein Fabrikschiff sie in Besitz nahm? Wo lagen die lieblichen, grünen Planeten, bereit für Menschen, die dort leben wollten? Welche neuen Pflanzen und Tiere würden den Export lohnen?

Sicherlich mußte doch jeder einsehen, daß es nötig war, auf Entdeckung zu ziehen. Und ganz eindeutig handelte es sich dabei um eine Aufgabe für die Regierungen der Menschheit — eindeutig für alle, ausgenommen die Regierungen. Regierungen sollten eigentlich führen, aber statt dessen folgten sie seit den ersten Schritten, die unsere Rasse in großem Maßstab in den Weltraum unternommen hatte, den Leuten, die hinauszogen.

Zum erstenmal geriet in den dreißiger Jahren des 21. Jahrhunderts Sand ins Getriebe. Zu diesem Zeitpunkt gab es bereits ein gutes halbes Dutzend Koloniewelten, dazu ein Dutzend schlechte. Selbst Nationen und Konsortien, die es sich eigentlich nicht leisten konnten, gründete Kolonien. Es stimmt, daß die frischgebackenen Kolonien den Nationen, die sich den enormen Kapitalaufwand leisten konnten, auch wieder viel einbrachten, aber eine arme Nation geht bankrott, lange bevor die Kolonie etwas abwirft. Das Schema wiederholt sich häufig. Die Nation oder die Kolonie oder beide auf einmal brachen zusammen, und die Leute fingen an zu sterben. In den Reichtum des Alls brachten wir Krieg, Aufruhr, Seuchen und Hunger. Es geschah auf viele unterschiedliche Art und Weisen auf einem Dutzend unterschiedlicher Welten.

Die großen Nationen und die blühenden Kolonien, von denen viele inzwischen völlig unabhängig geworden waren, bekamen es mit der Zeit satt, die Mißerfolge aufzufangen. Die Vereinigten Staaten, die asiatischen und europäischen Mächte und die starken Kolonien — Kennedy, Britannica, Europa, New Alberta, Newer Jersey und die übrigen — versammelten sich am Konferenztisch. Mit jedem nur denkbaren Mittel zwangen sie die Kleinen und Schwachen, sich ihnen anzuschließen — die Estnische Republik, das Föderative Volksprotektorat Tschad, Uruguay, Kolonien wie New Antarctica und Hochalbanien, die O'Neill-Kolonien sowie die eigenständigen (und selbstgerechten), freischwebenden Kolonien auf Umlaufbahnen um die Erde.

Einige große Länder hatten selbst zum Problem beigetragen. China hatte bis dahin mehrere bemerkenswerte Fehlschläge im Weltraum erlitten. Viele kleinere Nationen und Kolonien gehörten dagegen zu den führenden Konferenzteilnehmern: Schweden, Singapur und seine ›Tochter‹, die O'Neill-Kolonie Hochsingapur, Portugal, Finnland und Neu-Finnland unterstützten das Unternehmen entschieden.

Die Delegierten stritten miteinander. Sie bedrohten einander. Es wurden Hinterzimmerabkommen ausgetüftelt, die heute noch Skandale nach sich ziehen. Aber schlußendlich war ein Vertrag ausgehandelt.

Und so entstand am 1. Januar 2038 um 0 Uhr WEZ und 0 Uhr Akkumulierter Sternzeit (ASZ) die Planetenliga, und das Gründungsdokument, der Planetenvertrag, wurde in Kraft gesetzt.

Am 2. Januar, um 0 Uhr WEZ bzw. 24 Uhr ASZ evakuierte die Liga die glücklosen Einwohner New Antarcticas und behandelte ihre Erfrierungen.

Die Delegierten hatten ein System gefunden, das funktionierte. Ihr Grundsatz stellt das Lebensrecht des einzelnen Menschen über das Recht eines Idioten, eine Regierung wie ein Familienunternehmen zu führen.

Als die Liga entstand, wurden Grundregeln für die Errichtung von Kolonien aufgestellt. Leute konnten nach wie vor einfach auf und davon gehen, wenn sie wollten, aber es geschah nicht mehr so häufig per Zufall. Weniger Menschen hungerten. Als die Schnelle Pest Kennedy erreichte, griff die Interwelt Gesundheitsorganisation (einer der Bestandteile der Liga, die eigentlich älter sind als sie selbst, wie auch der Internationale Gerichtshof in Den Haag) ein und rettete uns. Daran kann es überhaupt keinen Zweifel geben. Deshalb steht die Republik Kennedy auch entschieden auf seiten der Liga.

Man kann noch weitere positive Aspekte nennen. Es werden heute seltener kleine Kolonien mit noch schwachen Regierungen von angeberischen Diktatoren übernommen. Der Handel ist verläßlich geworden und nicht länger ein Glücksspiel.

Ich blickte in die düstere Nacht hinaus. Es war ganz schön naiv von mir gewesen zu glauben, die Politik nähme keinen Einfluß auf die Erkundung — undenkbar bei der Entstehungsgeschichte der Liga.

Ich muß etwa eine Stunde dort gestanden und mich an einem Getränk festgehalten haben. Eine Ordonnanz erschien.

»Leutnant Larson?«

»Mmm?«

»Entschuldigen Sie, Sir, Kapitän Driscoll läßt Sie grüßen und bitten, gleich in ihr Büro zu kommen.«

Ich folgte dem jungen Mann entlang des wohlbekannten Weges zu Driscolls Büro.

Er führte mich hinein und verschwand. Joslyn war bereits da — und ebenso Pete Gesseti. Als ich eintrat, reichte Driscoll ihm gerade einen Stoß Papiere, den er in eine Mappe mit der Aufschrift REPUBLIK KENNEDY, AUSSENMINISTERIUM, TOP SECRET steckte.

Joslyn und ich wechselten Blicke, und sie schüttelte den Kopf. Bislang hatten sie ihr also nichts erzählt. In Petes Gesicht zeigte sich tiefe Bestürzung, eine harte Aufgabe für die Züge eines Pokerspielers.

Driscoll ignorierte mich fürs erste und starrte nur ins Leere, wobei sie auf dem Ende eines Bleistifts kaute. Dergleichen kam bei Gillian Driscoll nicht häufig vor. Eine kraftvolle, laute Stimme, die Gehorsam forderte, war schon eher ihr Stil.

Sie war eine kleine, ziemlich kompakt gebaute Frau — eine, die mit der Faust an Wände hämmerte, wenn sie frustriert war. Das Gesicht war rund und ein wenig unscheinbar. Die Haut wirkte rauh und wettergegerbt. Aus Bequemlichkeit trug sie einen strengen Kurzhaarschnitt. Sie wußte geschickt mit Make-up umzugehen und hatte früher am Abend in ihrer Galauniform ein hübsches Bild abgegeben. Wenn sie für längere Zeit hinter einem Schreibtisch festsaß, neigte sie dazu, mollig zu werden — ein Problem, mit dem sie jedoch zur Zeit nicht zu kämpfen hatte, denn sie leitete die Kurse in waffenlosem Nahkampf und in Überlebensstrategien. Sie war mehr oder weniger irischer Abstammung, und neben den blauen Augen und den roten Haaren wies noch eine knopfrunde Nase darauf hin.

Jetzt trug sie nur die üblichen Freizeitschuhe und Overall. Allmählich schien sie zu sich zu kommen und mich zu bemerkten. »Mac. Gut. Setzen Sie sich. Wir müssen uns unterhalten.«

Ich setzte mich.

Sie trommelte mit den Fingern auf dem Tisch herum und brummte für einen Moment etwas vor sich hin. Dann wurde sie deutlich. »Pete, erklären Sie es. Ich möchte es noch mal hören. Vielleicht werde ich diesmal schlauer daraus.«

»Okay«, sagte Pete und wandte sich dann Joslyn und mir zu. Zunächst: »Habt ihr eine Ahnung, wie der Erkundungsdienst an die Schiffe gekommen ist, mit denen ihr fahren sollt?«

»Sie wurden von den Briten gespendet, nicht?« fragte ich.

»Nicht so ganz. Ihr habt zehn Schiffe bekommen, die für die Erkundung bestimmt sind. Vorher dienten sie als Langstrecken-Patrouillenfregatten. Hinter ihnen steht der Gedanke, daß man genügend von ihnen hat, um eine oder zwei an Unruheherde zu schicken, wo ihre Feuerkraft die Lage unter Kontrolle hält, bis die Politiker auftauchen und die Dinge regeln. Nun hat die Regierung Seiner Majestät bei den Imperial-Werken einhundert derartige Schiffe in Auftrag gegeben, mit einer Option auf zehn zusätzliche Einheiten. Die Regierung ging davon aus, daß diese Klausel per Benachrichtigung in Kraft gesetzt würde. Die Werftgesellschaft dagegen glaubt, sie wäre *widerrufbar* durch Benachrichtigung. Der Vertragspartner befand sich ein Dutzend Lichtjahre vom Beschaffungsamt entfernt. Das Ende vom Lied ist, daß die Briten zehn Schiffe mehr bekamen, als sie wollten, und das natürlich komplett mit Rechnung. Dann stellte sich heraus, daß sie nicht mal die hundert ursprünglichen Schiffe benötigten. Der Internationale Gerichtshof in Den Haag entschied zugunsten von Imperial. Damit saßen die Briten auf den Schiffen, ohne das für ihren Betrieb notwendige Geld und ohne Verwendung für sie. Also vermieteten sie sie für ein Pfund pro Jahr an die Liga. Halt ihre Art, mit dem finanziellen Ausfall fertig zu werden. Nun, in den fünf Jahren seitdem haben sie ein paar Schiffe durch Unfälle verloren und obendrein inzwischen ein größeres Gebiet abzudecken. Sie kamen zu der Überzeugung, daß sie wohl doch zehn weitere Einheiten benötigten. Der Mietvertrag läuft in fünfundvierzig Tagen aus — Erdtagen, was zum Teufel das immer auch in Stunden ausmacht.«

»Um die Geschichte abzuschließen«, sagte Driscoll, »und Sie auf den neuesten Stand zu bringen: Ihr Freund Mister Gesetti hat eine ganze Anzahl Gesetze, Bestimmungen und Verträge gebrochen, um mir eine diplomatische Note zu zeigen, die von London an die Britische Botschaft auf Kennedy ging und von uns abgefangen wurde.«

»Ein paar unserer Spezialisten haben schon vor einiger Zeit den diplomatischen Code der Briten geknackt«, sagte Pete. »Wir haben die Nachricht vom Relaissatelliten aus aufgeschnappt und gelesen, ehe sie selbst dazu kamen — zum Glück für euch.« Pete zeigte nicht die Spur von Scham. »London wies die Botschaft an, auf Distanz zu den Erkundungsleuten zu gehen. Sie wollen bald ihren Verbindungsoffizier zurückziehen und überlegen sich, die Schiffe zurückzuholen, falls das politisch machbar ist.«

»Die Nachricht stammt aus der Zeit vor dem Verlust der *Venera*«, bemerkte Driscoll. »Mit der Unterstützung der Briten in der Liga hätten wir den Verlust an Personal durchstehen können. Bei einer intakten Organisation wäre es nicht ›politisch machbar‹, uns die Schiffe so kurz vor dem Abschluß des ersten Lehrgangs wegzunehmen.«

»Wie die Dinge jedoch jetzt stehen, hängt Ihr fest«, stellte Pete nüchtern fest.

»Also, was *machen* wir?« fragte Joslyn.

»Machen! Was wir machen?« Driscoll zog eine Schublade auf, holte eine Flasche und ein Glas hervor und goß sich ein. »Wir nehmen unsere vierunddreißig überlebenden Crewmitglieder, verteilen sie auf die zehn Schiffe, von denen eigentlich jedes eine Besatzung von neun Leuten haben müßte, und schicken sie los, ehe die Bürokratie der Liga Zeit findet, uns den Kopf abzuschlagen.«

»Ma'am, mit allem gebührenden Respekt, aber das kann nicht funktionieren!« rief ich.

»Mac, Sie haben vielleicht recht, aber wenn die Erkundungsschiffe nicht *jetzt* starten, tun sie es möglicherweise nie. Wir müssen sie aus dem Orbit holen und an ihre Arbeit schicken.«

»Können Sie nicht die Folgeklasse beschleunigt heranführen? Kann man das Lehrpersonal nicht einsetzen?« fragte Joslyn.

»Zuerst dachte ich auch daran. Die Folgeklasse — verdammt, diese Grünschnäbel haben noch nicht mal ein Erkundungsschiff von innen gesehen! Die meisten haben den Überlebenskurs noch vor sich, und die astrogatorischen Fähigkeiten sind noch bei keinem so weit getestet worden, daß ich ihnen auch nur eine Fahrt von Kennedy nach Britannica anvertrauen würde, geschweige denn zwischen zwei kaum kartographierten Sternen. Sie sind einfach noch nicht fit. Und was das Lehrpersonal angeht, sieht es, seltsam genug, noch schlechter aus. Das sind alles Spezialisten. Scanlan ist die beste Expertin für Fusionsreaktoren und Energiesysteme innerhalb von dreißig Lichtjahren, hat aber noch nie in einem Druckanzug gesteckt. Jamie Shappard macht euch alle zu Experten in Sachen Druckanzügen, hat aber vom Pilotieren keine Ahnung. Nein. Ihr seid es. Eure Klasse, oder niemand.«

Eine Zeitlang blieb es still. Dann meldete sich Kapitän Driscoll wieder. »Noch ein kleines Problem: Vierunddreißig läßt sich schlecht durch zehn teilen. Ein paar von euch Kindern sind noch nicht gut genug, um zu dritt eine sichere Besatzung abzugeben. Im Gegensatz zu Ihnen beiden.« Sie legte eine Pause ein.

»Ich schicke zwei Vierercrews los, drei Dreiercrews und eine Zweiercrew. Das sind Sie beide. Sie sind verheiratet, sollten sich also vertragen. Eine brandheiße Testpilotin und ein junger Mann, der noch in jeder Klasse der Beste war, ein ›geborener Anführer‹. Joslyn, Sie sind jetzt Erster Leutnant. Mac, Sie haben den Rang, genauer das Brevet eines Fregattenkapitäns, und sobald ich diesen Zettel hier unterschrieben habe, sind Sie der Skipper von Planetenliga-Erkundungsschiff einundvierzig. Sie werden in spätestens zweihundert Stunden starten — ehe die verdammten Politiker auf den Verlust der *Venera* reagieren können.«

Schock war kaum das richtige Wort. Ich bin Kapitän? Start in 200 Stunden? Die Briten im Begriff, uns den Teppich unter den Füßen wegzuziehen? Ich sah mich benommen um, bis ich Petes Blick auffing.

Er grinste nur. »Wieder mal meinen Glückwunsch.«

»Peter, das war deine Idee!« behauptete Joslyn anklagend.

»Diesmal liegen Sie falsch, Joslyn«, sagte Driscoll. »Ich bin selbst darauf gekommen. Aber sagen wir, daß meine Schlußfolgerungen unvermeidlich waren, nachdem ich erst mal diese Note in der Hand hielt.« Für einen Moment umspielte ein Lächeln ihre Lippen, doch plötzlich wirkte sie kleiner und müder, als ich sie je zuvor gesehen hatte.

»Sie fragen uns nicht mal, ob wir uns freiwillig melden möchten?« fragte Joslyn sie.

»Möchten Sie?«

Joslyn und ich blickten einander an. Ihr Gesicht verriet, daß sie sich bemühte, die Sache vernünftig zu sehen, egal, was sie empfand. Ich sah, daß sie zu einer Entscheidung gelangte, und nickte zustimmend, eine ganz leichte Geste, nur für sie allein wahrnehmbar. »Ja«, sagte sie dann schlicht.

Kapitän Driscoll stand auf. »Für das Protokoll: Leutnant Cooper, Fregattenkapitän Larson, ich bitte Sie, sich freiwillig für die gefährliche Aufgabe zu melden, um die es hier geht. Antworten Sie auf Ehre und Gewissen.« Ihre Stimme klang hart und förmlich.

Selbstbewußt erhob ich mich ebenfalls. »Ich melde mich«, sagte ich mit rauher Stimme.

Joslyn blieb sitzen und musterte uns sorgfältig. »Ich melde mich auch.«

Ein lange Unterbrechung trat ein. In diesem Moment hatte ich das Gefühl — und es blieb mir lange erhalten —, daß alles zu schnell gekommen war. Unser Leben hing jetzt vom Verlauf der Erkundung ab. PLES 41 *konnte* von zwei Personen gefahren werden, aber es würde ziemlich eng werden. Das Schweigen hielt lange an.

»Na, Gott sei Dank«, meldete sich Pete und durchbrach damit die Spannung. »Jetzt könnten Sie uns *allen* eigentlich etwas einschenken.«

»Ein ausgezeichneter Vorschlag, Mister Gesseti.« Driscoll brachte drei weitere Gläser zum Vorschein und goß ein.

Pete hob sein Glas und sprach mit einem Funkeln in den Augen einen Trinkspruch aus. »Auf die Geheimnisse. Und auf das Wissen, wann man sie haben und warum man sie wahren sollte.«

»Auf die Geheimnisse«, wiederholten wir anderen und tranken. Wir waren jetzt Verschwörer; aus welchen Gründen auch immer — wir hatten gerade vereinbart, unsere eigene Flotte zu entführen.

»Noch etwas«, sagte Pete. »Mac, ich möchte nicht, daß du eine namenlose Nummer durchs Weltall steuerst. Du mußt ihm einen Namen geben.«

»Ihr«, berichtigten ihn Joslyn und Driscoll im Chor.

»In Ordnung«, sagte ich. Ich mußte nur ganz kurz nachdenken. »Freunde, ich bitte euch, auf das Planetenliga-Erkundungsschiff *Joslyn Marie* zu trinken!«

»Mac!« rief Joslyn betroffen. »Das wagst du nicht!«

»Ruhe, Leutnant«, sagte Driscoll. »Streiten Sie niemals mit einem Mann, der Ihren Namen berühmt macht.«

Und so tranken wir auf das neugetaufte Schiff.

Joslyn bekam allerdings Gelegenheit zu ihrer Rache. Die Leute vom Planeten Kennedy werden nervös, wenn man sie als ›Amerikaner‹ bezeichnet. Objektiv gesehen sind wir natürlich, wenn schon keine Amerikaner, so doch eine verdammt gute Imitation. Jedenfalls stellte ich eine Woche später fest, daß jemand die drei Beiboote der *Joslyn Marie* auf die Namen *Stars*, *Stripes* und *Uncle Sam* getauft hatte. Und schlimmer noch: Die *Stars* war mit weißen Sternen auf blauem Grund bemalt worden, die *Stripes* mit roten und weißen Streifen und die *Uncle Sam* mit beidem. Als ich zum erstenmal mit der frisch geschmückten *Stars* auf Columbia landete, kam es mir so vor, als breitete sich ein benommenes Schweigen beim Bodenpersonal aus. Ich ignorierte das, so gut ich konnte, machte mich auf die Suche nach Joslyn und fragte mich, ob ich sie aufgrund künstlerischer Insubordination in Eisen legen konnte. Es versprach, eine interessante Reise zu werden.

Kapitel 2

Am nächsten Morgen wurde eine ›Revidierte Besatzungsliste‹ ausgehängt. Die ersten Zeilen lauteten:

PLES 41 ›Joslyn Marie‹
Larson, T. M., Freg. Kap. (Kommandant)
Larson, J. M., 1er Leutn.
Freiwillige Besatzung — Belegung komplett

Driscoll hatte Girogi Koenig für das Kommando über PLES 42 gewinnen können, und die beiden freien Posten, mit denen die Belegung ›komplett‹ war, waren innerhalb von vier Stunden nach dem Aushang besetzt.

Die restlichen Schiffe wurden auf ähnliche Weise bemannt, wobei zunächst jeweils nur der Kommandant feststand. Innerhalb von zwölf Stunden waren PLES 43, 44, 45, 46 und 48 voll belegt. Innerhalb von dreißig Stunden waren alle zehn Schiffe besetzt. Soweit ich es mitbekam, hatte sich jeder einzelne freiwillig gemeldet — und das auch für das jeweils von Driscoll für ihn oder sie vorgesehene Schiff. Sicher, die Einheiten mit vier Mann Besatzung hatten jeweils ein Mitglied des untersten Ranges aus dem Überlebenstraining an Bord, aber es waren auch höherrangige Leute zur Unterstützung dabei. Die Dreiercrews setzten sich aus Angehörigen mittlerer Ränge zusammen. Alle Gerüchte, die mir zu Gehör kamen, deuteten an, daß Driscoll niemanden gezwungen hatte, sich freiwillig zu melden. Ich schätze, sie verstand sich auf ihre Arbeit.

Die Erkundungsbasis war wenig später erfüllt vom Lärm startender Beiboote, die Vorräte, Instrumente, Gepäck und dies und das zu den Schiffen in der Umlaufbahn transportierten. Das Ersatzteildepot war innerhalb von fünfzig Stunden leer, bis auf Anordnung des stellvertretenden Stützpunktkommandan-

31

ten alle Ersatzteile zurückgegeben wurden, um sie anschließend ordnungsgemäß zu verteilen. Ich kann sagen, daß die loyale Crew der J. M. fast alles zurückgab, was noch nicht installiert war, aber für die übrigen Schiffe kann ich nicht sprechen. Ein paar Beiboote holten auf Kennedy haltbare Lebensmittel ab, die nicht nach Pappe schmeckten. Darüber regten wir uns alle ziemlich auf.

Alle Funkkanäle waren mit sorgfältig zensierten Abschiedsbotschaften verstopft, die zu allen Planeten der Liga hinausgingen. Keine der Botschaften verriet, warum wir so plötzlich starteten.

Driscoll gab sich Mühe, den Verlust der *Venera* so lange wie möglich geheimzuhalten. Sie wußte jedoch ganz genau, daß früher oder später etwas durchsickern würde. Die engsten Verwandten hatten natürlich längst die ›Wir bedauern zutiefst‹ Nachrichten erhalten. Diesen war nicht mehr zu entnehmen, als daß ein Sohn oder eine Tochter, eine Nichte oder ein Neffe, ein Enkelkind oder Ehepartner in Ausübung seines oder ihres Dienstes ehrenvoll gestorben war. Kein Wort zum Wie oder Wann oder Wo, nur die Feststellung, daß aufgrund höherer Gewalt die Leiche nicht zum Begräbnis nach Hause geschickt werden konnte.

Wenn irgendwas durchsickerte und jemand weiter oben sich die Mühe machte, in Augenschein zu nehmen, was auf der Ausbildungsbasis des Erkundungsdienstes geschah, dann konnte man darauf wetten, daß die Startvorbereitungen der Erkundungsschiffe sofort gestoppt würden. Ein für allemal.

Es bestand die Hoffnung, die vernünftige Chance, daß die Risiken, die Driscoll einging, sich auszahlen würden. Die Erkundungsschiffe konnte theoretisch jeweils von einer Person gefahren werden — vorausgesetzt, alles ging hundertprozentig glatt —, und zwei oder drei Besatzungsmitglieder konnten mit dieser Aufgabe unter einer Vielzahl unterschiedlichen Bedingungen klarkommen. Eine Neunercrew war als Sicherheitsmaßnahme zu verstehen, als redundantes System, und diente darüber hinaus der Moral. Die Einsatzbestimmungen für eine Neunercrew sahen vor, daß mindestens drei Personen an Bord blieben und wenigstens ein Beiboot zurückbehielten, während die übrigen auf Erkundung gingen. Diese Bestimmungen konnten wir jetzt vergessen, andernfalls hätte niemand die Schiffe jemals verlassen dürfen. Das galt auch für eine Menge ähnlicher Bestimmungen. Alles lag in dem Ermessen des Kommandanten.

Driscoll rief alle Kommandanten zu einer Konferenz über diese Frage zusammen. Ihre Rahmenbefehle waren ganz einfach: So viele Informationen wie möglich sammeln und zum Stützpunkt zurückzubringen, ohne das Kommando aufs Spiel zu setzen. Das Schiff unversehrt wieder abgeben. Irgendeinen netten Planeten finden, dort ein wenig herumschnüffeln, in Erfahrung bringen, was möglich war — *aber auf jeden Fall das Schiff zurückbringen!*

Der erste Einsatz des Planetenliga-Erkundungsdienstes hatte in der Öffentlichkeit *gut* abzuschneiden. Das war ein Befehl!

Die Astrogationsabteilung arbeitete rund um die Uhr daran, unsere Kurse auszutüfteln. Interstellare Raumfahrt ähnelt einem dreidimensionalen Billardspiel, wobei das Schwerkraftfeld eines Sterns genutzt wird, um ein Schiff in Richtung auf ein Ziel zu beschleunigen. Der Trick besteht darin, das Schiff nicht nur zum richtigen Stern zu befördern, sondern dies auch mit einer manövrierbaren, relativen Geschwindigkeit, sowie es mehr oder weniger auf die Ebene des Zielplaneten zu bringen (Man mißt den Doppler-Effekt des Sterns, um seine Rotationsebene und -richtung zu bestimmen und, wenn es Gott gefällt, auch die Ebene und Richtung der Planeten). Es handelt sich um eine knifflige Methode, aber für ein anderes Verfahren fehlte uns der Treibstoff.

Als nächstes kam die technische Überprüfung der Schiffe an die Reihe, ein Thema, das mich nachts wach hielt. Hatte ich den Druck der Treibstoffpumpe am dritten Sauerstofftank richtig abgelesen oder nicht? Hatte diese Überspannung etwas zu bedeuten? Wie stand es um die Lufterzeugung? Positiv schlug dabei zu Buche, daß wir schließlich die meisten Nächte an Bord der J. M. verbrachten, was bedeutete, in der Schwerelosigkeit zu arbeiten und zu schlafen. Das half sehr.

Das Schiff war wenig später in bestem Zustand, aber würde es dabei bleiben, bis wir zurückkamen? Vom Astrogationsteam erhielten wir einen Kurs, der uns für die nächsten dreizehntausend Stunden Lichtjahre über jede Werft hinausführen würde — für etwa anderthalb Jahre irdischer Zeitrechnung. Joz und ich überprüften Schritt für Schritt jedes primäre, sekundäre und tertiäre Hilfssystem und ließen anschließend die Diagnostikcomputer diesen Vorgang nicht weniger gründlich wiederholen. *Dann* kontrollierten wir unsere manuellen Arbeiten noch einmal mit Hilfe der Computer. Allmählich konnten wir alle Fehlerquellen beseitigen.

Als Joslyn endlich die letzte Klappe über den technischen Innereien des Schiffes schloß und sich die Schmiere mit einer noch schmierigeren Hand von der Nase wischte, hatten wir ein Schiff im Topzustand. Wir waren richtig stolz darauf. »Mac«, sagte Joslyn, »ich denke, ich kann dir verzeihen, daß du das alte Mädchen nach mir benannt hast. Sie ist ein Schatz.«

»Finde ich auch, aber andererseits glaube ich, daß eine Verabredung mit dir viel mehr Spaß machen würde als mit ihr.« Ich war sehr glücklich über beide Joslyn Maries. Die eine mit dem netten Lächeln kuschelte sich in meine Arme und gab mir einen Kuß, um sich anschließend über meinen Schoß zu setzen (eigentlich *auf* den Schoß, aber wir befanden uns in der Schwerelosigkeit; ein netter Aspekt dabei ist, daß der Schoß nicht müde wird). Ich streckte mich auf der Kommandocouch aus und betrachtete an Joslyn vorbei eine grüne Tafel. Das Schiff dahinter war einfach klasse.

Die *J. M.* maß vom Bug bis zum Heck etwa neunzig Meter. Am Heck befanden sich die drei großen Fusionsreaktoren mit ihren Hilfstriebwerken. Direkt vor den Triebwerken lag ein zentraler Wasserstofftank, umgeben von sechs außen befestigten Tanks. Diese waren nicht zum Abwurf bestimmt, sondern dazu, mit dem Schiff an einen Eisbrocken im All — einen Kometen oder was immer — heranzufahren und zu tanken, indem sie ihm Wasserstoff entzogen. Oberhalb der Tanksektion befand sich ein Übungsdeck. Wie das restliche Schiff war das ein Zylinder, fünfzehn Meter im Durchmesser. Die Luken öffneten sich zum Mittelpunkt hin, um den sich der Zylinder drehte, um für das Training simulierte Schwerkraft zu liefern. Darauf folgten zwei Decks mit Kabinen — sanitäre Anlagen, eine Kombüse, eine Bücherecke, ein Unterhaltungsschirm und so weiter. Auf dem obersten Deck lag die Kommandozentrale, in der sich Joz und ich gerade aufhielten. Hier befanden sich die Arbeitsplätze für die geplanten neun Besatzungsmitglieder, die meisten auf die eine oder andere Art redundant zum Kommandoplatz, auf dem ich saß. Zum Manövrieren nahm Joslyn auf dem Pilotensessel Platz.

Über uns lagen die Schleusen zu den Docks für die Beiboote. Bug an Bug mit der *Joslyn Marie* lag das große ballistische Landungsboot *Uncle Sam*, das die Form eines stumpfen Kegels hatte, so daß es mit dem Heck voraus flog, solange es mit dem Mutterschiff verbunden war. Verbindungstunnel führten längs des Mutterschiffs zu den Dockluken der *Stars* und *Stripes*, die ihre Plätze auf dem ersten und vierten Außenbordtank hatten. Anders als das Landungsboot fuhren sie mit dem Bug voran und hockten dabei, geschützt durch zusätzliche Stützen, in ihren Halterungen.

Das Mutterschiff und sämtliche Beiboote waren mit Torpedoröhren und starken Laserkanonen ausgestattet. Wir führten empfindliche Teleskope, Funkanlagen und Ortungsgeräte aller Art mit. Es gab Dutzende von Inspektionskameras überall am Schiff, innen wie außen, und ihre Bilder wurden über die Videoschirme der Kommandozentrale ausgegeben. Wir hatten Druckanzüge, Waschmaschine und Schleuder, Kletterseile, ein biologisches Labor, eine Werkstatt — die ein komplettes zweites Schiff, in seine Teile zerlegt, zu enthalten schien — und noch eine Menge mehr.

Die *Joslyn Marie* war ein gutes Schiff.

Da saßen wir nun für eine ganze Weile und bewunderten sie. Für mich wenigstens war dies der Augenblick, wo das Schiff nicht mehr nur ein Stück Metall war, um das Vakuum draußen zu halten, sondern mein Zuhause wurde. Und es war startbereit.

Driscoll rief uns vor dem Start für ein paar Abschiedsworte

in ihr Büro. Sie war müde, sehr müde und hatte sicherlich mehr Angst als wir. Sie begrüßte uns und bot uns höflich Plätze und Getränke an. Letzteres lehnten wir höflich ab. Sie schien lange nach den richtigen Worten zu suchen, erging sich derweil in Nebensächlichkeiten und spielte mit den Stiften und Papieren auf dem Schreibtisch herum.

Endlich kam sie zur Sache. »Verdammt, wißt ihr jungen Leute eigentlich, wie sehr ich euch mag?« fragte sie. »Ich hoffe nicht. Auf der Offiziersschule wurde mir beigebracht, daß die Untergebenen es nicht wissen sollten. Natürlich haben sie mir auch beigebracht, sie gar nicht erst zu mögen. Ich bin so stolz auf Sie beide. Sie haben sich wirklich der Welt, ja der Galaxis gestellt. Und Sie werden hinausfahren und sich beim Kampf mit dem Unbekannten schier das Kreuz brechen. Vielleicht sterben Sie da draußen im Kampf gegen die Kälte und die Hitze, das Vakuum und die Einsamkeit; vielleicht finden Sie ja ein gutes Ende mit intaktem Geist und Herz, ohne ganz zu verstehen, wofür Sie eigentlich sterben. Sie können es einfach nicht wissen. Sie sind zu jung, zu tapfer, zu selbstsicher.«

Sie unterbrach sich und seufzte tief. Sie legte den Kopf in den Nacken und blickte eine Weile zur Decke hinauf, ehe sie fortfuhr.

»Zu der Frage, worum es überhaupt geht, kann ich nur eines sagen: Nur wenn Sie tatsächlich mit intaktem Geist und Herz sterben, werden Sie ein gutes Ende gefunden haben – und ein gutes Ende zu finden, bedeutet einfach, gut *gelebt* zu haben. Aber ich glaube eigentlich nicht, daß Sie umkommen werden – Sie beide sind Überlebenskünstler. Sollten Sie je das Gefühl haben, es ginge nicht weiter, dann erinnern Sie sich daran: Sie sind Überlebenskünstler. Nutzen Sie diese Tatsache, um den Funken Ausdauer, den Funken Mut oder Kraft zu finden, den Sie vielleicht vergessen haben werden.« Sie lächelte, und wir sahen, daß ihre Augen schimmerten. »Und das war alles, was ich Ihnen noch zu sagen hatte.« Sie führte uns zur Tür, umarmte uns beide kurz, und wir verabschiedeten uns.

Ein paar Stunden später saßen wir an unseren Positionen in der Zentrale, und ein kräftiger Schlepper donnerte hinter uns her, um uns die für den ersten Sprung erforderliche Geschwindigkeit zu verpassen, ohne daß wir schon auf den Treibstoff in den Tanks der J. M. zurückgreifen mußten. Die entsprechende Treibstofferparnis vergrößerte unsere Reichweite.

Der überlichtschnelle Antrieb bewegt ein Schiff mit dem Quadrat der Lichtgeschwindigkeit. Man bezeichnet das mit c^2 — ausgesprochen c-quadrat. c^2 bringt einen in etwa einhundertfünf Sekunden vom Sonnensystem nach Proxima Centauri, vorausgesetzt es gäbe einen Grund, nach Proxima Centauri zu fahren. Natürlich muß man den c^2-Antrieb in ordentlichem Abstand zum Gravitationsschacht eines Sonnensystems einsetzen, um nicht ganz, ganz weit weg vom geplanten Ziel zu landen.

Die Sache hat noch ein paar Haken. Der Sprung vom ›normalen‹ Raum auf c^2 erfordert einen mächtigen Energiestoß. Sollte, was Gott verhüte, irgendwas mit der Energieversorgung schiefgehen und man in c^2 steckenbleiben — nun, die Grenze des Universums wartet irgendwo da draußen, und niemand weiß so recht, was passiert, wenn man erst mal dort ist. Mit Sicherheit sind schon Schiffe auf diese Art verlorengegangen. Weniger katastrophal, aber immer noch sehr gefährlich ist ungenaue Astrogation. Eine Abweichung von 0,09 Sekunden beim Austritt aus c^2 würde ein Schiff so weit von seinem Zielpunkt entfernen, wie der Saturn von der Sonne entfernt ist.

Die heutigen Navigationscomputer sind gut genug, damit Piloten sich bei einem Fehlfaktor von einer halben Milliarde Kilometern noch sicher fühlen können. Der J. M. standen dreifach höhere Abweichungen bevor, da wir in Gebiete unterwegs waren, die man bislang weit weniger gut kartographiert hatte als die regulären Raumlinien. Und wenn es uns gelang, wie wir hofften, über einem Pol des Zielsterns zu erscheinen, hatten wir eine gute Position, um nach Planeten Ausschau zu halten.

In den meisten Sternensystemen (das der Erde eingeschlossen) stimmt die Rotationsebene der Planeten mit dem Äquator des Sterns überein. Betrachtet man also das Sonnensystem von der Ebene des Sonnenäquators aus, sähe man die Umlaufbahnen der Planeten, Asteroiden und all dessen sozusagen von der Seite. Betrachtet man die Erde ein Jahr, also einen Umlauf lang, hätte man den Eindruck, sie bewegte sich auf einer geraden Linie von einer Seite der Sonne auf die andere und wieder zurück, wobei sie einmal vor der Sonne entlangzöge, einmal hinter ihr. Wäre man weit genug entfernt, um die gesamte Umlaufbahn der Erde um die Sonne überblicken zu können, würde sich die Größe der Erdscheibe bei ihren Bewegungen zu und vom Betrachter kaum merklich ändern. Von Positionen oberhalb des Nord- oder Südpols eines Sterns aus kann man jedoch die Planetenkreisbahnen sozusagen flächig überblicken und gut überschauen. Unter diesen Voraussetzungen ist es einfach, die Bewegung der Planeten und anderer Himmelskörper zu messen und eine einigermaßen verläßliche Karte ihres Umlaufs zu erstellen.

Worauf das alles hinausläuft, ist folgendes: Es ist besser, über einem Sternensystem anzukommen und es von oben betrachten zu können, als an der Seite aufzutauchen und es von der Kante her zu sehen.

Schön. Man hat also festgestellt, daß Planeten ihren Stern normalerweise auf dessen Äquatorebene umlaufen. Wie bestimmt man nun den Äquator? Ein Stern ist schließlich, von einem anderen aus gesehen, nur ein Lichtpunkt ohne nennenswerte Kennzeichen.

Üblicherweise behilft man sich mit dem Doppler-Effekt. Licht einer bestimmten Frequenz hat eine *scheinbar* höhere Frequenz, wenn es auf den Betrachter zu kommt, und eine scheinbar niedrigere, wenn es sich von ihm weg bewegt. Dabei verändert sich jedoch nicht das Licht, sondern die eigene Wahrnehmung. Rotiert nun ein Objekt, so bewegt sich die eine Seite auf den Betrachter zu und die andere von ihm weg. Über interstellare Entfernungen hinweg ist dieser Unterschied meßbar. Ganz sorgfältige Messungen geben gewöhnlich die Rotationsebene zu erkennen und damit auch den Äquator und die Pole des Sterns, wobei die höchste Abweichung so um die zehn Grad beträgt.

Zehn Grad sind eine ganze Menge. Nimmt man noch die Tatsache hinzu, daß die tatsächliche Entfernung zu einem Zielstern selten sonderlich genau bekannt ist, dann erkennt man leicht, daß jede Erkundungstätigkeit in gewissem Umfang glücksabhängig ist. Man nehme unzulängliche Daten und bringe sein Schiff damit auf die falsche Position, und schon muß man Treibstoff verschwenden, um die ursprünglich angepeilte Position doch noch zu erreichen. Man verschwende zuviel Treibstoff, und schon kehrt man zu früh zurück — oder gar nicht mehr. Zwar ist es möglich, Wasserstoff von einem Eismond ›abzubauen‹, aber geeignetes Eis findet man nur selten, und der Vorgang ist langwierig und mühselig.

Aus c^2 kommt man mit genau der Richtung und Geschwindigkeit wieder hervor, mit der man eingetreten ist. Die Sterne umkreisen das Zentrum der Milchstraße, genau wie Planeten einen Stern umkreisen. Man muß also auch die relativen Geschwindigkeiten der Sterne zueinander berücksichtigen. Eine typische Geschwindigkeitsdiffenrenz ist zum Beispiel siebzig Kilometer pro Sekunde. Ein Schiff, das von einem Stern zum andern unterwegs ist, muß diese Verschiebung ausgleichen.

Der Schlepper beschleunigte uns jetzt auf die Geschwindigkeit, die wir für den ersten Zielstern benötigten. Sobald wir dort eintrafen, würden wir die nötigen Anpassungen an Geschwindigkeit und Kurs vornehmen und uns auf die Suche nach Planeten machen.

Wir lösten uns vom Schlepper und waren unterwegs. Fünf Minuten später gelangten die Computer der J. M. zu dem Schluß, daß wir zur richtigen Zeit am richtigen Ort waren, und katapultierten uns auf c^2, und schon waren wir auf und davon in unbefahrene Gebiete.

Etwa viertausend Stunden lang, also sechs Monate, erledigte die J. M. ihren Job. Wir besuchten ein halbes Dutzend Sternensysteme, die wundervoll erschienen waren, jedes davon eine ernste Versuchung, mindestens ein ganzes Leben lang zu bleiben, zu forschen und zu staunen. Das einzige, was uns jeweils davon abhielt, war die Verheißung neuer Wunder an einer anderen Stelle des Himmels.

Und ich hatte nicht nur das Universum voller Wunder zu erkunden, sondern dabei auch die Gesellschaft einer Frau, die ich liebte. Es war die Zeit meines größten Glücks. Jeden Tag erwachte ich aufs neue für die herausfordernde, zufriedenstellende Arbeit, die nicht nur Spaß machte, sondern die nützlich war, ja lebenswichtig. Jeden Tag verbrachte ich mit jemandem, den ich nicht nur liebte, sondern auch gern hatte. Jeder Tag war ein neues Abenteuer.

Jeder einzelne Tag machte richtig *Spaß*!

Man stelle sich vor, auf einem winzigen Weltenstück von enormem mineralischen Wert zu stehen, übriggeblieben von irgendeiner Laune der Geburt eines Sterns. Man stelle sich vor, über sich am Himmel eine Welt zu sehen, zehnmal so groß wie der Jupiter, in dem Wissen, daß die gewalttätigen Stürme in seinem turbulenten Wolkenmeer die Geburtswehen eines Sterns waren, dessen thermonuklearer Hochofen gerade zum Leben erwachte. Joslyn und ich standen an einem solchen Ort und wußten, daß andere uns folgen würden, begierig darauf, den Schatz unter unseren Füßen zu bergen, ehe der Feuerball voll zum Leben erwachte und sich ins All hinaus ausbreitete, wobei nur Asche von dem blieb, worauf wir standen. Das Ende dieser kleinen Welt wird noch im Laufe eines, bestenfalls zweier Menschenleben kommen.

Man stelle sich zwei Welten von der Größe des Erdmondes vor, die einander umkreisten, weniger als dreitausend Kilometer voneinander entfernt. Die Gezeitenkräfte verursachten seit jeher endlose Erdbeben und hatten die Oberflächen der Zwillingswelten längst völlig zertrümmert. Wir nannten sie Romulus und Remus. Eines Tages werden sie zusammenprallen und nur Felsbrocken hinterlassen, die durch die Leere rasen.

Man stelle sich eine Welt vor, deren Luft rein und süß ist, deren Meere und Himmel und Landschaften von Lebensformen bevölkert sind, ganz ähnlich denen der Erde. Dort fand ich — etwas. Ich behaupte, daß es ein Stück bearbeitetes Metall ist. Joslyn hält es für ein Zufallsprodukt der Natur, ein Klümpchen Legierung, ausgespuckt von einem Vulkan und geformt von den Launen des Wassers und des Wetters. Bald werden hier

Menschen siedeln, und ich hoffe, ihnen wird ein Kind geboren, das hier graben und eines Tages beweisen wird, daß unser Verstand nicht der einzige war, der diesen Ort je berührt hat.

Joslyn und ich brachten unsere Tage damit zu, durch den Himmel zu streifen und zu tun, was uns gefiel. Es war die glücklichste Zeit unseres Zusammenseins.

Und dann fanden sie uns.

Es geschah in der Nähe unseres sechsten Zielsterns. Wir waren schon etwa zehn Tage dort. Wir hatten gerade die Suche nach den Umlaufbahnen und Positionen größerer Planeten abgeschlossen und standen im Begriff, uns von unserem Standort über dem Nordpol des Sterns hinabzustürzen, um uns einige der besseren Gebiete, die wir entdeckt hatten, aus der Nähe anzuschauen.

Wir lagen im Bett und schliefen, als der Alarm ertönte. Es war der Generalalarm-Summer, was bedeutete, daß der eingetretene Notfall von so seltener Art war, daß es keinen eigenen Alarmcode dafür gab. Joslyn und ich krabbelten aus dem Bett, stießen uns von ein paar Schotts ab und arbeiteten uns so auf das Kommandodeck vor. Ich tastete nach einem Schalter und stellte den Alarm ab.

Joslyn, die gewöhnlich schneller wach wird als ich, hatte einen Computer schon dazu gebracht, das Signal zu entschlüsseln, ehe ich überhaupt in meinem Flugsessel saß. »Es ist eine Kurierdrohne!« sagte sie.

»Eine *was*?«

»Du hast mich schon verstanden.«

»Ja, schon, aber das ergibt doch keinen Sinn!« Kurierdrohnen waren verflucht teuer, und die Chance, daß uns überhaupt hier draußen eine fand, war äußerst gering.

»Erzähl das der Drohne. Schalte dein Pult ein und besorg dir einen Ausdruck ihrer Gebrauchsanweisung, ja?« Joslyn studierte ihren Bildschirm und versuchte, dem, was sie dort las, noch mehr Informationen zu entnehmen.

Ich tippte ein paar Befehle ein, und der Drucker spuckte eine Bedienungsanleitung, umfangreich wie ein Buch, aus. Ich wies den Computer an, das Leitsignal des Kuriers so zu übersetzen, daß wir etwas damit anfangen konnten.

»Also, wann wird sie uns ihre Botschaft zufunken?« erkundigte sich Joslyn.

Ich betrachtete meinen Bildschirm und pfiff. »Nie. Frag mich nicht nach dem Grund, aber sämtliche Informationen an Bord, vom Leitsignal einmal abgesehen, sind durch einen Sicherheitscode geschützt.«

»Können wir sie dazu bringen, bei uns anzulegen?« Joslyn dachte als Pilotin — wenn die Drohne selbst das Manövrieren besorgte, sparten wir dabei eigenen Treibstoff.

»Die Entschlüsselung des Leitsignals gibt zu erkennen, daß ihre Tanks fast leer sind.«

»Oh, Mist! Sie schafft es nicht bis zu uns?«

»Nein, es sei denn, du wärst damit einverstanden, daß erst unsere Enkel sie einfangen. Das ›fast leer‹ kommt in diesem Fall einem ›komplett leer‹ nahe.«

»Das dürfte nicht der Fall sein, wenn sie direkt vom Stützpunkt kommt.«

»Ich wette mit dir um den Küchendienst für heute abend, daß sie nicht direkt von dort kommt. Ich glaube, sie hat es zunächst im zuletzt erkundeten System versucht und ist dann erst hierhergekommen.«

»Mac! Hast du auch nur die leiseste Vorstellung, wie schwierig es ist, eine Drohne dafür zu programmieren? Davon, welche Suchgeräte sie bräuchte? Welche Instrumente? Wieviel Energie? Ein ungeheurer Aufwand wäre dazu erforderlich!«

»Ich weiß, ich weiß, ich weiß. Darum fahren wir ja auch ein bemanntes Schiff. Wir sind allerdings eine Woche früher als geplant mit dem letzten System fertig geworden, hätten also zu dem Zeitpunkt, an dem Drohne eintraf, noch dort sein müssen. Außerdem hat das Ding fast denselben Kurs anliegen wie wir nach unserem Eintreffen — also etwa einhundertzwanzig Grad abseits des Kurses, den sie von Columbia aus hätte nehmen müssen.«

»Verdammt, du hast recht! Auch die Geschwindigkeit paßt nicht zu Columbia.«

Ich starrte auf die Zahlenkolonnen, die über den Bildschirm wanderten. »Besorg uns ein paar Rendezvousdaten und drei möglichst günstige Flugbahnen bei mittlerer Reichweite und minimalem Zeitaufwand. Ich koche inzwischen Kaffee.«

»Den werden wir brauchen«, sagte Joslyn und machte sich an die Arbeit.

Fünfzehn Minuten später konnte sie mir schon ein paar grobe Zahlen nennen. »Mit einem Prozent unseres Treibstoffs sind wir in einem Monat dort. Mit fünf Prozent in fünfeinhalb Tagen.« Sie wartete.

»Und welches ist die kürzeste Strecke?«

Sie biß sich auf die Lippe. »Sechsunddreißig Stunden. Fünfzehn Prozent unseres verbliebenen Treibstoffs.«

»Gehst du davon aus, daß wir die *Joslyn Marie* fahren?«

»Natürlich nicht, verdammt! Alle Berechnungen basieren auf der Annahme, daß wir die *Stars* nehmen. Sie scheint ein bißchen effizienter zu fliegen als die *Stripes*.«

»Fünfzehn Prozent! Verflixt! Okay, gib die zeitlich kürzeste Strecke in den Computer der *Stars* ein. Ich fange dort mit einem Systemcheck an.« Ich machte mich Richtung Schleusendeck auf den Weg.

»Mac!« rief Joslyn. »Wir . . . Wir können einfach nicht soviel Treibstoff investieren! Genausogut könnten wir die Mission einfach abbrechen!«

Ich seufzte. »Joz — ich weiß, daß du die Pilotin bist. Du trägst die Verantwortung dafür, das Schiff zu fahren, ohne Treibstoff zu verschwenden, und dir alle Möglichkeiten offenzuhalten. Aber Driscoll hat mir das Kommando gegeben, also muß ich entscheiden, welche Wahl wir treffen. Warum auch immer die Basisstation diese Drohne hinter uns hergeschickt hat, sie hat das für wichtiger gehalten als unsere Mission. Sonst hätte sie sie gar nicht erst gestartet.«

»Was in aller Welt könnte denn wichtig genug sein, uns eine Drohne nachzuschicken?«

»Ich weiß nicht. Wenn es allerdings den Aufwand wert war, uns zwei Sternensysteme weit zu verfolgen, dann ist es sicherlich sehr dringend. Die Party ist vorbei, Joz. Die wirkliche Welt hat uns eingeholt.« Ich schwebte nach unten, um die Energieversorgung des Landers hochzufahren.

Was konnte wohl so wichtig sein? Mir fiel einfach nichts ein. Während ich arbeitete, überschlug ich im Kopf, was die Drohne wohl gekostet hatte, und jonglierte mit den Zahlen. Das Ergebnis war beeindruckend. Ein Robotschiff, das clever genug war, ein Sternensystem anzufliegen, zu durchsuchen und das Ergebnis als negativ zu verwerfen, plus die Computer, die man brauchte, um den Kurs in ein weiteres Sternensystem auszutüfteln, dazu die Triebwerke, der Fusionsreaktor, der c^2-Meiler, die Funkanlage – wahrscheinlich teurer als die die ganze *Joslyn Marie*, da es sich um eine Spezialanfertigung handelte, nicht um ein Serienprodukt wie unsere Fregatte.

Die *J. M.* für die Erkundung lockerzumachen war schon ein Wunder gewesen. Wie bedeutsam war dann erst der Anlaß gewesen, das Geld für diese Drohne auszugeben?

Drei Stunden später legten wir von der *Joslyn Marie* ab und ließen sie mit heruntergefahrener Energieversorgung zurück. Die *Stars* war ein schmuckes, kleines Schiff, und Joslyn überließ mir diesmal sogar den Pilotensitz. Ich schaltete die Kreiselstabilisatoren ein, um keinen Treibstoff mit den Manöverdüsen zu verbrauchen, und versuchte auf diese Art, mir Joslyns Wohlwollen zu erhalten.

Der Kurs war eine haarsträubende Angelegenheit. Wir mußten für ein paar Millisekunden auf c^2 wechseln, die Richtung ändern und dann noch einmal auf c^2 gehen, nur um nicht in den hiesigen Stern zu stürzen, an dem jeder direkte Kurs zur Drohne gefährlich dicht vorbeigeführt hätte. Dann wartete eine ganze Strecke mit tosendem Fusionstriebwerk auf uns, die uns zum letzten Sprung auf Position und Geschwindigkeit der Drohne führte.

Das Ganze zog sich über sechsunddreißig langweilige Stunden hin, abgesehen von ein paar Minuten hier und da, in denen wir das Schiff überprüften und den Computer mit seinen Kursberechnungen beschäftigten. Die Tatsache, daß Joslyn stinkwütend auf mich war, machte es auch nicht besser. Sie sah wohl die Notwendigkeit ein, die Drohne schnell zu erreichen, doch es gefiel ihr nicht, und das Stützpunktpersonal, das sie uns nachgeschickt hatte, konnte sie zum gegenwärtigen Zeitpunkt nicht anbrüllen.

Na ja, sie brüllte auch mich nicht direkt an, aber die Tatsache, daß sie kaum ein Wort mit mir wechselte, lief auf das gleiche hinaus. Ich hatte nicht viel mehr zu tun, als mir weiter den Kopf über die Drohne zu zerbrechen. Und ich konnte nach wie vor nicht schlau daraus werden.

Als wir uns der Drohne endlich auf Sichtweite näherten, war ich mehr als froh über den Tempowechsel – ganz zu schweigen davon, daß ich vor Neugier schier platzte.

Die *Stars* verfügte nicht über die phantastische, optische Ausrüstung der *J. M.*, war aber doch mit einer recht leistungsfähigen Telekamera ausgestattet. Sobald auch nur die leiseste Hoffnung bestand, die Drohne damit einzufangen, richtete ich sie aus. Und erlitt einen der größten Schocks meines Lebens. Drohnen sind normalerweise etwa so groß wie Torpedos, also vielleicht fünf Meter lang, die überwiegend von Treibstofftanks ausgemacht wurden. Das Ding da draußen war jedoch so groß wie die *Joslyn Marie*. Größtenteils Tanks. Der einzige Nutzraum schien sich in einer Blase an der Spitze zu befinden. Riesige, auf den Rumpf gemalte Pfeile wiesen dorthin.

»Die Treibstoffkapazität muß fünfmal so groß sein wie die der *J. M.*«, meinte Joslyn, und ihre Stimme verriet keinen geringeren Schock, als ich ihn erlitten hatte. Durch die Überraschung war ihr Ärger auf mich wie weggeblasen.

»Wenn sie das alles verbraucht hat, um hierherzukommen, dann muß sie uns durch *drei* Sternensysteme verfolgt haben . . .«

»Wenn nicht mehr. Und das mit hohen Beschleunigungswerten. Siehst du diese ganzen baulichen Verstärkungen?«

»Ja. Sieh mal, das Ding muß nahezu seinen letzten Treibstoff verbraucht haben, um auf eine Geschwindigkeit zu kommen, der wir uns anpassen können. Einen Pluspunkt gibt es – wenn es Pumpen hat, können wir mit deren Hilfe den restlichen Treibstoff in die Tanks der *Stars* übernehmen.«

»Selbst wenn die Tanks dieses Monsters bis auf ein Prozent geleert sind, wäre das genug für uns. Wenn wir nur wüßten, wozu der Kasten hier ist!«

»Wir werden es bald erfahren.«

Langsam näherten wir uns der riesigen Drohne. Als wir keine hundert Meter mehr entfernt waren, deutete Joslyn auf eine Seite des Bildschirms. »Da! Ein Tankschlauch! Sie haben daran gedacht, uns Zugriff auf die Treibstoffreste zu verschaffen!«

»Gut. Vielleicht haben wir also noch Sprit, wenn die ganze Sache vorbei ist. Worum immer es sich dabei auch handelt.«

Ich schaltete unsere Tankanlage ein und vergaß sie dann gleich wieder. Sie war automatisiert, um sich ganz von allein in das Tanksystem eines Handelshafens einzuschalten und von den Hafenrobotern versorgt zu werden, ohne daß sich die Besatzung um irgend etwas kümmern mußte. Die Leute auf unserem Heimatstützpunkt waren so nett gewesen, denselben Service auch hier draußen für uns zu organisieren.

Ich lenkte unser Boot so heran, daß die beiden Fahrzeuge Bug an Bug aneinanderlagen. Gleich beim ersten Anflug aktivierte ich die Klammermechanismen, die uns fest mit der Drohne verbanden.

Wir verließen unsere Crashliegen und kletterten, brennend vor Neugier, auf dem Weg zur vorderen Luftschleuse übereinander. Ich öffnete ein Ventil, um den Luftdruck bei uns an den in der Kabine der Drohne anzupassen. Es zischte kurz, und ich schluckte, um den Druckausgleich in meinen Ohren zu unterstützen. Auf ein Nicken von mir entriegelte Joslyn unsere Luke und öffnete anschließend die der Drohne, einen Meter dahinter.

Die Luke der Drohne schwenkte auf und gab den Blick auf den Innenraum frei. Da die Schiffe am Bug aneinanderhingen, blickten wir durch das Dach der Kabine. Darin war nicht mehr zu sehen als ein großer, schwarzer Zylinder, der gerade eben durch die Luftschleuse paßte. Er zeigte direkt auf den Durchgang, so daß er lediglich einen ordentlichen Schubs von unten benötigte, um direkt durch die Schleuse in die Kabine der *Stars* zu segeln.

Wir stießen uns ab, schwebten in die Drohne hinein und betrachteten uns den Zylinder. Er war groß, und die Unterseite hatte man massiv gegen Beschleunigungseffekte abgesichert.

Joslyn war fasziniert. »Mein Gott, er sieht aus wie ein Totempfahl, der . . .«

Da dröhnte auf einmal eine laute Stimme aus einem Lautsprecher neben der Luke. »DIES IST EIN KRIEGSBEDINGTER NOTFALL«, donnerte sie. »ÜBERFÜHREN SIE DEN ZYLINDER SO SCHNELL WIE MÖGLICH AUF IHR SCHIFF. VERGEUDEN SIE KEINE ZEIT, AUS WELCHEM GRUND AUCH IMMER. LEGEN SIE SOFORT AB, SOBALD DER TANKVORGANG ABGESCHLOSSEN IST, UND KEHREN SIE MIT HÖCHSTGESCHWINDIGKEIT ZUR *JOSLYN MARIE* ZURÜCK. LASSEN SIE SICH VON NICHTS AUFHALTEN! UNTERSUCHEN SIE DEN ZYLINDER UNTERWEGS. BEEILEN SIE SICH! ES HANDELT SICH UM EINEN KRIEGSBEDINGTEN NOTFALL. ENDE DER DURCHSAGE.«

Ich hielt mir die Ohren zu und konnte die Stimme trotzdem problemlos hören. Als sie geendet hatte, sahen Joslyn und ich einander erschrocken an und machten uns sofort an die Arbeit.

Der Zylinder wurde von einem simplen Mechanismus gehalten, der sich leicht öffnen ließ. Ein hellrotes Diagramm zeigte, wie er zu bedienen war. Ich zog an einem Hebel, Joslyn an einem anderen, und der Zylinder löste sich mit einem schnalzenden Geräusch aus der Halterung. Damit konnte er den unter ihm angebrachten Sprungfedern nachgeben und schwebte bedächtig, mit einem halben Meter pro Sekunde, auf die Luke zu. Ich stieß mich zur Kabinenseite hin ab, hangelte mich an Griffen hinauf und war ein paar Sekunden vor dem Zylinder auf der anderen Seite des Durchgangs. Dort gab ich den Weg gleich frei. Sobald der Zylinder die Luke der *Stars* passiert hatte, entfaltete sich an seinem vorderen Ende ein Dreifuß, der ihm festen Halt verschaffte, sobald er landete. Ich hörte drei dumpfe Schläge, als die Elektromagneten des Dreifußes sich einschalteten, um unsere neue Ladung zusätzlich zu sichern.

Gleich darauf kam Joslyn in die vordere Kabine unseres Bootes zurück und drückte sich an dem Zylinder vorbei, um die Luken zu schließen. Unsere Neuerwerbung war gute acht Meter lang und benötigte praktisch die gesamte Kabinenhöhe, wobei gerade eben genug Platz übrigblieb, damit man noch die Dachluke darüber passieren konnte. Jemand hatte hier sehr sorgfältig geplant und sich offensichtlich sogar überlegt, welchen Schiffstyp wir wohl benutzen würden.

Kaum hatte Joslyn die Innenluke geschlossen, wurde ein Lautsprecher am Zylinder aktiviert, wohl durch einen Funkimpuls von der Drohne. Er war nicht ganz so laut wie der andere, aber auch er verlieh seiner Botschaft Nachdruck: »TANKVORGANG IST ABGESCHLOSSEN. LEGEN SIE AB UND FAHREN SIE LOS! FAHREN SIE LOS! ENDE DER DURCHSAGE.«

Joslyn saß jedoch bereits auf dem Kommandoplatz und betätigte den Fahrthebel. Sie schlug mit der *Stars* einen knappen Purzelbaum und zündete das Triebwerk. Die Drohnenkabine wurde in der Fusionsflamme gebadet und verdampfte teilweise. Das Robotschiff war nur noch ein Wrack, und Joslyn stand nicht der Sinn danach, durch überflüssige Rücksichtnahme Zeit zu verschwenden.

Ich hielt mich während des Purzelbaums fest, so gut es ging, und erreichte meine Liege in dem Moment, in dem meine Frau das Haupttriebwerk zündete und uns auf Heimatkurs brachte. Ich betrachtete die Unterseite des Zylinders, der genau in der Längsachse unseres Landers ruhte.

In was waren wir da hineingeraten? Einen kriegsbedingten Notfall? Was für ein Krieg?

Unser Krieg, wie sich noch herausstellen sollte.

Joslyn legte ein hohes Tempo vor, und wir erledigten unsere Kontrollablesung in Rekordzeit. Zwanzig Minuten nach dem Ablegen von der Riesendrohne fanden wir schon Gelegenheit, uns den Zylinder genauer anzuschauen.

Zunächst fiel mir auf, daß es sich gar nicht um ein so ehrfurchtgebietendes Objekt handelte, wie ich zuerst geglaubt hatte. Unter der Außenhülle bestand es zum größten Teil aus Polstern und Stützen zum Schutz vor Beschleunigungseffekten. Wir fingen an, das alles zu demontieren.

Innerhalb des Verpackungsmaterials fanden wir ein paar seltsam aussehende Gerätschaften sowie einen Satz ganz normaler Magnetaufzeichnungen, jede mit einer großen, roten Nummer versehen. Joslyn zog die Nummer eins aus ihrer Hülle und steckte sie in das Abspielgerät der *Stars*.

»Mac — ich habe ein bißchen Angst davor, mir das anzu-sehen.«

»Zu spät, um zu kneifen, Joz — mach schon.«

Sie drückte auf die Abspieltaste. Der Hauptbildschirm leuch-tete auf. Er zeigte erst die Flagge der Planetenliga und danach das Gesicht Pete Gessetis. Pete? Was hatte er in einer Botschaft vom Stützpunkt verloren? Ich musterte sein Bild intensiv. Er wirkte müde, und die Kleider sahen aus, als hätte er darin geschlafen. Zum erstenmal in meinem Leben hatte ich bei seinem Anblick das Gefühl, er wäre alt. Etwas hatte ihn um mehr als sechs Monate altern lassen. Der Ausdruck seiner Augen erweckte jedoch meine besondere Aufmerksamkeit. Da waren Zorn und Entschlossen-heit und auch ein merkwürdiger Anflug von Vertrauen.

Pete begann zu sprechen. »Mac, Joslyn, hallo. Man hat mich gebeten, zu euch zu sprechen, weil ihr mich kennt. Vielleicht hört es sich etwas besser an, wenn ich es sage, auch wenn ich der Sache doch keinen richtig guten Klang verleihen kann.

Wir — die Liga, alle ihre Mitglieder, befinden uns im Kriegs-zustand. Nicht untereinander. Mit jemandem von außen. Mit Menschen, die irdische Vorfahren haben und Englisch spre-chen. Eine starke Streitmacht hat den Planeten Neu-Finnland angegriffen — nein, nicht angegriffen. Sie haben ihn *erobert*. Der Planetenvertrag erfordert, daß alle Mitglieder der Liga Neu-Finnland zu Hilfe kommen. Punkt. Kein Wenn und kein Aber. Die übrigen Mitglieder der Liga sind absolut an die recht-liche und moralische Pflicht gebunden, ihre Alliierten zu unter-stützen. Wir müssen ihnen helfen, und wir wollen es auch.

Mag sein, daß es nicht der offiziellen Politik entspricht, doch es ist eine Tatsache: die Liga wird auseinanderfallen, wenn sie ihrer Verpflichtung nicht nachkommt. Bestenfalls wird sie zu einem nutzlosen Debattierklub verkommen, auf den sich nie-mand mehr verlassen kann. Sie befindet sich bereits in einem problematischen Zustand, und seit eurem Aufbruch hat sich die Lage weiter verschlechtert. Es gibt zu viele, kleine, schlechte Zeichen — internes Gerangel, kleinliche Streitigkeiten, Trotz gegenüber der Liga bei unbedeutenden Nebensächlichkeiten. Kleine, üble Anzeichen, häßlich und gemein.

Die Liga *muß* einfach zusammenhalten, denn wir haben keine Alternative. Wenn sie den Bach hinuntergeht, landet sie dort, wo auch die Liga der Vereinten Nationen endete. Schnurstracks im Krieg.

Das ist alles nicht erfreulich, aber ihr müßt erfahren, worum es geht. Wieviel von euch abhängt.«

Pete, oder vielmehr seine Aufzeichnung, brach ab. Er runzelte die Stirn und seufzte. »So sieht es aus. Die Neu-Finnen stammen von einem Volk ab, das sich früher stark an einen großen, gefährlichen Nachbarn anlehnte – die alten Sowjetunionen. Also siedelten sie weit abseits von allen anderen, wo niemand ihnen nahe genug war, um ihnen lästig zu werden. Sie befinden sich genau auf der Grenze des bekannten, von Menschen besiedelten Weltraums.

Eine Zeitlang wußten wir nur, daß wir den Kontakt zu ihnen verloren hatten. Dann erschien eine kleine Nachrichtendrohne im System von New Britannica. Die Nachricht stammte von einer Gruppe von Neu-Finnen, die auf Vapaus leben, dem großen künstlichen Satelliten ihres Planeten.

Sie teilten mit, daß die Invasoren sich selbst als ›Hüter‹ bezeichnen und damit beschäftigt sind, ein System von Schiffsabwehrraketen im ganzen System von Neu-Finnland zu installieren. Die Hüter haben, wie es scheint, ein ziemlich einfaches Gerät entwickelt, mit dessen Hilfe sie die spezifische ultraviolette und Röntgenstrahlung anmessen können, die Schiffe beim Austritt aus dem c^2-Raum erzeugen. Das Signal wird dann an Raketengeschosse weitergeleitet, die über eigene c^2-Generatoren verfügen.

Sollte also ein Schiff im hüterkontrollierten System von Neu-Finnland erscheinen, wird es geortet und innerhalb von Sekunden vernichtet.

Es sind bereits einige zivile Schiffe verschollen, auf deren Route Neu-Finnland lag. Wir vermuten, daß das Abwehrsystem sie erwischt hat. Die Nachricht der Neu-Finnen enthält einen Hoffnungsschimmer: Die Aufstellung der Abwehrraketen ist noch nicht abgeschlossen. Es hat sie einige Menschenleben gekostet, aber dann hatten sie den Aufstellungsplan.

Wenn es einem Schiff gelingt, aus einer bestimmten Richtung ins N. F.-System einzufahren, und das auch noch zu einem bestimmten Zeitpunkt — 670 716 Uhr Sternzeit oder Mittag am 8. Juli 2115 irdischer WEZ —, dann könnte es ihm gelingen, der Vernichtung zu entgehen.«

Pete schluckte schwer. »Das einzige Schiff, das auch nur eine leise Chance hat, das zu schaffen — ist das Planetenliga-Erkundungsschiff 41 *Joslyn Marie*. Euer Schiff ist schnell. Neu-Finnland liegt halbwegs in eurem Erkundungsgebiet. Der Ball geht an euch. Ihr müßt dorthin.«

Pete wirkte auf einmal nicht mehr besorgt oder verängstigt, sondern eher verlegen. »Okay, das ist die eine Sache. Was wir machen, sobald ihr erst mal dort seid, ist nun *wirklich* verrückt.

Ihr kennt doch die Bell-Laboratorien auf dem Bergbaumond Lucifer. Etwa um den Startzeitpunkt der *Joslyn Marie* haben sie dort etwas ausgetüftelt.

Einen Materietransmitter.«

»Mensch!« sagte ich. Einen *Materie*transmitter?

»Sie sagen... Na ja, sie sagen, er würde nach demselben Prinzip funktionieren wie der c^2-Generator, abgesehen davon, daß die Kraft oder das Feld oder die Energie oder irgend so was um neunzig Grad gedreht wäre. Ich bin ein Aktenschieber; ich kapiere das nicht. Und jetzt kommen wir zu dem verrückten Teil.«

Er legte eine Pause ein. »Sie haben großes Vertrauen in ihre Erfindung. In der Sendung, die auch diese Nachricht enthält, findet ihr den Empfangsteil des Transmitters, zumindest den Kern davon. Ihr sollt damit auf Neu-Finnland landen und ihn an einem präzise festgelegten Punkt zusammenbauen. Aus einer Entfernung von einem Lichtmonat transmittieren sie dann fünftausend Soldaten dorthin.«

»Herrgott im Himmel!« rief Joslyn und übertönte damit einige Worte Petes.

»... bedeutet, daß sie die Soldaten oder das Signal, das sie befördert, einen Standartmonat — dreißig Erdtage, siebenhundertzwanzig Stunden — *eher* senden, als ihr sie empfangt. Kurz gesagt, die Transmission wird eingeleitet, bevor ihr mit dem Bau des Empfangsgerätes beginnen könnt.«

»Joslyn«, sagte ich. »Das ist irrwitzig. Wie soll das funktionieren?« »Mac, ich hab ...« Joslyn brach ab, um Pete weiter zuzuhören.

»Die übrigen Aufzeichnungen liefern euch die technische Grundlage für all das. Es sind noch ein paar Spielereien dabei, auch Übungmaterial für die finnische Sprache.« Petes Abbild fummelte mit einigen Papieren herum.

»Mac, Joslyn, ich habe keine Ahnung. Die Sache kommt mir verrückt vor, aber sicher nicht so verrückt, wie sie euch erscheinen muß. Wir sind sehr beunruhigt. Die Hüter haben Neu-Finnland einfach so erobert. Vielleicht könnten sie mit uns das gleiche machen. Die Nachricht der Finnen besagt, daß sie darüber sprechen. Wir müssen sie aufhalten! Die Laborfritzen haben den Transmitter ausgetüftelt und die hohen Tiere anschließend diesen Plan. Wir stecken alles in die schnellste Drohne, die je gebaut worden ist — tatsächlich sogar das schnellste Schiff aller Zeiten überhaupt. Wir versuchen euch in drei verschiedenen Sternensystemen zu finden. Die Drohne wird mit Beschleunigungswerten starten und manövrieren, die einen Menschen in Minuten umbrächten.

Ihr habt keine Möglichkeit, uns zu benachrichtigen, daß ihr das Signal der Drohne und die Ladung empfangen habt und daß ihr den Plan ausführen werdet. Die Zeit reicht nicht. Also werden die Soldaten auf jeden Fall losgeschickt, in der Hoffnung, daß ihr den Ball aufgenommen habt.

Mit anderen Worten: Fünftausend Menschen gehen ein enormes Risiko ein. Wenn es nicht wie geplant läuft und das Signal nicht empfangen wird, sind sie tot.

Alles hängt von euch ab. Ihr seid die einzige Überlebenshoffnung dieser Soldaten und vielleicht auch die einzige Chance der Finnen, ihre Freiheit zurückzugewinnen.« Er senkte die Stimme. *»Und ich habe so ein untrügliches Gefühl im Bauch, daß das alles mit dem zu tun hat, was ich nach dem dritten Drink nach dem Begräbnis gesagt habe.«*

Mein Herz machte einen Satz. Die Hüter? Sie hatten die *Venera* entführt?

»Ich kann keinen logischen Grund und keinen Beweis dafür anführen, aber ich bin irgendwie völlig überzeugt, daß ich recht habe. Sollte ich recht haben, dann sind eure Freunde bestimmt nicht auf Neu-Finnland. Sie und alle anderen Entführten werden sich im System der Hüter befinden, um gezwungenermaßen die Plätze derer einzunehmen, die in den Krieg um Neu-Finnland gezogen sind. Ich habe die Leute, die mich zu dieser Rede aufgefordert haben, vorgewarnt, ich hätte eine sehr geheimnisvolle Art, euch zu überzeugen.« Der Anflug eines Lächelns umspielte kurz seine Lippen.

»Hört mir gut zu, ihr beiden. Es gibt ein sehr altes Gedicht von sehr weit her. Es ist mein letztes Argument, um euch aufzufordern, diese Sache für uns durchzuziehen, diesen Krieg für uns auszukämpfen. Ein Teil der Verse lautet:

Die Schlacht müßt ihr nun für uns schlagen,
euch reichen wir mit letzter Kraft
die Fackel; haltet treu sie und erhaben.
Übt ihr Verrat an denen, die ihr Leben gaben,
dann werden wir, blüht auch der Mohn, nicht schlafen
Auf Flanderns Feldern.

»Die Fackel, haltet sie stets hoch«, wiederholte Pete, wobei ihm fast die Stimme versagte. Ich stand ihm so nahe wie ein Sohn, und er sah sich aufgefordert, mich in den Krieg zu schicken und vielleicht in den Tod. Nein, die Chancen standen wirklich sehr schlecht. Wahrscheinlich sogar in den Tod.

»Gesseti, Ende.«

Und wir waren auf uns gestellt.

Kapitel 3

Der Schraubenschlüssel sprang mir fast wieder aus der Hand, aber diesmal behielt ich ihn im Griff, auf Kosten frisch aufgekratzter Knöchel.

»Verdammt!« brüllte ich und lutschte an den wieder aufgesprungenen Schnitten. »So stelle ich mir eine schöne Zeit aber nicht vor!«

Wir arbeiteten gerade an einem der Torpedos auf dem Schleusen- und Arbeitsdeck der J. M. Zwei Aspekte gestalteten diese Aufgabe sehr mühselig. Zum ersten waren die meisten Handwerkszeuge an Bord für den Einsatz in der Schwerelosigkeit gedacht und mußten demzufolge gleichstarken Druck in zwei genau entgegengesetzten Richtungen ausüben. Andernfalls wäre jede Arbeit unmöglich gewesen. Ein ganz gewöhnlicher Hammer ist ein gutes Beispiel dafür, warum Spezialwerkzeuge benötigt werden. Schlägt man in einem vernünftigen Schwerkraftfeld mit dem Hammer auf irgendwas, dann bleibt man trotzdem an Ort und Stelle, gehalten vom eigenen Gewicht. Wiederholt man dieselbe Prozedur in der Schwerelosigkeit, wird man auf und davon fliegen. Ohne ein Schwerkraftfeld schlägt der Hammer nicht nur den Nagel nach unten, sondern einen selbst mit gleichstarker, aber entgegengerichteter Kraft gleichfalls nach oben.

Demzufolge benötigen Null-g-Werkzeuge Gegengewichte, gegenläufige Bünde und dergleichen mehr. Besonders Motorwerkzeuge sehen aus wie die Folgen eines Saufgelages auf einem Erfinderkongreß.

Der zweite Aspekt, der uns das Leben schwermachte, war die Tatsache, daß die J. M. gegenwärtig mit zwei g zum berechneten Startpunkt für den Sprung ins System von Neu-Finnland beschleunigte. Ein Null-g-Schraubenschlüssel ist unter zwei g eher eine Waffe, die man gegen sich selbst richtet, als ein Werkzeug.

Natürlich machte uns noch ein Drittes Sorgen — wir waren unterwegs nach Neu-Finnland, und keiner von uns war begeistert darüber.

»Mac, sei vorsichtig mit dem Ding! Es sitzt doch schon fest; mach den Schraubenkopf nicht kaputt!«

»Entschuldige.«

»Legen wir eine Pause ein. Wir sind dem Zeitplan sowieso voraus.«

»Hört sich gut an.« Ich warf den Schraubenschlüssel zur Seite, und er prallte mit einem lauten Klappern auf das Deck. Ohne weitere Diskussionen folgte ich Joz hinunter in die Messe, um eine Tasse Tee zu trinken. Während sie sich mit der Zubereitung beschäftigte, saß ich da und brütete vor mich hin.

»Ich kann das einfach nicht glauben!« verkündete ich plötzlich.

»Was?« fragte Joslyn, mit den Gedanken mehr beim Tee als bei mir.

»Dieser Auftrag, die ganze haarsträubende Angelegenheit. Und die Art, wie wir hineingeraten sind.«

»Die Art, wie wir hineingeraten sind? Du hast recht. Das ist das schlimmste daran«, meinte Joslyn, während sie den Kessel zum Tisch brachte und sich setzte. Eine lange Beschleunigungsphase hat auch ihre Vorzüge — man kann heimelige Gegenstände wie Teekessel benutzen, anstatt Drucktuben. »Wenn ich die Chance dazu gehabt hätte«, fuhr Joslyn fort, während sie Tee einschenkte, »dann hätte ich mich freiwillig gemeldet, um den Bewohnern von Neu-Finnland zu helfen. Davon bin ich wirklich überzeugt. Aber ich fühle mich regelrecht *erpreßt* durch die Art, wie es passiert ist. Ich komme mir vor wie eine Figur auf dem Schachbrett, die ohne jede Einflußmöglichkeit einfach hin und her geschoben wird.«

»Ich denke, Pete hat es auch nicht gefallen, aber er hatte andererseits auch keine Alternative. Niemand hatte eine angesichts des Angriffs auf die Finnen. Nachdem das einmal geschehen war, konnte die Liga einfach nur noch auf uns zurückgreifen. Der gute, alte Pete!« sagte ich reuevoll.

»Dabei hat er nun wirklich alle Register gezogen, von deinem

Schuldgefühl ihm als deinem Ersatzvater gegenüber bis hin zum Pflicht . . .«

». . . bis hin zu der Chance, daß wir eine Spur zu unseren vermißten Klassenkameraden finden.« Zum erstenmal hatte ich die mit der *Venera* verschollenen Personen als ›vermißt‹ bezeichnet, nicht als ›tot‹. Ich war, wie ich feststellen mußte, wirklich überzeugt, daß sie noch lebten.

»Vergiß nicht, daß sogar das Schicksal der Liga in unseren Händen liegt«, sagte Joslyn mit der Andeutung eines Lächelns.

»Ich habe es nicht vergessen, aber ich bemühe mich darum.« Ich nippte an meinem Tee, und wir schwiegen eine Zeitlang. »Allerdings, wenn wir sagen, zum Teufel mit der ganzen Geschichte, dann könnte uns niemand davon abbringen. Wenn wir wegführen oder einfach die Drohne zerstörten, ein oder zwei Lichtjahre zwischen uns und sie brächten und behaupteten, wir hätten sie nie gefunden, könnte niemand etwas unternehmen.

Das einzige, was uns dazu bringt, unser Leben für Fremde aufs Spiel zu setzen, ist unser eigenes Pflichtgefühl.« Ich legte eine Pause ein. »Und das reicht auch, schätze ich. Dieses Pflichtgefühl, das sie uns eingetrichtert haben. Und ich weiß, was du mit der Bemerkung meinst, wir hätten keine Einflußmöglichkeit.«

»Jetzt, wo du deinem Herzen Luft gemacht hast, können wir die Arbeit am Go-Kart abschließen«, sagte Joslyn und fuhr mir mit den Fingern durchs Haar.

Mit ›Go-Kart‹ bezeichneten wir das, was von dem Torpedo noch übrig war, mit dem wir ursprünglich angefangen hatten. Joslyn und ich hatten seine ganze Bugsektion demontiert. Während ich eine Crashliege vorne auf dem Triebwerksgehäuse angebracht hatte, hatte Joslyn das Leitsystem aus dem demontierten Bug entfernt und im Torpedorest installiert. Alles, was entbehrlich war, ließ sie dabei weg; der Go-Kart sollte einem Kurs folgen, den er vom Leitsystem der *Stripes* verpaßt bekam, und hatte sich mit den entsprechenden Zahlen zufriedenzugeben, basta. Das Steuerpult hatte noch einen Knopf mit der Aufschrift ›EIN‹.

Die Crashliege ähnelte mehr einem Liegestuhl und ließ sich auch wie einer zusammenfalten, aber sie war extrem widerstandsfähig. Die J. M. führte zehn davon mit, für den Fall, daß doch mal Passagiere an Bord waren.

Der Go-Kart war der Schlüssel zu unserem großartigen Plan, einen Agenten (mich) hinunterzubringen, um sich mit den Einheimischen zu verständigen und die Kleinigkeit der Transmission von fünftausend gefechtsmäßig ausgerüsteten Soldaten zu arrangieren.

Neben Petes Nachrichten hatte man uns weitere Aufzeichnungen geschickt, mit all den Informationen, über die unsere Seite verfügte.

Besonders wichtig war, daß die Liga einiges über den Feind wußte. Als die Alarmmeldung der Neu-Finnen eintraf, hatten sich alle Nachrichtendienste der Liga an die Arbeit gemacht, hatten alte Akten ausgegraben und Querverweise geprüft, um aus den Hütern schlau zu werden. Es dauerte auch nicht lange, bis klar wurde, wer sie waren — oder zumindest, als was sie angefangen hatten.

Vor ungefähr einhundertzehn Jahren, also um die Wende zum 21. Jahrhundert, hatten sich mehrere faschistische und rechtsgerichtete Gruppen in Großbritannien und den Vereinigten Staaten unter dem Namen ›Atlantische Freiheitsfront‹, kurz ›Front‹, zusammengeschlossen. Der Name stammte offenkundig von einer Bewegung aus dem England des 20. Jahrhunderts, die ›Nationale Front‹ geheißen hatte. Die ›Front‹ veranstaltete Demonstrationen und verursachte ein oder zweimal Unruhen, und während der Wirtschaftskrise zu Beginn des 21. Jahrhunderts erregte sie sogar eine gewisse Aufmerksamkeit. Aufgenommen wurden Rechtsradikale schier jeder Herkunft — Leute vom Ku-Klux-Klan, von den New John Birchers, von den Resten der exilierten Buren. Ab einem gewissen Zeitpunkt hielt sich die ›Front‹ selbst für größer, als sie tatsächlich war.

Am 15. März 2015 versuchte sie, die britische und die amerikanische Regierung zu stürzen. Zu keinem Zeitpunkt bestand für eine der beiden Regierungen auch nur die leiseste Gefahr — die ›Front‹ hatte auf beiden Seiten des Atlantiks nicht mehr als ein paar tausend Mitglieder. Was als brillanter Doppelschlag hatte in die Geschichte eingehen sollen, entpuppte sich als eine Reihe blutiger Zusammenstöße in Washington und London. Die Straßenschläger der Aufständischen bezeichneten sich als ›Hüter der Front‹ und töteten ein paar Polizisten, Soldaten und unbeteiligte Passanten, wurden in den meisten Fällen jedoch selbst getötet. Die Anführer und diejenigen ihrer Gefolgsleute, die man festnehmen und überführen konnte, landeten im Gefängnis. Das war das Ende der Geschichte, oder hätte es eigentlich sein sollen. Die Kolonisationsgesetze waren damals recht locker — ich vermute, sie sind es heute noch. So ziemlich jeder, der sich ein Schiff und die erforderliche Ausrüstung leisten konnte, durfte ins All starten und sich einen Planeten aussuchen.

Die Hüter beziehungsweise das, was von ihnen übrig war, nahmen sich genau das vor. Sie legten nicht mal Wert auf Geheimhaltung — unser Geheimdienstreport enthielt auch Reproduktionen alter Anzeigen, in denen Freiwillige für ›eine Neue Ordnung am Himmel‹ geworben wurden. Im Juni 2018 war ihr Schiff, die *Oswald Mosley* gestartet.

Niemand war sonderlich überrascht, als die Hüter vor dem Verlassen der Erde versuchten, ihre Anführer aus dem Gefängnis zu holen. Die Behörden hatten damit gerechnet, nicht jedoch damit, wie gut vorbereitet das Unternehmen war und wie glatt es über die Bühne ging — die Hüter hatten gelernt. Bei gleichzeitig stattfindenden Überfällen auf mehrere Gefängnisse in England und den Vereinigten Staaten wurden die Obergangster befreit, und zahlreiche gute Leute kamen dabei ums Leben.

Zwei Stunden nach dem Angriff starteten die Hüter und ihre Anführer in ballistischen Shuttles zur *Mosley,* und eine Stunde später beschleunigte das Schiff aus der Umlaufbahn, ging kurz darauf auf c² und ward nie mehr gesehen. Niemand trauerte ihm nach.

Der Planet, den die Hüter als Ziel angegeben hatten, wurde einige Zeit später untersucht, ohne daß man auch nur eine Spur vergangener oder gegenwärtiger menschlicher Besiedlung fand. Die *Mosley* wurde als vermißt und wahrscheinlich mit Mann und Maus zugrunde gegangen gemeldet. Ein Glück, daß wir sie los sind! Lebt wohl, Hüter!

Bis Neu-Finnland. Fraglos dieselben Leute. Sie nannten sich selbst Hüter. Die Insignien paßten und ebenso die Brutalität.

Und um gegen sie anzutreten, hatte uns die Liga nur den Umriß eines Plans geliefert: Bringt den Empfänger an die richtige Stelle auf der Planetenoberfläche und schaltet ihn zum richtigen Zeitpunkt ein.

Die Liga hatte uns Karten und Diagramme des Systems von Neu-Finnland geliefert, Material aus der Zeit der Besiedlung. Was aktuelle Informationen anging, herrschte überwiegend Ebbe.

Dann hatten wir noch die Sprachlabor-Utensilien mit einem kompletten Finnisch-Kurs.

Kein Hypnoselernprogramm, kein Schlafstudium, kein audiovisueller Firlefanz und dergleichen mehr ändert etwas an der Tatsache, daß manche Leute nur schwer Sprachen lernen, und ich bin einer von ihnen. Sätze wie ›Die Katze sitzt auf dem Dach des Apartmenthauses meiner grauhaarigen Großmutter mütterlicherseits‹ hatten mich früher schon fast zur Rebellion angestiftet, denn was ich bei dieser Aufgabenstellung produziert hatte, las sich wie ›Großmutters Mutter sitzt auf dem Dach mit der grauen Katze auf dem Kopf‹.

Joslyn ihrerseits eignete sich Sprachen so leicht an wie meine Uniform Fusseln. Das war typisch für sie. Jedenfalls konnte sie mir dabei helfen, Urgroßmutter und die Katze vom Dach zu holen.

Unter Hinweis auf mein Sprachproblem versuchte Joslyn mich zu überreden, sie als Kontaktperson zu den Neu-Finnen zu schicken. Das war jedoch vollkommen ausgeschlossen. Die Berichte aus der Liga ließen keinen Zweifel daran aufkommen, daß die Hüter den finnischen Frauen kaum erlaubten, auch nur aus dem Haus zu gehen. In verantwortlichen Positionen, wie unbedeutend sie auch sein mochten, wurden Frauen nicht geduldet. Die Finnen hatten bislang lediglich männliche Hüter zu Gesicht bekommen, wenn es auch Gerüchte über ›Entspannungseinheiten‹ gab. Wer immer dort hinunterging, mußte auf

Spion machen und sich mal als das eine, mal als das andere ausgeben — für einen Mann lediglich eine harte Aufgabe, für eine Frau unmöglich. Ich mußte gehen.

Allein. Bis zu diesem Augenblick hatte Alleinsein für uns bedeutet, unter uns zu sein. Jetzt kam ich vielleicht ums Leben, oder Joslyn kam um. Danach würde der andere wirklich allein sein, umgeben von unbekannten Menschen oder im Weltraum ausgesetzt.

Angestrengt bemühten wir uns, nicht daran zu denken.

Wir erreichten den Transitionspunkt und rutschten etwa eine Minute lang mit c^2 über den Himmel, der längste Sprung, den wir je unternommen hatten. c^2 fühlt sich nicht anders an als der normale Raum, denn der c^2-Generator nimmt eine Blase des Normalraums — groß genug, um das Schiff zu enthalten — mit unter die Bedingungen der Überlichtgeschwindigkeit. Das einzige Störende an der Sache war, daß die Außenbordkameras nicht funktionierten, es sei denn, sie wären auf den Schiffsrumpf gerichtet. Jede Linse und jede Luke, die nach außen blickte, zeigte jedoch — nichts. Zumindest lautete so die Theorie. Es sah nicht aus wie nichts. Leerer Raum, *der* ist nicht, aber auf c^2 hatte man es mit etwas anderem zu tun. Es wies keine Farbe auf, keine Details, keine Substanz, keine Spur irgendeiner Energie, die von Menschen gefertigte Instrumente messen konnten. Trotzdem war es kein Nichts. Dessen bin ich mir sicher, wenn ich auch nicht sagen kann, warum. Wie sollten Augen, die dazu gedacht waren, Licht zu sehen, das wahrnehmen, was laut Theorie unter c^2-Bedingungen gegeben war — nämlich Licht, das sich eben schneller als Licht bewegt?

Zugegeben, das ergibt keinen Sinn, und damit ist eine weitere Eigenschaft von c^2 genannt.

Wir tauchten im Randbereich des Systems von Neu-Finnland wieder auf. Joslyn arbeitete so schnell sie konnte, und in einer halben Stunde hatte sie unsere Position bestimmt. Während dieses Zeitraums behielt ich jedes passive Ortungsgerät im Auge, das wir an Bord hatten. Wenn die Neu-Finnen sich geirrt hatten, und die Schiffsabwehrraketen doch schon auf unserer Route installiert worden waren, waren wir so gut wie tot. Wie es hieß, waren die Raketen so schnell, daß der Versuch, sie ohne Radar mit dem Laser auszuschalten, sinnlos war. Den Radar jedoch konnte wir nicht einsetzen, weil wir dann selbst geortet worden wären. Trotzdem hielt ich das Geschütz einsatzbereit.

Die Stunden verstrichen, und wir waren immer noch unversehrt, obwohl uns längst eine Rakete erwischt hätte, wenn eine da draußen auf uns gelauert hätte. Für den Moment befanden wir uns in Sicherheit.

Joslyn entdeckte schließlich genug von den Planeten des Systems, um unsere Position zu triangulieren. Wir waren auf Kurs, direkt Richtung Sonne. Wir würden unseren Fall abbremsen und natürlich auf eine sichere Umlaufbahn gehen, dabei aber die Sonne zwischen uns und Neu-Finnland halten, denn das war die einfachste Methode, um nicht aufgespürt zu werden. Eine Sonne ergibt eine ganz brauchbare Abschirmung. Das einfachste Manöver, um versteckt zu bleiben, bestand im freien Fall; wenn wir schließlich die Haupttriebwerke feuern mußten, würden wir vollständig von der Sonne abgeschirmt sein.

Joslyn hatte vor, uns direkt gegenüber Neu-Finnland auf eine Sonnenumlaufbahn zu setzen und das Gestirn mit derselben Geschwindigkeit zu umkreisen, wie der Planet dies tat. So würden wir ständig von der Sonne versteckt sein, auf derselben Bahn zwar wie der Planet, aber 180 Grad von diesem entfernt.

Uns stand eine Woche im freien Fall bevor, ehe wir manövrieren mußten. Diese Zeit hatten wir für uns. Ich möchte darüber nur sagen, daß wir so glücklich waren wie in Anbetracht der Umstände überhaupt möglich.

Endlich war es Zeit für Joslyn, die *J. M.* auf die richtige Umlaufbahn zu bringen. Vorher jedoch mußte ich das Schiff verlassen. Ich würde einen der beiden kleineren, ballistischen Lander nehmen, die *Stripes*, und noch eine Zeitlang dem gegenwärtigen Kurs des Mutterschiffes folgen. Wir wuchteten den Torpedo in eine der Außenhalterungen des Beibootes, wickelten ihn in reflektierendes und hitzebeständiges Material und verstauten meine Ausrüstung an Bord der *Stripes*.

Nun blieb keine Zeit mehr. Ich mußte mich beeilen. Wenn ich das Rennen verlor, würden fünftausend Soldaten für alle Ewigkeit in einer zeitlosen Blase rotierenden c^2-Raumes gefangen sein, ohne einen Empfänger, der die Blase ausfindig machen und sie zurückholen konnte. Wenn c^2 das Unnichts war, dann wäre solch ein Zustand der Untod. Wenn ich das Rennen verlor, blieb für dieses Sternensystem keine Hoffnung mehr, und noch weiteren mochte es genauso ergehen.

In der Luftschleuse der *Stripes* nahmen wir Abschied voneinander. Wir befanden uns im Krieg. Aller Wahrscheinlichkeit nach würden wir uns nie mehr wiedersehen.

Wir hielten einander fest in den Armen und sagten uns Dinge, die niemanden sonst etwas angehen, und wir taten es so lange, bis jeder weitere Augenblick bedeutet hätte, daß Joslyn ihre Zündphase verpaßte und Treibstoff verlor, den zu verlieren wir uns nicht leisten konnten.

Die Luke fiel dröhnend zu. Ich rutschte auf meine Kommandoliege, übernahm die Steuerung und schaltete die Manövertriebwerke der *Stripes* ein. Ich brachte mein Boot auf Kurs und ging auf Distanz zur *J. M.* Deren Triebwerke erwachten zum Leben, und der Fusionsstrahl trug meine Frau von mir fort.

Ich setzte mir winzige Plastikkopfhörer auf und drückte sie richtig fest, so als ob mir das Jozzy näher brächte. »Auf Wiedersehen, Kleines«, sagte ich leise.

»Weidmannsheil, Mac, aber laß ein paar dieser Scheißkerle für mich übrig!«

»Wieso Scheißkerle? Was haben sie dir bislang angetan?«

»Na, du bist schließlich nicht mehr hier, oder?«

Die gewaltige Triebwerksenergie der *J. M.* erzeugte ein starkes Plasma, eine superheiße Gaswolke aus Abgaspartikeln, die die Funkverbindung störte. Als das große Schiff wieder langsamer wurde und ich meinen Fall Richtung Sonne fortsetzte, kamen überhaupt keine Signale mehr durch. Wir waren voneinander abgeschnitten.

Hinter mir schwenkte die *Joslyn Marie* auf ihre Umlaufbahn ein, um dort in der Einsamkeit des Alls auf Nachricht von mir zu warten. Wenn ich überlebte, um eine schicken zu können.

Ich mußte meine Raketen zweimal zünden, einmal, um meinen Sturz Richtung Sonne zu beschleunigen, und dann, um auf eine enge Schleife um die Sonne *herum* abzubiegen — ein schwerkraftgestütztes Manöver, das in weniger als einem Monat einmal der Länge nach über den Durchmesser der Sonnenumlaufbahn von Neu-Finnland führen würde.

Es war ein heikles Manöver, bei dem die arme, alte *Stripes* sogar ein bißchen gekocht werden konnte — und ich mit ihr, wenn das Kühlsystem auch nur die geringsten Schwierigkeiten machte —, aber ich mußte nun mal soviel Tempo wie nur möglich machen. So dicht an einem Stern konnte man c^2 nicht benutzen; hätte ich es getan, wäre ich eher im Mittelpunkt des Sterns gelandet als irgendwo sonst. Und ich hatte noch einen Grund, um im Normalraum zu bleiben: Die Hüter hielten Ausschau nach Schiffen, die aus c^2 austraten, und hätten mich kaum übersehen können.

Trotzdem, es gab eine lange Wartezeit und eine unangenehme obendrein, um so mehr, als ich dem Stern sehr nahe kam. Am Punkt der größten Annäherung war ich nur noch 40 Millionen Kilometer von der Sonne Neu-Finnlands entfernt. Damit war die Garantie des Herstellers zum Teufel, aber das gute Schiff führte mich sicher vorbei.

Am schlimmsten von allem war die Langeweile der Raumfahrt. Allein auf einem Schiff gibt es nicht viel zu tun. Dazu kam die Spannung angesichts des Ungewissen, das mich erwartete; insgesamt keine schöne Zeit. Meistens übte ich Finnisch.

Endlich war es vorüber. Einhundertachtzig Bahngrade von der *J. M.* entfernt gelangte ich in die unmittelbare Nähe Neu-Finnlands und war dabei noch mächtig schnell. Die Triebwerke der *Stripes* konnte ich nicht einsetzen, denn Joslyn und ich wollten das Beiboot nicht näher als auf zwei Millionen Kilometer an den Planeten heranbringen, weil sonst das Risiko bestanden hätte, daß es entdeckt wurde. Ich mußte aussteigen.

Zu diesem Zweck hatten wir den Torpedo, den Go-Kart, präpariert. Ich würde mich auf die faltbare Crashliege legen und mit der Antriebskraft des Torpedos landen. Derweil würde die *Stripes* noch eine ganze Weile ihrem gegenwärtigen Kurs folgen, bis sie weit genug von Neu-Finnland entfernt war, um ohne Risiko einer Ortung das Fusionstriebwerk zu zünden. Sie würde zur Sonne zurückkehren und dort in einen polaren Orbit einschwenken, wo sie viele Monate lang sowohl von Neu-Finnland als auch von der Joslyn Marie aus zu finden war, vorausgesetzt, die Hüter ließen sie in Ruhe. So konnte sie als Relaisstation für Lasernachrichten zwischen Joslyn und mir dienen.

Von da an erlebte ich eine interessante Reise. Ich suchte meine Ausrüstung zusammen und überprüfte den Druckanzug mehr als ein halbes dutzendmal. Ich mußte mich für lange Zeit auf ihn verlassen können. Anschließend speiste ich das Leitmagazin des Go-Karts mit Daten aus dem Astrogationscomputer der *Stripes*. Damit wußte der Torpedocomputer, wo er war und welches Ziel er ansteuern sollte.

Ehe ich die *Stripes* verließ, schrieb ich einen kurzen Brief an Joslyn. Wenn ich ums Leben kam, was durchaus wahrscheinlich war, und Joslyn das Beiboot barg, sollte etwas von mir, ein paar Worte wenigstens, aus meiner Hand in ihre übergehen.

Und dann war ich zur Luke hinaus. Ich mußte ganz schön herumfuhrwerken, bis ich meinen überdimensionierten und obendrein in einem Druckanzug mit Antriebsrucksack steckenden Körper und meine Ausrüstungstasche so auf dem Go-Kart verstaut hatte, daß die richtige Balance gefunden war. Danach streckte ich einen Finger nach dem Freigabeknopf für die Halterung aus, und eine klappernde Vibration informierte mich darüber, daß ich vom Schiff frei war. Ich streckte die Hand etwas weiter aus und drückte mich vom Schiffsrumpf an, und der Go-Kart und ich schwebten langsam von dannen. Ich sah auf die Uhr in meinem Helm — eine Stunde noch, bis ich diesen einsamen Schalter mit der Aufschrift ›EIN‹ drücken mußte, um die Show ins Rollen zu bringen. Reichlich Zeit für die *Stripes*, auf sicheren Abstand zu gehen. Mein Schubs war nicht sehr präzise gewesen, und der Go-Kart trudelte leicht. Egal. Ich brachte die Stunde damit zu, die sich langsam entfernende *Stripes* durch mein Blickfeld fahren zu sehen, bis sie von einer wundervollen Aussicht auf Neu-Finnland und seinen großen natürlichen Mond Kuu abgelöst wurde. Für einen Blick auf Vapaus, mein eigentliches Ziel, war ich noch zu weit entfernt. Ich hatte Glück, daß ich die Sonne beim Trudeln immer mehr oder weniger im Rücken hatte.

Und endlich war es soweit. Ich drückte den ›EIN‹-Schalter, und die Kreiselstabilisatoren des Torpedos stimmten ein geschäftiges Surren ein. Ich spürte die Vibration sogar im Anzug. Das Leitmagazin machte Neu-Finnland aus und orientierte sich danach.

Ohne Vorwarnung stieß mir dann das Triebwerk zehn g in den Rücken, und dieser Go-Kart geriet vielleicht in Fahrt! Es war ein kurzes, aber heftiges Aufbäumen, und die Maschine erstarb so plötzlich wieder, wie sie gezündet hatte. Ohne diese Brennphase wäre ich langsam der *Stripes* gefolgt, während sie vom Planeten weg trieb. Jetzt hatte ich direkten Kurs auf Neu-Finnland anliegen, und das mit ganz ordentlichem Tempo. Der Torpedo leitete bedächtig die Rotation um seine Längsachse für die Rückzündphase in etwa dreißig Stunden ein. Wenn diese Phase nicht planmäßig verlief, würde ich in die Atmosphäre stürzen und verbrennen. Ich hatte genug Vertrauen in den Torpedo, um mir darum keine Sorgen zu machen, aber etwas anderes ärgerte mich genug, um keine Langeweile aufkommen zu lassen: Ich hatte die Sonne jetzt direkt in Blickrichtung, war fast gezwungen, sie anzustarren. Ich schaltete das Visier auf UNDURCHSICHTIG. Andernfalls wäre ich blind geworden.

Von da an war reichlich Wartezeit zu absolvieren. Zum Teil nutzte ich sie, um über den Plan nachzusinnen, den Joz und ich ausgetüftelt hatten, um in die ausgehöhlte Asteroidenwelt Vapaus zu gelangen.

Was es an Material darüber gab, hatte ich gelesen. Vapaus war ursprünglich ein ziemlich gewöhnlicher Steinklumpen gewesen, der auf einer Kreisbahn durchs All trieb, die ihn ziemlich dicht an Neu-Finnland heranführte. Die Finnen schleppten ihn auf eine Kreisbahn um ihren Planeten und machten sich daran, ihn in eine Basis für Industrie und Schiffahrt zu verwandeln.

Zunächst höhlten sie ihn aus und formten aus dem rechteckigen Klotz einen Zylinder.

Das System von Neu-Finnland hatte mehrere, riesige Gasplaneten weit draußen. Der nächstliegende Gasriese wurde von einem kleinen Eismond umlaufen, und das weit außerhalb seines Gravitationsschachtes. Dort bauten die Finnen Eis ab und transportierten es zum Asteroiden.

Dessen zylindrischer Hohlraum wurde nun mit dem Eis vollgepackt. Anschießend versiegelte man die Minenschächte mit Druckschleusen und versetzte den Asteroiden in eine Drehbewegung.

Riesige Sonnenreflektoren wurden ringsherum in Position gebracht und gewaltige Mengen Licht und Wärme auf Vapaus gerichtet.

Das Gestein schmolz wie Butter.

Die Wärme erreichte den eisgefüllten Hohlraum. Das Eis verkochte zu superheißem Dampf und blies den Asteroiden auf wie ein Kind einen Ballon.

Die Ingenieure hatten richtig gerechnet, und die Druckschleusen flogen im richtigen Augenblick auf. Neunzig Prozent des Wassers entwichen ins All, und die Schleusen schlossen sich wieder. Das restliche Wasser diente als Grundlage für die künstliche Ökologie von Vapaus.

Als das geschmolzene Gestein abkühlte, verfügten die Finnen über eine Innenwelt von der sechsfachen Größe des ursprünglichen Asteroiden. Sie waren die ersten gewesen, die diese Technik bei einem Steinasteroiden versuchten (andere hatten Eisen-Nickel-Asteroiden ›aufgeblasen‹, aber dabei hatten sich durch die Rotation von Megatonnen leitenden Materials ärgerliche Probleme mit magnetischen Wirbelfeldern und elektrischen Effekten ergeben).

Das Abraumgestein wurde auf einen niedrigeren Orbit geschleppt und mit Hilfe von Sonnenreflektoren zu einem Klumpen Schlacke geschmolzen, der schlicht unter dem Namen ›Der Brocken‹ bekannt wurde. Der Brocken ergab eine gute Basis für eine Menge Prozesse, die auf Schwerelosigkeit angewiesen waren, und eine praktische Orbitalmine. Joslyns und mein Plan beruhte auf der Tatsache, daß Vapaus aufgeblasen worden war. Man wußte, daß der Fels hier und da Blasen geworfen hatte, und es sollte eigentlich möglich sein, eine solche Blase zu finden, sich hineinzugraben und dadurch den Innenraum zu erreichen.

So hoffte ich jedenfalls. Wenn es nicht gelang, war ich tot. Ich seufzte. Am besten machte ich mir keine Sorgen über die kleine Möglichkeit. Eine solche Alternative stellte sich mir für die absehbare Zukunft bei schlicht allem, was ich tat.

Solange mein Helmvisier undurchsichtig war, konnte ich es als Leseschirm benutzen. Ich hatte einige Bänder dabei und nutzte sie jetzt, um weitere zehn Worte Finnisch zu lernen.

Die Zeit wurde mir dadurch auch nicht merklich kürzer.

Die dreißig Stunden vergingen mit Lernen, Schlafen und sorgenvollen Gedanken. Der undurchsichtige Helm erwies sich als harte Prüfung — außer den Anzeigen im Inneren gab es einfach nichts zu sehen. Das geschwärzte Glas war dunkel und ohne jedes Kennzeichen, und das ein paar Zoll vor meinem Gesicht. Ich schwebte mitten im All, nur durch den Druckanzug von der Unendlichkeit abgeschirmt, und hatte Raumangst. Das machte die Sorgen natürlich noch schlimmer. Ein dutzendmal streckte ich die Hand nach der Visiersteuerung aus, um wieder etwas *sehen* zu können, und konnte mich jeweils nur mit knapper Not davon abbringen. Die Sonne hätte mich blind gemacht. Punkt. Dieses Argument überzeugte, selbst unter den gegebenen Umständen.

Der Go-Kart war darauf programmiert, mich bis auf etwa einhundert Kilometer an Vapaus heranzubringen und sein Triebwerk zu zünden, nicht ganz ausreichend, um auf Umlaufgeschwindigkeit zu kommen. Der Rucksack sollte die Differenz ausgleichen, während der Torpedo in die Atmosphäre Neu-Finnlands stürzte, um zu verglühen.

Ich schlief, als die Zündung erfolgte, und träumte gerade, mit der *Stars* durch eine kohlrabenschwarze Höhle zu fahren, um Joslyn einzuholen, die jedoch immer weiter von mir fort trudelte. Ich war völlig desorientiert, als ich erwachte, und konnte kaum den Traum von der Realität unterscheiden, bis mir einfiel, daß ich jetzt das Visier wieder auf durchsichtig schalten konnte. Vor meinem Gesicht tauchte schlagartig der Planet Neu-Finnland auf und trieb dann langsam aus dem Blickfeld. Das Leitsystem, dessen Arbeit erledigt war, hatte sich abgeschaltet, und der Go-Kart trudelte mit inaktiven Kreiselstabilisatoren davon.

Ich wollte mich von ihm entfernen, so schnell es ging, denn ich hatte kein Bedürfnis, die Fahrt hinunter in die Atmosphäre mitzumachen. Der Rucksack, eine Kombination aus Manövertriebwerk und Lebenserhaltungssystem, war zusammen mit anderen Ausrüstungsgegenständen, die ich für nötig hielt, unter der Crashliege verstaut. Ich zog die Schläuche ab, die mich quer durch die Crashliege mit dem Lebenserhaltungssystem verbunden hatten, befreite mich von den Riemen der Liege und zog die Ausrüstung darunter hervor.

Eilig drückte ich mich vom Torpedo ab und schleppte dabei meine Sachen mit. Ich schlängelte mich in die Halteriemen des Rucksacks, schloß die Verbindungen wieder an, klappte die Steuerarme herunter und betätigte den Fahrthebel. Ich entdeckte das Funkleitsignal von Vapaus, las es einmal ab, wartete eine Minute und las es dann noch mal ab. Das Leitsystem des Tornisters war etwa so ausgefeilt wie ein feuchter Finger im Wind, aber die beiden Ablesungen reichten doch, um mir eine allgemeine Vorstellung von der Richtung zu vermitteln, in die ich mich wenden mußte. Ich speiste etwas Treibstoff ein und blickte hinter dem Go-Kart her, der seinem Untergang in den oberen Schichten der Atmosphäre entgegentrieb. Innerhalb weniger Minuten war er außer Sicht. Dann entdeckte ich einen winzigen Lichtfleck vor mir, ein klein wenig zu groß für einen Stern. Ich klappte das Helmfernrohr hoch – Vapaus, kein Zweifel.

Mit Hilfe des Helmsextanten verschaffte ich mir einen groben Eindruck von meiner Geschwindigkeit in Relation zu Vapaus. Die Zahlen schienen ungefähr zu stimmen, und ich konnte einigermaßen zuversichtlich sein, mich auf einem Orbit zu bewegen, der dem richtigen ziemlich nahe kam.

Die nächste Wartezeit stand bevor.

Etwa eine Stunde später entwickelte sich Vapaus von einem

Fleck zu einem größeren Kreis, an dem zunächst aber nichts weiter zu erkennen war. Noch eine halbe Stunde später nahm das Licht allmählich Form an, und ich sah die buckelige Oberfläche des Asteroiden unter mir kreisen.

Ich korrigierte meinen Kurs etwas und beschleunigte.

Vapaus wurde rasch größer.

Ich zündete kurz den Tornister, um in die richtige Position zu kommen, und näherte mich genau dem hinteren Ende des Satelliten. Das vordere Ende war angeblich ein Irrgarten aus Luftschleusen, Schiffsliegeplätzen, Wartungs- und Konstruktionsanlagen und so weiter. Auf Vapaus herrschte reger Betrieb. Vom wirtschaftlichen Standpunkt aus war der Satellit und nicht Neu-Finnland der wichtigste Ort dieses Sternensystems. Auf der Hut vor möglicher Umweltverschmutzung hatten die Finnen fast ihre gesamte Schwerindustrie im All aufgebaut. Sämtlicher Verkehr wurde jedoch am vorderen Ende von Vapaus abgewickelt. Den Ausbau des Hecks hatte noch niemand für lohnend empfunden. Es war leer.

Diese Tatsache war meine Eintrittskarte — hoffte ich wenigstens.

Der Asteroid beherrschte inzwischen als riesige, graue Kartoffel meinen Ausblick auf den Himmel. Vielleicht war es ja eine kleine Welt, aber nach menschlichen Maßstäben ist jede Welt gewaltig.

Plötzlich war ich am Ziel. Ich näherte mich nicht länger einem Fleck am Himmel. Ich fand mich einer Welt, einer gigantischen Welt, gegenüber. Ich war mir nicht sicher, ob ich Ehrfurcht oder Furcht empfand. Eigentlich spielte es auch keine Rolle. Der Eindruck war so oder so tief.

Kurze Korrekturen meiner Antriebsdüsen brachten mich direkt über den Ansatzpunkt der Längsachse von Vapaus, wobei sich die zylindrische Kartoffelform in meinem Blickfeld verkürzte. Schließlich schwebte ich genau über dem Mittelpunkt eines kreisförmigen Feldes aus unebenem Gelände, matt beleuchtet von der fernen Sonne.

Es rotierte langsam und bedächtig, und ich trieb darauf zu und suchte nach einer für die Landung geeigneten Stelle.

Genaugenommen hielt ich Ausschau nach einer passend großen Blase im Fels, einem Überbleibsel des Schmelzvorgangs,
der Vapaus in seine gegenwärtige Gestalt gebracht hatte. Einige
der Blasen waren aufgeplatzt und präsentierten sich als zer-
furchte Krater. Andere waren schnell genug abgekühlt, um als
Blasen erhalten zu bleiben, und zeichneten sich als glatte Kup-
pelform in der chaotischen Landschaft ab.

Ich zündete den Tornister, um näher heranzukommen, bis
der Grund nur noch dreißig oder vierzig Meter von mir entfernt war bzw. unter mir lag, je nachdem, von welcher Warte
aus man es betrachtete. Dann stoppte ich, um mir die Gegend
anzusehen. Es war ein verflucht großer Felsen, und die Drehung, die aus einem Kilometer Entfernung noch gemächlich
gewirkt hatte, erwies sich nun als erschreckend schnell. Mit
schwindelerregendem Tempo sauste die Felslandschaft unter
mir dahin.

Ich stellte fest, daß ich etwas abseits des Mittelpunktes auf
die Asteroidenflanke zutrieb. Auf einmal geriet ich in den
Schatten von Vapaus, als ich tief genug war, damit die Sonne
hinter dem Horizont verschwand. Allmählich war ich verdammt dicht dran!

Ich versuchte ruhig zu bleiben. Dieser Anflug erwies sich als
haariges Unternehmen. Ich musterte die Landschaft. Da! Eine
etwas über zwei Meter durchmessende Blase fast in Fahrtrich-
tung! Ich steuerte die Düsen und näherte mich mit etwa einem
Meter pro Sekunde der Oberfläche. Schweiß brach mir auf der
Stirn aus, und ich schüttelte den Kopf, um wieder besser sehen
zu können. Die Schweißtropfen flogen mir vom Gesicht und
trockneten sofort am Helm.

Ich war jetzt nur noch zehn Meter über dem Boden und sah
ihn auf mich zustürzen. Es waren nur noch Sekunden bis zur
Landung. Jetzt mußte ich versuchen, meine Seitenbewegung
der Rotation des Satelliten anzupassen. Ich mußte mich mit
derselben Geschwindigkeit bewegen wie das Stück Fels, auf
dem ich aufsetzte. War ich zu langsam, würde ich wohl von den
Beinen gerissen und wahrscheinlich wieder ins All hinausge-
schleudert werden. War ich zu schnell, flog ich vielleicht am

Asteroiden vorbei und mußte es noch einmal versuchen, und das mit ziemlich knappem Treibstoffvorrat.

Ich biß die Zähne zusammen und bewegte mich zum Mittelpunkt der Felswand hin. Ich feuerte die Düsen, um mich der Rotation anzugleichen. Der dahinrasende Fels schien langsamer zu werden, und als meine Füße kaum noch fünf Meter vom Boden entfernt waren, hatte ich mich der Rotation angepaßt, ließ den Fahrthebel los, zog so schnell wie möglich den Hakenwerfer aus dem Gürtel und feuerte den raketenbetriebenen Greifhaken in den Fels unter mir. Meine Seitengeschwindigkeit machte sich wieder bemerkbar, und die Halteleine, die mich mit dem Haken verband, ruckte kurz. Ich landete sauber auf den Füßen und balancierte mich mit der freien Hand aus.

Die Drehung des Asteroiden diente dem Zweck, mit Hilfe der dadurch entstehenden Zentrifugalkraft eine künstliche Schwerkraft herzustellen. Je weiter man von der Längsachse entfernt war, desto stärker machten sich die Fliehkräfte bemerkbar. Ich war nicht sehr weit entfernt, aber weit genug. Ich spürte einen ganz leichten Zug nach *unten*, und soweit es meine Innenohren anging, war nicht der Boden der Welt ›unten‹, sondern der Horizont, der Rand der Welt.

Auf einmal wurde ich mir instinktiv der Tatsache bewußt, nicht auf einem flachen Hang inmitten einer Ebene zu stehen, sondern an einer dünnen Leine an einer drei Kilometer hohen Felswand zu hängen. Einer Felswand, deren Ober- und Unterseite nur leerer Raum war. Gerade als ich den Fehler beging, nach *unten* zu blicken, kam die Sonne mit irrsinniger Geschwindigkeit um den Horizont herumgefegt. Die Photorezeptoren des Helms tönten die Scheibe leicht ein, als das Sonnenlicht daraufiel. Ich sah fasziniert zu, wie die abgedunkelte Sonne um diese dustere Ebene herumsauste und *unter* mir hindurchfuhr. Ihr tosendes Inferno befand sich direkt *unter* mir ...

Ich rutschte aus.

Einen Augenblick später baumelte ich an der steilen Klippe, nur von der an meinen Gürtel gehefteten Leine gehalten. Ich würde abstürzen! In die Sonne hinein! Die Gedanken in meinem Kopf überschlugen sich. Ich blickte wieder nach unten, um nachzuschauen, ob die Sonne wirklich dort war, und sah den Planeten Neu-Finnland unter mir entlangsausen. Er, der größer als die Sterne und mir näher war, schien sich noch schneller zu bewegen. Dann verschwand er aus meinem Blickfeld, und da war wieder der tiefe, leere Raum mit den Sternen. Schlimmer noch, tausendmal schlimmer noch als der Sturz in den raschen Tod der Sonne! Jahrmillionenalte Instinkte machten sich in meinem Kopf bemerkbar. Ich drohte abzustürzen, und zu stürzen bedeutete jetzt nichts anderes, als für immer und ewig ins Nichts zu fallen, immer weiter zu fallen . . .

Ich wurde besinnungslos, aber nur für ein paar Sekunden, denke ich. Als ich wieder zu mir kam, ließ ich mir soviel Zeit, wie ich glaubte riskieren zu können, um meine Instinkte zu beruhigen. Der Hals schmerzte, als hätte ich laut geschrien. Ich versuchte, das Zittern im ganzen Leib unter Kontrolle zu bekommen. Ich atmete tief, spannte und entspannte jede einzelne Muskelgruppe und versuchte, mir ein Liedchen vorzusingen. Vor allem blickte ich nicht mehr, wiederhole NICHT MEHR nach unten oder öffnete überhaupt die Augen.

Alle Ängste, die uns normalerweise vor tollkühnen Gesten schützen — die Furcht zu fallen, die Furcht vor dem Dunkeln, vor dem Unerwarteten und der Desorientierung, der gefährlichen Überraschung — hatten sich gegen mich verschworen. Hätte ich die Leine mit den Händen gehalten — wo ich sie vor Schreck hätte loslassen können —, anstatt sie an den Gürtel zu heften, dann hätten mich diese Ängste umgebracht. Es dauerte lange Minuten, der Angst Herr zu werden.

Als das Zittern nachließ, öffnete ich langsam und vorsichtig ein Auge. Dabei achtete ich darauf, stur geradeaus zu blicken und versuchte meine Innenohren zu überzeugen, daß alles in Ordnung war. Überrascht stellte ich fest, daß ich an einer ganz gewöhnlichen Klippe hing, die nur einen halben Meter von mir entfernt war. Genau wie in der Ausbildung. Ich wartete etwas und öffnete dann mit derselben Vorsicht das andere Auge. Soweit alles okay.

Langsam und sachte schwenkte ich die Beine hin und her, um eine Pendelbewegung herbeizuführen, die mich in Reichweite der Oberfläche führte.

Ich suchte nach Griffmöglichkeiten, und während ich mich festklammerte, als ginge es um mein Leben, spähte ich mit äußerster Vorsicht nach unten, um nach meiner Felsblase zu suchen. Vor Erleichterung seufzte ich. Ich hatte gut gezielt und befand mich in gerader Linie über ihr, nur etwa fünfzehn Meter davon entfernt.

Die Oberfläche fiel zu dem verrückten seitlichen Horizont ab, und die rasche Rotation von Vapaus sorgte dafür, daß die Sonne bald wieder direkt unter mir lag.

In Anbetracht aller Umstände — des anhaltenden Zitterns, des schweißgetränkten Druckanzuges, der Schmerzen, nachdem ich ihn seit fast zwei Tagen anhatte, meiner Befürchtung, das Helmglas würde irgendwann brechen, wahrscheinlich bald — wird man mir sicher zustimmen, daß ich nicht gerade unter idealen Bedingungen an dieser irrsinnigen Felswand herunterkletterte. Mein einziger Vorteil bestand darin, daß nahe der Rotationsachse die durch die Drehung hervorgerufene Schwerkraft noch niedrig war. Unter irdischen Schwerkraftverhältnissen hätte ich diese Klettertour niemals absolvieren können.

Das Klettern, besonders das an Felswänden, besteht aus dem Wechselspiel von Ruhe und Aktivität. Man betrachtet sich den Fels und wiederholt sich im Geist wieder und wieder, welches Glied man als erstes bewegt und welches dann folgt. Man wartet dann, um die nötige Willenskraft zusammenzuraffen. Vielleicht probiert man die erste Bewegung ein oder zweimal ansatzweise aus, ohne dabei Hand oder Fuß vom Gestein zu nehmen, sondern lockert nur den Griff ein wenig, um zu prüfen, ob der andere Arm oder die Beine ausreichend Halt haben, bis die erste Hand ihre neue Griffmöglichkeit gefunden hat. Vielleicht stellt man dann fest, daß es so gar nicht geht, und schwitzt erst einmal das beinahe eingegangene Risiko aus, ehe man etwas anderes probiert. Wenn es schließlich keinen Grund mehr gibt, noch weiter abzuwarten, bewegt man sich so schnell und so glatt wie möglich zu den nächsten Haltepunkten für Hände und Füße, in der Hoffnung, daß man dort ausreichend sicher ist. Manchmal ist man das auch.

Ich kroch und kletterte, hing eine Zeitlang herum und kletterte weiter. Zweimal fanden Hände oder Füße nicht genug Halt; ich rutschte von der nach innen geneigten Klippe ab und mußte mich erst wieder wie ein Pendel hinüberschwingen. Danach klammerte ich mich jeweils erst mal fest, wartete ab, bis das Zittern nachließ, und kletterte weiter.

Endlich hatte ich die Gesteinsblase direkt zu meinen Füßen, nur noch einen halben Meter weit weg. Ich feuerte erneut einen Seilhaken in den Fels und einen weiteren seitlich in die Blase, straffte die beiden Spulen und heftete die Seilenden zusammen. Dann feuerte ich einen dritten Haken mit kurzer Leine ab, um mich zusätzlich abzusichern, legte fünf Minuten Pause ein und machte mich an die Arbeit.

Ich zog den Handlaser aus dem Halfter, stellte ihn auf einen dünnen Strahl ein und feuerte ihn direkt auf die Blase ab. Er benötigte anderthalb Sekunden, um ihre Oberfläche zu durchdringen. Das eingefangene Gas, das die Blase gebildet hatte, entwich und riß dabei eine Wolke feinen Gesteinsstaubes mit, der sich rasch verteilte. Ich schnitt einen Kreis in die Blase, mit einem der Seilhaken im Mittelpunkt.

In fünfzehn Minuten hatte ich ein mannsgroßes Stück Stein herausgeschnitten. Ich steckte den fast leeren Laser weg und zog an dem Seil, das die Felsscheibe hielt. Ich mußte mich etwas anstrengen, aber dann löste sie sich mit einem knirschenden Geräusch wie von scharrender Kreide, das durch das Gestein bis in meinen Anzug hineingetragen wurde. Als ich die Scheibe losließ, schwang sie ein paar Sekunden lang hin und her und blieb dann entgegen der Rotationsrichtung hängen, etwas zur Seite gezogen durch den magenumstülpenden Coriolis-Effekt der Satellitendrehung.

Erneut löste ich die Schlauchverbindungen zu meinem Rucksack und befreite mich von diesem. Ich schob ihn ins Loch und kroch hinterher.

Soweit hatte ich es also geschafft. Wenigstens war ich von

der Klippe weg und hatte wieder Felsgestein unter den Füßen, anstatt seitlich von mir.

Ich befreite mich von allen Leinen, die mich mit der Klippe verbanden, und benutzte eines als Lasso, um mit dem dritten Versuch endlich die Lochabdeckung einzufangen. Ich zog sie zu mir heran, feuerte einen Greifhaken hinein und wickelte mir die Leine um den Unterarm.

Während ich die Felsscheibe mit einer Hand ausbalancierte und mir wünschte, ich hätte drei Hände, holte ich die Dose Gesteinskitt hervor und sprühte die dicke Schmiere auf die Scheibe und den Lochrand.

Ich duckte mich ins Loch, schaltete den Helmscheinwerfer ein, brachte die Gesteinsdecke wieder an ihre ursprüngliche Position und zog einmal kräftig daran, um dem Kitt eine Chance zu geben. Um Nägel mit Köpfen zu machen, sprühte ich noch einmal über den Innenrand der Abdeckung.

Das Dichtungsmaterial brauchte ein paar Minuten, um den Riß zu schließen. In der Zwischenzeit trennte ich das Lebenserhaltungssystem vom Manövertriebwerk und gürtete mir ersteres so um. Nach fünf Minuten hatte ich die Schläuche wieder angeschlossen; das ist auch schon die Grenze, an der man beginnt, vor lauter Luftmangel Punkte vor den Augen zu sehen.

Ich holte ein letztes Werkzeug aus der Gerätetasche, die mit am Tornister hing — einen Gesteinsbohrer. Es war ein einfaches, starkes Gerät und das bei weitem größte, das ich mitgenommen hatte. Ich setzte den Bohrer an der meinem Einstiegsloch gegenüberliegenden Wand an, hinter der mich die Innenwelt von Vapaus erwartete, und schaltete ihn ein. Drei Sets kreisender Bohrzähne, deren Spitze mit Industriediamanten besetzt waren, gruben sich in den Fels. Er wurde zu feinem Staub verarbeitet und durch einen Schlauch ausgeblasen. Ich unterbrach die Arbeit kurz, um das Ende des Schlauches auf die andere Seite der Blase zu befördern.

Zähneknirschend schaltete ich den Bohrer wieder ein und grub ihn in den Felsen. Der Lärm, der durch das Gestein in meinen Druckanzug hineindrang, erinnerte mich an das schrille Geheul des Teufels persönlich. Ich grub einen runden Tunnel von etwa einem halben Meter Durchmesser. Trotz des Schlauches bedeckte bald eine Staubschicht meinen Helm, und ich mußte häufig eine Pause machen, um ihn abzuwischen.

Langsam wuchs das Loch. Nach zwanzig Minuten des Zähneklapperns war ich etwa einen Meter tief im Gestein. Ich hatte keine Ahnung, wie dick die Wand war, und war darauf gefaßt, vielleicht lange Stunden mit dieser kreischenden Maschine und dem Gesteinsstaub zuzubringen.

Aber kaum eine Stunde später fiel mir der Bohrer fast aus der Hand, als das letzte Stück Fels unter mir zerbröckelte. Ich schaltete ihn ab, während die Atmosphäre von Vapaus stürmisch das Vakuum in der Gesteinsblase füllte und dabei große Staubwolken durch die Gegend wirbelte, die sich erst nach Minuten legten. Ich machte mir Sorgen, daß der Staub vielleicht gesehen wurde, aber als die Sicht wieder klar wurde, sah ich, daß es hier dunkel war. Nacht herrschte in Vapaus.

Ich zog den Gesteinsbohrer zurück in das Loch, das ich mit seiner Hilfe gemacht hatte, und verstaute ihn in der inzwischen ganz schön unordentlich wirkenden Blase. Dann kroch ich zu dem Tunnel mit seinen glatten Wänden und steckte den Kopf hinaus, öffnete den Helm und atmete die süße Luft von Vapaus ein.

Es war jetzt zweiundvierzig Tage — eintausend Stunden — her, daß uns das Funksignal der Drohne aus tiefem Schlaf geweckt hatte.

Ich befand mich im Innern von Vapaus.

Jetzt kam der schwierige Teil.

Kapitel 4

Ich kroch in die Gesteinsblase zurück und zog den Druckanzug aus. Es war ein großartiges Gefühl, ihn endlich los zu sein. Fast zweieinhalb Tage hatte ich daringesteckt und freute mich darauf, endlich wieder etwas anderes zu riechen als nur mich selbst. Ich zog mich bis auf die Haut aus und stellte fest, daß ich doch noch für eine ganze Weile starken Eigengeruch wahrnehmen würde. Ein Bad wäre dringend angesagt gewesen! Ich hatte einen Overall mitgebracht und zog ihn jetzt an, wobei es mir schwerfiel, saubere Kleider über schmutzige Haut zu ziehen.

Die Gesteinsblase eignete sich nicht gerade als Hauptquartier. Es war unmöglich, darin zu stehen, ohne sich mit einer Hand abzustützen. Sie war eiförmig und hatte das schmalere Ende unten. Darüber hinaus war sie zur Hälfte mit Gesteinsstaub gefüllt, der mich zum Niesen brachte, und der Staub wiederum war voller abgelegter Ausrüstungsgegenstände, über die man leicht stolpern konnte.

Der Kitt rings um das äußere Einstiegsloch schien zu halten, aber ich dichtete das Ganze mit einer weiteren Klebeschicht ab, denn mir gefiel die Vorstellung nicht, anderer Leute Luftvorrat aufs Spiel zu setzen. Ich hatte über einen großen Teil meines Lebens hinweg Dosenluft geatmet, was mich diesem Problem gegenüber sehr empfindsam machte.

Allmählich strömte immer mehr Licht aus dem Inneren des Satelliten in den Tunnel hinein. Der Tag brach an in Vapaus. Das Risiko, draußen beim Abstieg in Tageslicht entdeckt zu werden, konnte ich unmöglich eingehen. Ich mußte auf den Einbruch der nächsten Nacht warten. Das bedeutete, daß ich jetzt schlafen konnte, was auch nötig war. Ich zog die Hosenbeine (ich schätze, man könnte sie als lange Unterhose bezeichnen) vom Druckanzug ab, rollte sie zu einer Art Kopfkissen zusammen und streckte mich im Tunnel zum Schlafen aus.

Zum Abend hin erwachte ich, steif wie ein Brett, und zog mich für ein bißchen Gymnastik in die Blase zurück. Dann machte ich mich zum Aufbruch bereit.

Ich befestigte einen Stahlhaken im Dach des Tunnels und knüpfte ein Seil daran, das in einem Elektromagneten endete, der wiederum durch einen Funkschalter ein- und ausgeschaltet wurde. Ich testete ihn. Magnet und Seile lösten sich vom Dach. Ich fing sie auf, bevor sie über die Kante rutschten, setzte den Magneten wieder fest an und ruckte kräftig daran. Er würde halten.

In der vorigen Nacht war ich über die Außenseite der Felswand geklettert, jetzt stand mir die Innenseite bevor. Ich ließ den Druckanzug, den Tornister, den Gesteinsbohrer und all die anderen Apparate zurück und nahm nur den Overall mit sowie das, was sich in seinen Taschen befand. Bevor ich mich an den Abstieg machte, warf ich einen Blick auf das Antlitz von Vapaus. Die Abenddämmerung breitete sich über die große, zylindrische Ebene aus. Diese Hohlwelt wurde von einer starken, kugelförmigen ›Sonne‹ beleuchtet, die aus Tausenden einzelner Lampen bestand, welche direkt im Mittelpunkt der Welt, in der schwerelosen Zone der Rotationsachse schwebten. Mit mächtigen Kabeln waren sie an Vorder- und Achterklippe verankert, allerdings nicht aufgrund ihres Gewichtes (in der Achsenzone hatten sie keines), sondern um sie daran zu hindern, aus der Mittellinie fortzuschweben. Das Licht dieser künstlichen Sonne wurde jetzt matter und zeigte die rötliche Tönung echten Sonnenlichts zur Abenddämmerung. Auf den Ebenen unter mir gingen die Hauslichter an.

Es überraschte mich, wie leicht ich diese von außen nach innen gestülpte Welt akzeptieren konnte. Vielleicht lag es daran, daß ich früher schon Photos von solchen Welten gesehen hatte, aber ich denke, entscheidender war, daß sie einfach normal und natürlich *wirkte*. Ihre Dimensionen waren zu gewaltig, als daß man sie für Menschenwerk gehalten hätte. Der Ausblick auf sie war nicht weniger großartig als der auf den Grand Canyon oder Valles Marineris, sie wirkten allerdings weit gastlicher.

Vapaus war vollständig grün. Sanfte Hügel waren mit üppigem Gras bewachsen und verschönt durch die Farben von Blumen, die zu weit weg waren, um sie richtig zu erkennen. Bäume wuchsen reichlich zu meinen Füßen, und der gewölbte Wald stieg zu den Seiten der Welt an und setzte sich ungebrochen über meinen Kopf hinweg fort.

Auch Flüsse zogen sich über den Himmel, einer direkt über mir. Ich konnte nicht ausmachen, wo er entsprang, aber ich folgte seinem Lauf bis zum See, der die Mitte der Hohlwelt umspannte. Ein doppeltes Wolkenband, das sich wie der Zentralsee einmal um die Welt spannte, verhinderte, daß man von einem der beiden Enden der Ebene aus den Boden sehen konnte. Diese Wolkenbänder erstreckten sich von der Vorder- und Hinterklippe aus jeweils einen Viertelkilometer weit zur Mitte des Zylinders hin, stahlgraue Grenzen der grünblauen Pracht.

Als ich meinen Abstieg an der Hinterklippe begann, hatte ich diese Wolkendecke direkt zu meinen Füßen. Die Wolken und die zunehmende Dunkelheit reichten aus, um mich vor Entdeckung zu schützen.

Das vordere und hintere Ende des Satelliten, die erwähnten Klippen, waren schalenförmig. Vapaus maß entlang seiner Längsachse elf Kilometer, vom Fuß einer Klippe bis zur anderen dagegen nur zehn, was bedeutete, daß die Klettertour an der Außenseite praktisch an einer überhängenden Wand verlaufen war, während man an der Innenseite einem zunehmend flacheren Abhang folgen konnte. Als ich das Ende meiner Sicherungsleine erreichte, konnte ich selbst im Dunkeln mit einiger Zuversicht weiterklettern.

Mit Hilfe des Funkschalters löste ich den Elektromagneten von seiner Halterung, und das Seil fiel sofort auf höchst eigenartige Weise herunter. Wie ich schon sagte, steigt die Schwerkraft in einem rotierenden Zylinder wie Vapaus von null auf der Längsachse bis zum Höchstwert an der Seitenwand des Zylinders an. Demzufolge fiel das obere Ende des Seiles langsamer als das untere Ende. Und noch ein weiterer merkwürdiger Effekt trat auf: Die Rotation einer solchen Welt wird nicht an ein im Innenraum stürzendes Objekt weitergegeben. Das Objekt fällt in gerader Linie auf die Innenfläche herunter, was für einen Betrachter auf dieser Innenfläche, der ja von der Rotation weitergetragen wird, den Anschein ergibt, das stürzende Objekt würde von der Rotationsrichtung wegscheren. Gemeinsam bewirkten diese beiden Seltsamkeiten, daß mein Seil in dem merkwürdigsten Schlangentanz herabgesegelt kam, den ich je erlebt hatte. Anschließend rollte ich es zusammen und versteckte es in einer Felsspalte.

Ich wußte, es war töricht, aber beim Abstieg an der Innenwand fühlte ich mich wohler, als mir draußen zumute gewesen war. Anscheinend wirkte es auf verrückte Art beruhigend zu wissen, daß man bei einem Ausrutscher ›nur‹ einen Kilometer weit stürzen würde, statt in den leeren Weltraum, wenn es einem an der Außenseite passierte.

Eigentlich war ich ziemlich sicher. Die Felswand war übersät mit Rissen, Vorsprüngen und Spalten, so daß ich keine Probleme hatte, Griffmöglichkeiten zu finden. Rasch erreichte ich das Wolkenband, das sich eng an die Klippe schmiegte. Das Gestein war hier feucht und rutschig, und wenig später war ich tief genug, um in den Regen zu geraten. Nebel und Regen durchtränkten den leichten Overall mühelos. Als ich dem Boden näher kam, stellte ich fest, daß die Luft ein bißchen zu kalt für meinen Geschmack war. Verständlich — von den Finnen konnte man erwarten, daß sie es gern ein wenig frisch hatten.

Die Luft wurde auch dichter. Die letzten fünfzig Meter rutschte ich einfach einen Haufen losen Gesteins hinunter, das sich am Fuß der Felswand angehäuft hatte.

Endlich war ich auf dem Boden angekommen und blickte den Weg zurück, den ich genommen hatte. Es ist immer wieder schön, auf ein haarsträubendes Unternehmen zurückzublicken, nachdem man es erfolgreich abgeschlossen hat, und ich war überzeugt, daß niemand dergleichen hätte voraussehen können. Die Hüter hielten sicher bei den Luftschleusen am vorderen Ende Wache, nicht hier.

Ich bahnte mir den Weg durch das regennasse Gras am Fuß

der Hinterklippe, um zu den bewohnten Stellen des Satelliten zu gelangen.

Am Ende eines hübschen Feldweges nahe der Hinterklippe wohnt ein Mann, der sich vielleicht bis zum heutigen Tage vergeblich fragt, was aus seiner Hose, seinem Hemd und den Lebensmitteln geworden ist, die in jener Nacht verschwanden. Wer immer es ist, ich danke Ihnen. Alles wurde einer guten Sache zugeführt. Die Standardoveralls des Planetenliga-Erkundungsdienstes waren in dieser Gegend sicher nicht die geeignete Kleidung, und das Schwarzbrot schmeckte köstlich. Nach dem Imbiß vergrub ich den Overall und ging weiter.

Bald fand ich mich in der Nähe einer Art Bahnhof wieder. Ich hielt mich im Hintergrund und schaute mir erst mal an, was hier ablief. Es kam mir recht einfach vor. Hell erleuchtete Waggons liefen auf einer Monoschiene in Erdhöhe und erreichten die hiesige Station einmal alle fünf Minuten. Die Wagen hielten, öffneten die Türen, warteten etwa dreißig Sekunden lang auf Fahrgäste, schlossen die Türen, und brausten wieder hinaus in die Nacht.

Als ich zum Himmel hinaufblickte bzw. zu der Landschaft, die sich über mich wölbte, sah ich die Lichter weiterer Schienenwagen wie entfernte Glühwürmchen still durch die Dunkelheit gleiten.

Einer der Wagen überquerte den Zentralsee, und der Widerschein der Kabinenbeleuchtung auf dem Wasser erzeugte einen Fleck weichen Lichtes, der dann fast auf einen Schlag wieder verschwand.

Zu dieser nächtlichen Stunde hielt sich kein weiterer Fahrgast an meiner Station auf. Ich stieg in einen Wagen. Die Türen schlossen sich mit leisem Zischen und einem Klicken, und der Wagen setzte sich sanft in Bewegung.

Ich blickte zum Fenster hinaus, denn ich wollte unbedingt soviel von dieser seltsamen, auf dem Kopf stehenden Landschaft sehen, wie in der Dunkelheit möglich war. An der nächsten Haltestelle stiegen weitere Fahrgäste zu. In der Tradition der Nahverkehrsfahrgäste aller Welten kümmerte ich mich nicht um sie, und sie kümmerten sich nicht um mich.

An den nächsten paar Haltestellen wartete niemand, und wir näherten uns einer Ansammlung wunderschöner Türme am Ufer des Zentralsees.

Der Wagen hielt wieder, und zwei mürrisch aussehende Männer in dunkelgrauen Uniformen schubsten andere Fahrgäste zur Seite und kamen großspurig als erste hineingestampft, die Daumen hinter die Gürtel gehakt, die Hände dicht neben gefährlich wirkenden Laserpistolen.

Der Feind! Bis zu diesem Augenblick waren die Hüter eine abstrakte, unbekannte Größe gewesen. Jetzt sah ich sie mit eigenen Augen vor mir. Ich saß auf dem Sitz direkt an der Tür. Einer der beiden kam zu mir und deutete mit dem Daumen zur Rückseite des Abteils. Ich reagierte nicht. Vielleicht war ich zu sehr darauf konzentriert, ihn mir gründlich anzusehen. Jedenfalls schmiß ich an diesem Punkt beinahe das ganze Spiel.

»Was ist los, Junge?« knurrte der Soldat. Er sprach Englisch mit einem flachen, harten, abgehackten Akzent. »Willst wohl deinen Platz nicht hergeben?« Er trat näher und grinste heimtückisch. »Na?«

Ich stand auf und ging nach hinten, und die übrigen Fahrgäste musterten mich mit merkwürdigem Ausdruck. Die beiden Soldaten plumpsten auf die Sitzbank, die ich geräumt hatte.

»So ist es viel gescheiter, Junge«, sagte der Soldat, der mich vorher schon angesprochen hatte. Er deutete auf einen Flicken an der Kabinenwand, der teilweise verdeckte, was sehr nach einem Lasereinschuß aussah. »Wir wollen schließlich nicht noch mehr Löcher und Blutflecken in diesen hübschen Zügen, nicht wahr?« Die beiden lachten laut. Die übrigen Fahrgäste ignorierten bewußt das Geschehen. Der Soldat entließ mich mit einem Wink und spuckte auf den bislang makellosen Teppich.

Der Zug bremste die nächste Haltestelle bedächtig an, und ich stieg gleich aus, ehe ich etwas Dummes tat, etwas, wofür ich auf der Stelle niedergeschossen und wodurch alle Anstrengung zunichte gemacht worden wäre, die es erfordert hatte, mich hierherzubringen. Trotzdem, es war knapp!

Ein anderer Fahrgast stieg mit mir aus, und als der Wagen

anfuhr, faßte mich der Mann am Arm und sagte in schnellem Finisch, dem ich kaum folgen konnte: »Seien Sie lieber vorsichtig, Freund! Werfen Sie nicht für kindische Gesten Ihr Leben weg. Morgen oder übermorgen oder tags darauf wird es Zeit sein, gegen sie zu kämpfen. Wenn Sie heute sterben, können Sie morgen nicht mehr kämpfen.« Er nickte mir zu, humpelte davon und verschwand hinter einer Wegbiegung. Die Bäume, die den Blick auf ihn versperrten, waren angesengt und geschwärzt, und wo ich stand, war der Gehsteig zertrümmert.

Auch gestern war also gekämpft worden.

Während der restlichen Nacht und der ersten Stunden des nächsten Morgens wanderte ich durch die Landschaft von Vapaus. Ich sah vieles, lernte aber im Grunde nicht mehr, als ich schon wußte. Diese Welt war nicht nur erobert worden, sie wurde brutal schikaniert. Überall waren Soldaten und drängten Fußgänger zur Seite, sie bummelten die Wege entlang und verfluchten und beleidigten die Finnen. Das Nachtleben konzentrierte sich auf die Ansammlung Türme am Zentralsee, und hier traten die Soldaten massiert auf, schnappten sich Waren von Ständen entlang der Straßen, ›beschlagnahmten‹ und versoffen die Bestände eines Alkoholgeschäftes und brüllten jungen Frauen vulgäre Sprüche hinterher.

Die Soldaten waren nie einzeln unterwegs. Nach dem Haß zu urteilen, den ich in den Blicken der Finnen las, bezweifelte ich sogar, daß die sonderlich sicher waren, die zu zweit auftraten.

Ich nahm die an einer Bahnhaltestelle ausgehängte Karte in Augenschein und fand heraus, daß sich das Krankenhaus in einem Turm dicht am Ufer befand. Der nächste Teil des Plans, den Joslyn und ich ausgetüftelt hatten, erforderte es, sich in Krankenhausnähe aufzuhalten. Also nahm ich ein letztes Mal den Zug und überquerte damit den Zentralsee, während die künstliche Sonne direkt über mir heller wurde. Das Wasser bot von der Brücke aus einen phantastischen Anblick. Von einer vollkommen flachen Ebene unter mir schwang es sich seitwärts zum Himmel empor, wie eine erstarrte, riesenhafte Welle. Überall entlang des Ufers entdeckte ich zerklüftete Mündungen von Zuströmen sowie Sandstrände und schmale Fjorde. Hier und da waren die Wracks hell gestrichener Ausflugsboote zu sehen, aber der See selbst war leer. Ich ließ ihn hinter mir und ging von der Haltestelle aus zu einem Punkt etwa hundert Meter vom Krankenhaus entfernt zu den niedergebrannten Resten eines kleinen Parks.

Ich holte die winzige Tranquilizerkapsel aus der Hosentasche und schluckte sie. Dann spazierte ich ruhig weiter und wartete darauf, daß die Wirkung eintrat. Sie tat es schließlich mit der Wucht einer Ladung Ziegelsteine, und ich brach auf dem Weg zusammen.

Das Medikament wirkte sowohl beruhigend wie spannungslösend und senkte Körpertemperatur und Herzschlag auf ein Niveau, das jeden, der mich zufällig fand, fürchterlich erschrecken würde.

Die Wirkung ging nach ein paar Stunden zurück, aber ich schlief weiter. Das Nickerchen, das ich tags zuvor in meinem Tunnel gehalten hatte, war nicht sehr erholsam gewesen.

Ich erwachte plangemäß in einem sauberen, stillen Krankenzimmer. Die Schwester, die mich betreute, war groß und schlank und hatte kurze, blonde Haare und graue Augen. Sie sah, daß ich zu mir kam, und richtete einen Handlaser auf meine Stirn.

Das entsprach nicht dem Plan.

Sie sprach gut Englisch und hatte einen melodischen Tonfall. »Sie sind ein sehr schlechter Spion, wußten Sie das? Kein Finne darf einen Laser tragen, aber Sie werden keine Gelegenheit finden, meinen Verstoß zu melden. Ihr Medikament war so leicht feststellbar, daß unsere Ärzte lachen mußten. Glaubt ihr Oberhüter wirklich, ihr könntet euch so in ein Krankenhaus schmuggeln, ohne daß wir es bemerken? Was haben Sie sich eigentlich davon versprochen?«

Es gab immerhin einen Lichtblick. Wie Joslyn und ich uns überlegt hatten, war dem Krankenhauspersonal in Anbetracht der hohen Verluste erlaubt worden, seine Arbeit fortzusetzen. Wir hatten gehofft, hier eine standhafte Untergrundtruppe zu finden – einmal, weil die Finnen hier als organisierte Gruppe weiterarbeiteten, zum anderen bedingt durch ihren unmittelbaren Eindruck vom blutigen Handwerk der Hüter.

Sah ganz so aus, als hätten wir richtig gedacht. Jetzt mußte ich nur noch die Schwester dazu bringen, mir kein Loch in den Schädel zu bohren.

Ich bemühte mich, ruhig zu bleiben, und fragte sie in sehr schlechtem Finnisch: »Wird dieses Zimmer abgehört?«

Das überraschte sie. Sie antwortete auf finnisch, aber so schnell, daß ich ihr kaum folgen konnte. Glauben Sie ja nie an die Werbesprüche für die Hypnosesprachkurse – Sie werden die Sprache nicht fließend beherrschen, egal, wie lange Sie darin untergetaucht bleiben. Besonders nicht Finnisch!

Ich wedelte mit den Armen, um sie zum Schweigen zu bringen. »Bitte! Langsam! Mein Finnisch ist nicht gut.«

Sie runzelte die Stirn und wiederholte ihre Worte langsamer. »Wieso scheren Sie sich darum, ob das Zimmer abgehört wird, Hüter? Es wären doch *Ihre* Freunde, die dann zuhörten.« Sie lächelte böse, ein unangenehmer Wechsel im Ausdruck ihres hübschen Gesichtes. »Um die Wahrheit zu sagen, sie *glauben* dieses Zimmer abzuhören. Wir haben jedoch ein paar Drähte hier und da neu verlegt. Die Typen bekommen das mit, was sie für Ihr geräuschvolles Schnarchen halten werden.«

Gut. Wenigstens konnte ich offen sprechen. Da kam mir jedoch ein Gedanke. »Woher soll ich wissen, daß Sie kein – kein Hüter sind?«

Niemand, der weniger als hundert Jahre alt ist, hätte so wütend aussehen dürfen. Ihre Finger näherte sich dem Abzug. »Okay, okay.« Ich war ins Englische verfallen und wechselte wieder zu Finnisch. »Vergessen Sie's. Ich bin überzeugt.«

Sie lächelte höhnisch. »Aber *Sie* überzeugen *mich* nicht, Sie Idiot! Wenn man uns hier ausspionieren will, sollte man wenigstens jemanden schicken, der Finnisch so gut spricht wie ein Finne.«

»Ich bin kein Spion! Ich arbeite für Ihre Seite!«

»Unfug! Wir haben keine Daten über Sie. Sie sind nicht von hier. Allmählich verliere ich die Geduld mit Ihnen, Spion!«

Wenn das ihre Vorstellung von Geduld war, steckte ich in ernsten Schwierigkeiten, sollte sie jemals ärgerlich werden. »Ich komme von der Planetenliga. Sie hat mich geschickt!«

Sie schnaubte wegwerfend. »Klar, und Ihr Sternenschiff liegt direkt neben den Truppentransportern der Hüter im Luftschleusenkomplex!«

»Terrance McKenzie Larson, Fregattenkapitän, Marine der Republik Kennedy, eingeteilt für PLES 41 *Joslyn Marie*. Marine-ID-Nummer vier neun acht zwei vier fünf.«

Eine Spur von Zweifeln war in ihrem Gesicht auszumachen, und der Laser sank ein winziges Stück weiter. Ich dachte schon, sie würde mir allmählich glauben. »Sie lügen«, meinte sie nach kurzem Zögern. Na ja, vielleicht war es doch noch nicht soweit. »Wenn Sie von der Liga kommen, warum sind Sie dann nicht schon vor drei Monaten aufgetaucht, als diese Monster über uns herfielen?«

»Ich bin noch keine 20 Stunden hier — oder auf dieser Welt, oder was immer.«

»Wie sind Sie hereingekommen? Durch eine eigene, private Luftschleuse?«

Langsam verlor auch ich die Geduld. »Wenn Sie es genau wissen möchten, ja!« Sie lachte auf. »Spion, Sie sind wirklich schlecht in Ihrem Gewerbe!« sagte sie und kicherte noch. »Was immer das für ein Gewerbe sein mag.«

Ich seufzte und ließ mich zurückfallen — und stellte fest, daß ich durch das große Aussichtsfenster des Zimmers das hintere Ende von Vapaus sehen konnte, die Klippe, an der ich heruntergestiegen war. Ich glaubte sogar, die genaue Route ausmachen zu können. Ich wandte mich wieder der Schwester zu, die mich nach wie vor süffisant anlächelte. »Könnten Sie mir ein hochauflösendes — na, wie heißt das noch? — Fernglas besorgen?«

Damit brachte ich sie fast wieder zum Lachen. »Aber, aber, haben denn nicht die meisten Spione selbst eines dabei?«

»Schauen Sie, meine Dame, Sie können entweder dort sitzen und lachen, oder Sie können mir ein Fernglas holen. Wenn Sie letzteres tun, zeige ich Ihnen meine private Luftschleuse. Wenn nicht, dann bekommen Sie sie auch nicht zu sehen.«

»Sie verschwenden meine Zeit. Um dem Unfug jedoch ein Ende zu bereiten, werde ich auf Ihren Bluff eingehen. Anschließend wenden wir uns dann dem zu, was Sie wirklich im Schilde führen.«

»Schön! Super! Holen Sie nur das Glas!«

Sie drückt eine Taste auf der Zimmersprechanlage, wobei sie die Waffe weiter auf mich gerichtet hielt, und sprach rasch und leise. Dann setzte sie sich wieder, und wir warteten ein paar Minuten lang, ohne etwas zu sagen.

Ein großer, kräftiger Mann in der Uniform eines Pflegers trat ein und reichte der Schwester wortlos ein Fernglas. Sie händigte ihm den Laser aus. Er zielte damit auf mein Herz, statt auf die Stirn. Keine nennenswerte Verbesserung.

Die Schwester warf mir das Fernglas aufs Bett. Ich hielt es ihr wieder hin. »Nein, sehen Sie selbst nach.«

Ohne mir näher zu kommen als unbedingt nötig, nahm sie es entgegen. »Wo soll ich hinschauen?«

»Kennen Sie Roos Place?« So hieß die Straße, auf die ich am Fuß der Klippe gestoßen war. Ich beglückwünschte mich dafür, daß ich mich noch an den Namen erinnern konnte.

»Ja.«

»Gut. Suchen Sie sie jetzt mit dem Fernglas und schwenken Sie es auf die Klippe direkt dahinter, okay?«

»Ja.«

»Fahren Sie in gerader Linie die Klippe hinauf, bis sie auf halbem Weg zwischen der Wolkendecke und der Achse sind.« Sie tat wie geheißen, hielt inne und fuhr ein Stück zurück, als hätte sie etwas entdeckt, was näheres Hinsehen lohnte. »Da! Was sehen Sie?«

»Eine Art Loch in der Hinterklippe. Direkt an seinem oberen Rand glitzert etwas wie Metall.« Ihre Stimme klang schockiert. Anscheinend hatte ich sie überzeugt.

»Meine private Luftschleuse. Wenn Sie heute nacht ein Kommando — oder wie immer Sie das nennen — hinaufschicken, können Ihre Leute sich das Loch genauer anschauen. Sie werden dahinter eine Gesteinsblase mit einem gekitteten Loch in der Außenwand finden, dazu einen Standard-Langzeitdruckanzug der Planetenliga, einen ausgebrannten Laser und ein paar weitere Gerätschaften. Mein Schiff ist auf der gegenüberliegenden Seite der Sonne versteckt.«

»Kommen Sie wirklich von der Liga?« Der Tonfall drückte Verwunderung und Hoffnung aus.

»Ja, wirklich.«

»Wir haben eigentlich nie erwartet, daß jemand kommen würde...« Sie hatte plötzlich einen Einfall. »Wie viele Leute begleiten Sie?«

Ich dachte an den experimentellen Materietransmitter. »Wenn wir Glück haben, etwa fünftausend.«

Sie stürmte aus dem Zimmer. Mir war klar, daß ich den Tag für sie gerettet hatte.

Allgemeine Geschäftigkeit machte sich breit, derweil der Pfleger den Laser gelassen auf meine Brust gerichtet hielt. Jemand photographierte mich und nahm meine Fingerabdrücke. Ich fand nie genau heraus, warum eigentlich.

Die Schwester versuchte anscheinend die Aufmerksamkeit von jemandem in verantwortlicher Stellung zu gewinnen. Sie kam zwei-oder dreimal wieder zu mir herein, ging unentschlossen auf und ab und versuchte sich darüber klarzuwerden, ob ich die Wahrheit sagte oder nicht.

Endlich ging die Tür wieder auf, und ein sehr würdevoller, ruhiger Mann, wohl irgendein Mediziner, trat ein. Eindeutig jemand, der etwas zu sagen hatte. Er scheuchte den Pfleger hinaus und zog einen Stuhl ans Bett. »Schwester Tulkaas hat einige äußert interessante Dinge über Sie erzählt, Fregattenkapitän«, sagte er in präzisem Englisch. »Wo stecken diese Leute, von denen Sie gesprochen haben?«

»Etwa vier Lichtwochen von hier entfernt, schätze ich.«

Er zuckte mit keiner Wimper, aber in Schwester Tulkaas' Gesicht sah ich die nackte Enttäuschung. »Wissen Sie nichts vom System der Schiffsabwehrraketen?« fragte mich der Arzt.

»Wir sollten eigentlich in der Lage sein, unsere Leute da hindurchzuschmuggeln.«

»Wie?«

Ich zögerte. »Doktor, könnte ich aufstehen und das Thema an einem Tisch erläutern? Einem Tisch mit einem reichhaltigen Mittagessen darauf? Die Sache ist ein bißchen kompliziert, und ich habe seit Tagen keine richtige Mahlzeit zu mir genommen.«

»Natürlich.«

»Phantastisch!« Ich sprang aus dem Bett — und gleich wieder hinein. Zu finnischer Krankenhauskleidung gehörte keine Unterhose. Der Doktor lächelte über mein Unbehagen. »Schwester, würden Sie bitte Fregattenkapitän Larson einen Bademantel aus dem Wandschrank holen?«

Die Schwester tat wie geheißen und führte dann ein Manöver aus, das es mir ermöglichte, ihn anzuziehen, ohne das Bett zu verlassen. Viel Übung, zweifelsohne. Ich band den Bademantel um die Taille zu und stand auf. »Noch eins«, sagte ich. »Könnten Sie einen Hypnotiseur besorgen? Ich habe es nicht gewagt, schriftliche oder filmische Unterlagen mitzubringen, verfüge jedoch trotzdem über eine Menge Informationen. Für den Fall, daß Ihre Hüterfreunde mich erwischten, wollten wir sicherstellen, daß ich nicht reden kann. Die Informationen sind durch drei verschiedene posthypnotische Befehle von meinem Wachbewußtsein abgeschottet. Sie werden mich sogar in eine leichte Trance versetzen müssen, um die Schlüsselworte aus mir herauszubekommen.«

»Ich werde Mr. Kendriel bitten, sich uns anzuschließen.« Der Doktor führte mich hinaus auf den Korridor.

»Jetzt kommt das abschließende Schlüsselwort, Fregattenkapitän. Wenn ich es ausspreche, werden Sie aufwachen und sich wieder vollständig an die Informationen erinnern, die Sie in sich tragen.«

Ich vernahm die Worte wie aus der Ferne, hatte aber nicht das Gefühl, daß sie für mich bedeutsam waren.

»Ich zähle jetzt rückwärts bis eins und spreche dann das Schlüsselwort. Fünf, vier, drei, zwei, eins — Männerheim. Nun, fällt Ihnen wieder alles ein?«

Natürlich, dachte ich dumpf. »Ja.«

»Gut. Jetzt zähle ich vorwärts bis drei und befehle Ihnen aufzuwachen. Wenn ich das tue, sind Sie wieder bei vollem Bewußtsein, und Sie werden sich an alles erinnern. Alles klar? Ein, zwei, drei — aufwachen!«

Mein Bewußtsein schaltete sich wieder vollständig ein, und ich öffnete die Augen und war für einen Moment etwas desorientiert. Ich blinzelte und wandte mich an den Hypnotiseur. »Könnte ich Papier und Bleistift haben?« Er reichte mir beides, und ich kritzelte in großer Eile eine lange Zahlenkolonne hin, bevor ich etwas vergessen konnte — die Antennenposition, die Energiestärke, Informationen dieser Art, dazu ein gestrafftes Kastendiagramm der für den Empfänger erforderlichen Ausrüstung, auf dessen Grundlage ein guter Elektronikingenieur die erforderlichen Schaltungen konstruieren konnte.

»Fregattenkapitän, können Sie uns erklären, was das alles zu bedeuten hat?«

»Noch einen Moment, Doktor. Ich muß mich an eine Menge Einzelheiten erinnern. Bitte geben Sie mir diese Karte der Planetenoberfläche.«

Der letzte Punkt der hypnotischen Erinnerungen waren die Koordinaten der Stelle, wo der Empfänger aufgestellt werden mußte, also Breite und Länge. Ich nahm die Karte kurz in Augenschein und fuhr dann mit einem Finger den richtigen Längengrad entlang und mit einem anderen den richtigen Breitengrad.

Anschließend wiederholte ich das ganze.

Und noch einmal.

Die Koordinaten stimmten nicht — die Position fünfundvierzig Grad West und fünfzehn Grad Nord lag im Meer!

Ich saß da und starrte die Karte an. Ich schloß die Augen und konzentrierte mich. Ja, die Koordinaten waren korrekt. Erneut kontrollierte ich die Karte. Stieß ein paar nicht druckreife Bemerkungen aus. Biß mir auf die Fingernägel. Trotzdem, die fragliche Stelle lag im Meer, und weit und breit keine Küste.

»Fregattenkapitän, was ist los?« erkundigte sich der Doktor. »Die Karte ist wohl korrekt.« Ich machte mir nicht mal die Mühe, es als Frage zu formulieren.

»Selbstverständlich.«

Ich drehte mich zu dem Arzt um, der mir noch nicht seinen Namen genannt hatte. »Dazu muß ich etwas ausholen. Die Liga hat kürzlich erst einen Materietransmitter entwickelt. Er befindet sich noch im experimentellen Stadium, aber sie haben bereits genug Vertrauen zu ihm, um ihn einzusetzen. Mein Schiff wurde von einer Drohne abgefangen, die die wichtigsten Bestandteile des Empfängers sowie den Befehl an mich enthielt, hierherzukommen. Der Sender ist ein sehr viel präziser konstruiertes System und erfordert viel mehr Energie. Das Raumschiff der Vereinigten Staaten *USSC Mayflower* hat den eigentlichen Transmitter an Bord und mit seiner Hilfe fünftausend Soldaten und ihre Ausrüstung mit Lichtgeschwindigkeit hierher abgestrahlt, von weit außerhalb dieses Sonnensystems. Ihr Zielpunkt liegt auf der Planetenoberfläche bei fünfundvierzig Grad West und fünfzehn Grad Nord. Sie werden entweder dort empfangen oder nirgendwo. Nur liegt diese Stelle im Wasser und nicht annähernd in Küstennähe!«

»Es gibt keinen finnischen Schiffsverkehr mehr. Die Hüter kontrollieren die Seefahrt vollständig.«

»Und kein Schiff wäre groß genug für fünftausend Mann«, sagte ich.

»Erstaunlich! Haben sie tatsächlich diese Leute an uns abgeschickt?« Er wandte sich dem Hypnotiseur zu. »Ist das wirklich möglich?«

Mr. Kendriel zuckte die Achseln. »Theoretisch ja. Die Idee geistert seit der Erfindung des c^2-Antriebes durch die Köpfe der Wissenschaftler. Es wäre eine Anwendung desselben Prinzips. Um es sehr vereinfacht auszudrücken: Der Effekt, der ein Schiff auf Überlichtgeschwindigkeit bringt, wird um neunzig Grad gedreht und produziert eine normale c^2-Blase, die allerdings statisch zum normalen Raum bleibt, oder präziser, die an jeden Punkt unseres Raumes angrenzt. Der Stolperstein bei der Sache bestand darin, die Blase ausfindig zu machen und sie kontrolliert in den Normalraum zurückzuziehen. Ich kann mir vorstellen, daß sie dieses Problem gelöst haben.« Wie es schien, hatte Mr. Kendriel einiges gelesen.

»Bemerkenswert! Was für eine wunderbare Erfindung . . .«
Der Doktor schien eine Zeitlang über die Möglichkeiten nachzudenken und wandte sich dann wieder dem aktuellen Problem zu. »Warum können sie nirgendwo sonst eintreffen? Ist der Transportstrahl so schmal?«

»Das Problem liegt nicht an der Dicke des Transportstrahls, sondern an der Doppler-Verschiebung. Der Empfangspunkt muß zum Zeitpunkt des Empfangs am Ende einer geraden Linie vom Startpunkt des Signals aus liegen, und das in der Richtung, in die der Transportstrahl bei der Sendung gezielt wurde. Die Stelle auf der Oberfläche Neu-Finnlands, die die Koordinaten fünfundvierzig Grad W und fünfzehn G Nord hat, hat die richtige Geschwindigkeit, um genau zur richtigen Zeit, wenn das Signal Neu-Finnland erreicht, am erforderlichen Punkt im Raum zu sein. Der Umlauf des Planeten um die Sonne, die Rotation um die eigene Achse — sogar die Störungen, die dieser Satellit verursacht — wurden allesamt präzise berechnet. Sollte das Signal beim Empfang in irgendeiner Weise verzerrt werden, so werden auch die Leute — verzerrt sein.«

Würden Sie als Riesen erscheinen? Als Pygmäen? Von innen nach außen gestülpt? Würden die Zellen ihrer Leichen durch Signalkurven verformt sein?

Wir konnten das Signal nicht empfangen. Ich schloß die Augen und fragte mich, wie es war, wenn man eine Maschine betrat, in der Erwartung, auf magische Weise in eine neue Welt versetzt zu werden — und dort nie anzukommen. Ein rascher und schmerzloser Tod, aber auf erschreckende Weise unbewußt für diejenigen, die ihn erlitten. Würden sie richtig tot sein oder in einem Augenblick subjektiver Zeit erstarrt, der für alle Ewigkeit fortbestand? Oder einfach — verschwunden?

Schwester Tulkaas verschränkte die Finger und starrte ins Leere. »Für einen Augenblick hegten wir Hoffnung. Das ist vorbei. Ihre Liga müßte zunächst einmal lernen, Karten zu lesen, ehe sie Menschen über Radiowellen auf die Reise schickt.«

»Karina, das ist unfair«, wandte der Doktor ein. »Es liegt am Koordinatenwechsel. Es ist im Grunde ganz einfach zu erklären, Fregattenkapitän. Als wir diesen Planeten zum ersten Mal kartographierten, benutzten wir ein ziemlich willkürliches Koordinatennetz. Als die Bebauung bevorstand, befand sich eine der besten Stellen für die Anlage einer Stadt dort, wo nach den alten Koordinaten die Datumsgrenze gewesen wäre. Wir gaben einer Verschiebung der Längengrade den Vorrang vor einer Verlegung der geplanten Stadt. Ihre Truppen sind zu einem Zielpunkt unterwegs, der zweifellos ausgezeichnet für ihren Empfang geeignet ist – wenn man sich an der alten Karte orientiert.«

»Und jetzt sind diese Leute so gut wie tot«, sagte ich.

»Warum haben Sie so etwas Verrücktes überhaupt getan?« platzte es aus Schwester Tulkaas heraus.

Ich blickte vom Tisch auf, in den ich ein Loch zu starren versucht hatte. »Wie?«

»Warum haben Sie sich nicht lieber um Ihre eigenen Angelegenheiten gekümmert, statt hierherzukommen, nur um falsche Hoffnungen zu wecken und so viele Menschen durch einen dummen Fehler zu töten?«

»Weil, Karina«, versetzte der Doktor unwirsch, »der Fregattenkapitän ein ehrenwerter Mann ist, gesandt von einer ehrenwerten Liga, in der wir Mitglied sind, und weil dieser Fregattenkapitän und die ganze Liga darauf eingeschworen sind, einen Versuch zu unserer Rettung zu unternehmen. Was nun dumme Fehler anbetrifft, waren es schließlich wir selbst, die die irreführenden Karten erstellt haben, mit denen in der Liga gearbeitet wurde – wie auch wir es waren, die diesen Krieg verloren haben, lange ehe Fregattenkapitän Larson hier eintraf.«

»Trotzdem haben wir gepfuscht«, räumte ich ein. »Wir hätten über die Karten informiert sein müssen. Das war übrigens einer der Gründe, die die Erkundung erforderlich machten. Da wir uns jedoch bis vor sechs Monaten nicht die Mühe gemacht haben, sie zu starten, ging der Krieg verloren, und diese Soldaten sind jetzt tot. Eine Menge Leute sind gestorben, ohne es überhaupt mitzubekommen.«

Der Doktor wollte mir gerade antworten, als sich eine schon vergessene Stimme wieder meldete. »Die Leute sind *nicht* tot.« Es war Kendriel, der Hypnotiseur. »Nach allem, was ich von der Theorie weiß und was ich Ihren Diagrammen entnehmen kann, ist doch offensichtlich, daß wir sie in aller Gemütsruhe wieder aus c^2 hervorholen können, sobald das Funksignal den Empfänger zu den c^2-Blasen mit den Soldaten geführt hat. Wir tun dies, indem wir einfach den Signalspürer mit dem eher simplen Empfänger zusammenschalten, den Sie skizziert haben. Schließlich kann Ihr *Schiff* die nötige Geschwindigkeit vorlegen, die es, wie Sie es ausdrücken, ans Ende einer geraden Linie vom Ausgangspunkt des Signals führt, in der entsprechenden Richtung. Entlang dieser Linie können wir das Signal überall unverzerrt empfangen. Wir transportieren den Empfänger einfach dorthin, wo wir die Truppen empfangen wollen.«

Wir waren sprachlos.

Der kleine Mr. Kendriel, der allmählich die Haare verlor, lächelte schüchtern und sprach zum ersten Mal Englisch. »Wissen Sie, Fregattenkapitän Larson, Elektronik ist mein Hobby.«

Kapitel 5

Damit waren wir wieder bei der Arbeit, und die Finnen legten los. Für eine Untergrundorganisation waren sie ganz schön gewieft, und ihre Operationen schienen bemerkenswert ungestört von den Hütern abzulaufen.

Der Arzt gab schließlich nach und erzählte mir, daß er Tempkin hieß und der Leiter der Untergrundorganisation war. Ich glaube, daß seine Leute selbst an diesem Punkt erst zu neunzig Prozent von meiner Glaubwürdigkeit überzeugt waren. Alles, was ich getan hatte, *konnte* durchaus gefälscht sein, aber für mich sprach, daß es eigentlich keinen Grund für eine solch kunstvolle Täuschung gab. Trotzdem, ich war mir sicher, daß sie bestens vorbereitet waren, mein Verschwinden zu arrangieren, wenn ich einen Schnitzer machte. Ob ich ihnen nun untergeschoben oder echt war, Tempkin konnte sich darauf verlassen, daß ich mit niemandem auf der anderen Seite reden würde. Deshalb war er auch bereit, mir zu erklären, wie es ihnen gelungen war, den Feind so vollständig zu täuschen.

»Zunächst bot sich das Krankenhaus regelrecht als Brennpunkt für loyalistische Aktivitäten an. Im selben Gebäude befinden sich die Verwaltungsangestellten für den gesamten Satelliten. Volle dreißig Prozent des Gebäudeinneren bestehen aus Elektronik der einen oder anderen Art – Computer, Kommunikationsanlagen, das Übliche eben. Zum Glück für uns...« Er lächelte. »... sieht ein Mikroschaltkreis aus wie der andere. Wir haben eine ganze Menge geheime Anlagen im Kontrollzentrum installiert. Mr. Kendriel ist keinesfalls unser einziger Hobbyelektroniker. Wir haben die Abhöreinrichtungen der Hüter angezapft und hören Sie ab und leiten ihre Überwachung ständig in die Irre.

Als wir erkannten, daß Vapaus fallen würde, wurde jede Karte, jeder Gebäudeplan, jedes Transportdiagramm und jeder

Informationsdienst ›überarbeitet‹. Vieles bleibt den Hütern verborgen, weil ihre Computer ihnen einfach keine entsprechenden Informationen geben. Ich möchte an diesem Punkt nicht in Einzelheiten gehen, aber wir verfügen sogar über einige große Installationen, von denen sie keine Ahnung haben. Manche werden kampfbereit sein, wenn die Zeit reif ist, andere sind es bereits.

Ich vertraue Ihnen genug, um Ihnen ein kleines Beispiel zu nennen. Ein vollkommen normaler Fußgängertunnel befindet sich unter diesem Gebäude, der früher auf geradem Weg zu den angrenzenden Häusern führte. Das ist prinzipiell auch heute noch so, aber durch ein paar Steinmetzarbeiten und die Entfernung einiger Schilder ist er für Außenstehende praktisch verschwunden. Das hilft uns häufig sehr.«

Man hatte mich auf mein Zimmer zurückgeführt. Während wir uns unterhielten, brachte man mir für einen gutsituierten Finnen passende Kleidungsstücke, und ich zog mich um. Tempkin ging bald wieder, um etwas zu erledigen, und ich hatte nicht viel mehr zu tun, als auf seine Rückkehr zu warten. Man vertraute mir eindeutig noch nicht genug, um mir Sachen wie den versteckten Tunnel zu zeigen.

Mehr oder weniger höflich ließ man mich bis zum nächsten Morgen warten. Ich vermute, daß die Zeit genutzt wurde, um einige Bergsteiger die Hinterklippe hinaufzuschicken, damit sie sich das Loch ansahen, das ich in den Satelliten gebohrt hatte. Bis zum Morgen sollten sie eigentlich einen waschechten Gesteinsbohrer, einen Druckanzug der Republik Kennedy und einen fast vollständig erhaltenen Standardlaser der Liga in ihrem Besitz haben sowie meinen Eingangstunnel getarnt haben (wenigstens konnte ich ihn später nicht mehr mit dem Fernglas entdecken). Jedenfalls kamen mir die Finnen zufriedener vor, nachdem sie mich für einen Tag unter Beobachtung gehalten hatten.

Am nächsten Morgen führte Tempkin mich in ein Büro, das man durch die Rückwand eines Besenschranks erreichte. Es handelte sich um den Funkraum. Tempkin, der Funker und ich verwandten mehrere Stunden auf eine zweisprachige Diskussion darüber, wie man die *Stripes* mit einer Lasernachricht erreichen konnte und welcher Inhalt übermittelt werden sollte. Es erforderte zwar einige Computerzeit, geduldige Übersetzungen durch Tempkin und ein oder zwei dicke Blocks Notizpapier, aber schließlich gab sich der Funker zuversichtlich, die *Stripes* jetzt, da er wußte, wo er nachzusehen hatte, mit einem Laserstrahl erreichen zu können.

Ich fragte Tempkin, wie seine Leute es schafften, den Nachrichtenlaser vor den Hütern zu verbergen, und er erklärte es mir. »Aufgrund der Eigenrotation von Vapaus und des ständigen Schiffsverkehrs in der Umgebung – wobei immer das Risiko bestände, daß ein Fahrzeug in den Weg des Strahls gerät, oder schlimmer noch, die Besatzung durch den Strahl geblendet wird –, war der Nachrichtenlaser niemals hier installiert, sondern auf dem Brocken. Wir haben ihn nur noch etwas besser getarnt. Die Hüter haben schon häufig nach ihm gesucht, und wir ließen sie ein- oder zweimal glauben, sie hätten ihn gefunden, aber bislang ist die Anlage sicher.

Wir setzen den Laser ständig ein, um unsere Leute auf dem Planeten zu informieren. Man weiß dort bereits über Sie Bescheid. Unglücklicherweise gibt es keine bequeme Antwortmöglichkeit. Wir haben eine Reihe von Relaissendern an der Außenseite von Vapaus montiert. Ein paar wurden gefunden, aber bislang wurde der Kontakt noch nicht unterbrochen. Wie Sie wissen, kann man einen Laserstrahl im Vakuum nicht orten, solange man sich nicht direkt in seinem Weg befindet. Das hilft uns sehr.«

Ich verbrachte eine Stunde damit, unsere Nachricht an Joslyn im Standardcode der Liga abzufassen, nur für den unwahrscheinlichen Fall, daß die Hüter sie doch irgendwie abfingen. So knapp wie möglich informierte ich meine Frau, was mit dem Signalspürer geschehen mußte, und wies sie an, auf weitere Nachrichten darüber zu warten, wie das Gerät nach Vapaus geschafft werden sollte.

Damit war der Ball in Joslyns Hälfte.

Nach kurzem Nachdenken war mir klar, daß die fünftausend Ligasoldaten nicht auf Vapaus ›empfangen‹ werden konnten.

Die Gesamtbevölkerung des Satelliten belief sich auf lediglich viertausend Menschen, und es war definitiv unmöglich, genügend Unterkünfte, Verpflegung oder Atemluft für die Truppen bereitzustellen. Außerdem waren sie im Weltraum nicht gut einsetzbar. Sicherlich konnten sie die Hütergarnison auf dem Satelliten erledigen, aber was dann? Die Hüter auf dem Planeten würden den Satelliten einfach hochjagen und das Problem so endgültig beseitigen, *das* würde passieren. Oder sie schossen einfach jedes Schiff ab, das den Satelliten verließ, und warteten, bis die übervölkerte Welt hier den Erstickungstod erlitt. Nein, es war klar, daß die Soldaten auf den Planeten befördert werden mußten. Wie, das war schon gar nicht mehr so klar. Die Hüter kontrollierten den gesamten Raumverkehr. Noch schlimmer — keinem Finnen war es gestattet, durchs All zu fahren, es sei denn aus Gründen, die für die Hüter selbst von größter Bedeutung waren, und dann auch nur unter äußerst schwerer Bewachung und nach einer Durchsuchung, die mit dem völligen Entkleiden nicht erledigt war. Man wurde sogar mit Röntgenstrahlen und Mikroskopen untersucht.

Die Finnen hatten versucht, kleine Schiffe und Frachten durchs All zu schmuggeln, aber die Hüter waren, was immer man sonst über sie sagen konnte, ausgezeichnete Schützen. Sie schossen jedes Flugzeug und jedes Raumschiff ab, das ohne ihre Genehmigung unterwegs war. Nichts entkam ihnen.

Alles lief darauf hinaus, daß der Signalspürer mit einem Hüterschiff hinunterfahren mußte. Es war auch ziemlich klar, daß jemand mitfahren mußte, und ich war der logische Kandidat dafür.

Wir faßten einen brillanten Plan: Die Hüter sollten den Empfänger für uns bauen!

Punkt eins des Plans bestand darin, mich in der Bevölkerung von Vapaus zu integrieren. Jemand bearbeitete geschickt Computeraufzeichnungen und begründete damit die fiktive Identität von Dr. Jefferson Darrow, der erst kürzlich aus den Vereinigten Staaten eingewandert war. Darrow hatte eine Finnin geheiratet und war ihr nach Neu-Finnland gefolgt, als sie hier einwanderte. Wenig später starb sie, aber Darrow blieb auf Vapaus. Er arbeitete im eigenen Labor an diversen Kommunikationsprojekten. Er war ein hochbegabter Elektroniker und an Politik gänzlich uninteressiert — eine Tatsache, die ihn bei seinen Nachbarn ziemlich unbeliebt machte. Er lebte buchstäblich als Einsiedler.

Wenig später bezog ich einen Fertigbungalow nahe der Vorderklippe, hatte ein Bild meiner verstorbenen Frau auf dem Beistelltisch, ein paar alte Flecken auf dem Mobiliar und, für alle, die ganz genau hinschauen wollten, einen Satz Unterwäsche unter der Frisierkommode, der offensichtlich seit Monaten dort lag. Es blieb mir überlassen, das Haus bewohnt erscheinen zu lasen, und so zu tun, als werkelte ich in dem Elektroniklabor herum, das ein ganzes Zimmer beanspruchte.

Niemand wußte genau, wann die Hüter Interesse an mir zeigen würden, aber wir alle rechneten zuversichtlich damit. Kommunikationstechniker standen weit oben auf ihrer Liste nützlicher Subjekte. Bestimmt würde man sich auch fragen, warum meine Akte erst jetzt auftauchte.

Also machte ich mich an die Arbeit und wartete darauf, daß der Feind mich entdeckte. Ich brachte die Küche in Unordnung (eine Tätigkeit, die mir sehr liegt, wie Joslyn bestätigen kann) und ließ alles so locker angehen wie nur möglich.

Zehn Tage lang wurde ich sowohl von den Finnen wie den Hütern vollständig ignoriert. Tempkins Organisation verschwand völlig aus meinem Blickfeld.

Ich weiß nicht, wer sie entsprechend angewiesen hatte, aber selbst die Nachbarn taten so, als wäre ich nicht da.

Eines Tages kam die Sache in Bewegung.

Ich kehrte von einem Spaziergang durch die Nachbarschaft zurück und stellte fest, daß die Hüter im Wohnzimmer auf mich warteten.

Es handelte sich um eine Führungsperson und zwei Schurken in Uniform. Der Boß saß in meinem Lieblingssessel, flankiert von den beiden Schlägern.

Als ich ihn sah, wußte ich, daß er mein Feind war. Er hatte offensichtlich Übergewicht, war von einer Feistigkeit, die beredte Kunde von seiner Neigung zu ausschweifendem Leben ablegte – der obszöne Beweis, daß er mehr aß und trank als andere, weil er ein Recht darauf hatte, das Recht, sich alles zu nehmen, was er kriegen konnte.

Sein Haar war eisengrau und zu einem kurzen Bürstenkopf geschnitten. Sein Blick wirkte ausdruckslos und alt, bis er meinen kreuzte. In diesem Moment erwachten seine Augen zum Leben, zu mörderischem, haßerfülltem Leben. Sie verschwanden fast in Fettschichten, leuchteten aber wie tödliche Juwelen aus der Tiefe hervor. Der breite, fast lippenlose Mund stand leicht offen, als hielte er sich bereit, innerhalb eines Augenblicks alles zu verschlingen, was an Interessantem des Weges kam.

Seine Uniform war nicht vom Standardgrau der Hüter, sondern von einem tiefen, brütenden Scharlachrot mit Epauletten und Taschen. Schwarz wie der Tod. Die hellen Farben der Ordensbänder auf seiner Brust wirkten vor diesem Hintergrund aggressiv. Er stand auf, funkelte mich an und wandte sich dann in Englisch an mich, mit einem rauhen, nasalen Akzent. »Ich bin Oberst Bradhurst, Spezialbefragungsabteilung. Nach Ihren persönlichen Daten heißen Sie Jefferson Darrow. Wir finden, daß Sie recht spät auf der Liste befähigter Subjekte des Protektorats Neu-Finnland aufgetaucht sind.« Er legte eine kurze Pause ein und spie plötzlich eine Frage hervor: »Wo hat der Computer bislang Ihren Namen versteckt, Sie Kretin? Sind Sie einfach aus dem Nichts aufgetaucht?«

»Ich ...«

»Ruhig!« Er stolzierte zum Fenster und starrte die wunderschöne Aussicht an, als hätte er etwas gegen sie. »Seit wann halten Sie sich im Sternensystem von Neu-Finnland auf?« »Ich bin mit meiner Frau vor etwa zehn Monaten eingetroffen – also vor etwa sechstausend Stunden.«

»Ganz schwaches Timing von Ihnen, finden Sie nicht auch? Dann ist auch noch Ihre Frau gestorben und hat Sie ganz allein zurückgelassen. Wie traurig.« Er drehte sich um und musterte mich wieder mit brennenden Augen. »Wie wir erfahren haben, sind die Angehörigen Ihres ekelhaften Volkes wenigstens ausgezeichnete Klatschbasen, aber niemand weiß etwas von Ihnen. Was haben Sie zu verbergen?«

»Ich — ich bleibe einfach für mich. Ich verberge nichts.«

»Natürlich nicht. Niemand tut das je.« Sein Gesicht wurde härter. »Nicht vor mir jedenfalls, und nicht lange. Woran arbeiten Sie hier so ganz für sich, Darrow?«

Ich entschied, daß Darrow den Feigling markieren mußte, und es war ganz einfach den Ängstlichen zu spielen. Ich mußte mich darauf konzentrieren, Bradhurst den Köder zu verabreichen, anstatt hier wie versteinert herumzustehen.

»Ich . . . ich a-arbeite an einem speziellen Transmitter, einem sehr fortschrittlichen Gerät, das . . .«

»Sie lügen! Das Haus wurde in Ihrer Abwesenheit vom Keller bis zum Dach durchsucht. Ihr Labor strotzt vor bedeutungslosen Spielzeugen; da ist nichts von wirklichem Nutzen! ›Sehr fortschrittliches Gerät‹? Nichts dergleichen. Wie angestrengt ihr doch alle versucht, eure neuen Herrscher zu beeindrucken, euch eine Gunst zu verdienen, euch gegenseitig niederzuschreien, um Privilegien zu erhalten und das eine oder andere Brötchen für euch selbst abzustauben! Ihr Volk ist nicht sehr loyal, Darrow.«

»Es ist nicht *mein* Volk! Meine Frau war Finnin, aber ich bin es nicht. Ich schulde denen gar nichts! Und mein neuer Transmitter ist *hier* drin.« Ich deutete auf meine Stirn. »Ich bekomme ja bislang weder Geräte noch Computerzeit, um irgendwas zu erproben, ganz zu schweigen von einer Gelegenheit, endlich mit der Endkonstruktion anzufangen. Aber ich *weiß*, daß ich einen funktionsfähigen Materietransmitter bauen könnte!«

Sein Argwohn schien auf einmal eine neue Richtung einzuschlagen. Es schien, als könnte ich von Wert sein. »Materietransmitter?«

»Ein Gerät, das materielle Gegenstände per Radiowellen von einem Sender an einen Empfänger schickt.« Das sollte als Köder reichen, dachte ich.

Er erstarrte. Hörte nicht nur auf zu sprechen, sondern erstarrte in jeder Beziehung. Das Gesicht verlor jeden Ausdruck, und in der prunkvollen Uniform und der steifen Haltung glich er eher einer Maschine als einem Menschen. Ich glaubte fast sehen zu können, wie sich in seinem Kopf die Rädchen drehten. *Ein Materietransmitter! Das wäre wirklich was, vorausgesetzt, er sagt die Wahrheit. Eine solche Erfindung unserer Sache dienlich zu machen, würde mir viel Ansehen einbringen. Und ich kann seine Glaubwürdigkeit ohne großes Risiko für mich selbst erproben. Falls er lügt, können meine Männer ihn töten, damit niemand erfährt, daß ich hereingelegt wurde. Ich kann nur gewinnen.*

»Können Sie Ihre Behauptung belegen? Werden Sie zu diesem Zweck mit den Hütern zusammenarbeiten?« fragte er.

»Ja. Geben Sie mir nur einen Platz, wo ich arbeiten kann! Und sorgen Sie dafür, daß ich als Erfinder genannt werde.«

»Natürlich, das machen wir.« Er musterte mich nachdenklich. Ein Tyrann findet nur selten Bereitschaft zur Zusammenarbeit. »Wenn Sie nicht lügen, schicke ich einige unserer Techniker her. Erläutern Sie ihnen diesen Transmitter und die Prinzipien, die dabei eine Rolle spielen. Sollten Sie versuchen, meine Leute hereinzulegen, werden Sie einen langsamen, schmerzvollen Tod sterben. Sollten Sie die Wahrheit sagen und es schaffen, dieses Gerät zu bauen, fällt genügend Ansehen und Gewinn für uns alle ab. Der Hüter ist großzügig gegenüber denen, die Wertvolles beizusteuern haben.« Er traf Anstalten zu gehen. »Da ist noch etwas. Es ist durchaus *möglich*, daß Sie vor zehn Monaten hier eingetroffen sind. Ich werde gegenwärtig keine Zeit damit verschwenden, Sie zu verhören. Sollten die Unterlagen lügen, wird darin Ihre Handschrift zu erkennen sein und Sie werden dafür büßen. Wir werden Sie äußerst gründlich unter die Lupe nehmen, sowohl das, was Sie heute sind, als auch Ihre Vergangenheit. Sollten wir Sie bei einer Lüge ertappen, sterben Sie, Transmitter hin, Transmitter her.« Dann brach er auf, begleitet von den zwei Schlägern, und verließ schnell für einen Mann seiner Statur das Haus.

Schweißgebadet sank ich auf die Couch. Die Intrige war eingefädelt.

Kapitel 6

»Heh, Vorsicht!« Der grau uniformierte Gefreite hatte ein empfindliches Meßgerät gepackt, als wäre es eine Handgranate. Dr. Jefferson Darrow zog um, wobei ihm seine Freunde ein wenig halfen. Ich hatte darauf beharrt, daß ich ohne richtige Tests den Coriolis-Effekt von Vapaus unmöglich sicher kompensieren konnte. Natürlich erzeugte die Eigenrotation Neu-Finnlands den gleichen Effekt, aber weniger stark. Die Hüter glaubten mir und hatten mir den Bau des Testgerätes auf dem Planeten genehmigt. Es hatte zehn Wochen in Anspruch genommen, ihre Techniker zu bereden, ohne wirklich etwas preiszugeben. Sie waren jetzt bereit zu glauben, daß der Transmitter funktionieren würde. Es war ein glücklicher Umstand, daß es sich bei den Leuten, die ich übertölpeln mußte, um gute Ingenieure handelte, deren theoretische Grundlage jedoch noch schmaler war als meine. Sie wollten unbedingt herausfinden, *wie* der Materietransmitter funktionierte, und machten sich weniger Sorgen um das *Warum*.

Die ganze Intrige wurde durch die Tatsache unterstützt, daß die Öffentlichkeit seit Jahrzehnten über die Möglichkeit eines Materietransmitters informiert war. Während der dreißiger Jahre des 20. Jahrhundert hatte man viel über die Atomspaltung geredet, lange ehe sie tatsächlich realisiert wurde. Sobald die Leute von der Idee hörten, waren sie bereit, daran zu glauben. Dieser Umstand hatte auch mir den Boden bereitet, auf dessen Grundlage ich mich in vagen Erklärungen und Hinweisen ergehen konnte, um nicht zu sagen, daß ich meine Zuhörer regelrecht irreführte. Obwohl ich nun den Bau eines funktionsfähigen Empfängers für den Transmitter in Angriff nahm, war ich ganz gewiß nicht bereit, die Hüter darüber zu informieren, wie man das machte. Wenn meine Theorien schließlich bis zu ausgebildeten Fachleuten auf dem Heimatplaneten der Invasoren vordrangen und die Fehler darin auffielen, würde es schon zu spät sein — vorausgesetzt, unsere Seite hatte das nötige Glück.

Die zehn Wochen der Täuschung waren mir lang geworden. Die Computerfälscher von Vapaus waren echte Künstler, und ich dachte mir manchmal, sie würden den Banken noch richtig Kopfschmerzen machen, sobald die Sache vorüber war — falls es je dazu kam. Jedenfalls war meine Vergangenheit nahezu perfekt konstruiert, als Oberst Bradhurst seine Nachforschungen einleitete. Nicht ganz perfekt, denn das wäre auch verdächtig gewesen. Der so obszön fette Oberst war von Beruf und Neigung ein außerordentlich argwöhnischer Mensch, und er bereitete mir ein paar üble Nachmittage. Wie ein hungriger Hund lieber auf einem alten Knochen weiterkaut, statt nach frischem Fleisch zu suchen, war auch Bradhurst entschlossen, mich wegen der kleinsten Unregelmäßigkeiten zu bedrohen. Solange ich mich auf Vapaus aufhielt, nahm er kein größeres Wild mehr ins Visier.

Es waren auch zehn Wochen des Lernens und wachsender Abscheu gewesen. Nach und nach erfuhr ich von zurückhaltenden und verbitterten Finnen wie auch von ausgelassenen und höhnischen Soldaten die Geschichte der Niederlage Neu-Finnlands. Den Hütern war der Sieg nicht so leicht gefallen, wie sie es erwartet hatten. Nach dem ursprünglichen Plan sollte eine kleine Flotte ins System eindringen, ein paar Kleinstädte bombardieren und Ziele in größeren Städten mit Lasern angreifen, damit die feigen Zivilisten ohne weiteren Widerstand kapitulierten. Die Schiffe kamen. Die Bomben fielen auf drei Städte, und die Laser verwandelten ein Dutzend Gebäude und Plätze in Mannerheim und Neu-Helsinki in Schlacke.

Die Aufforderung zur Kapitulation erfolgte.

Die Invasoren hatten mit einer unbewaffneten Welt gerechnet, aber die Finnen haben ein weit zurückreichendes Gedächtnis und erinnern sich an lange Jahrhunderte, in denen stets ein Feind an der Grenze gestanden hatte und fremde Soldaten nie weit gewesen waren. Sie hatten gegen die Russen, die Deutschen, die Schweden, die Dänen und in der verblaßten Vergangenheit des 13. und 14. Jahrhundert auch gegeneinander gekämpft. Bedingt durch ihre Geschichte erschienen ihnen Lichtjahre des Vakuums nicht als ausreichender Schutz.

Die Finnen warteten die Ankunft der Okkupationstruppen ab. Nur wenige Soldaten der ersten Welle überlebten lange genug, um überhaupt zu landen, und nur wenige derer, die den Boden erreichten, blieben dort lange am Leben. Aber die Streitmacht der Hüter war einfach zu groß; sie schickten eine Welle nach der anderen und eroberten schließlich den Planeten.

Im Weltraum jedoch mußten die Hüter feststellen, daß ihre Schiffe in Fetzen geschossen wurden. Die Finnen waren weit besser vorbereitet, als sich die Invasoren je hätten träumen lassen. Schließlich griffen die Hüter auf nackten Terror zurück: Nuklearsprengköpfe wurden wenige Kilometer von Vapaus entfernt zur Detonation gebracht, um dem Satelliten und den zahlreichen dort lebenden Zivilisten mit der Vernichtung zu drohen. Vapaus hatte die Schlacht im Orbit dominiert, und als es kapitulieren mußte, war die letzte Hoffnung des Planeten dahin. Die Hüter schafften es beinahe sogar, das Durchsickern einer Nachricht in die Liga zu verhindern. Nach ihrem Eintreffen im System war es keinem bemannten Schiff mehr gelungen, es zu verlassen – und nur eine einzige Drohne schaffte es schließlich.

Was jedoch in zwei oder drei Tagen hatte abgeschlossen sein sollen, nahm letztlich zwanzig Tage in Anspruch, und sogar noch während ich an dem Transmitter arbeitete, gingen die Sabotageakte der Finnen und die Vergeltungsmaßnahmen der Hüter weiter. Die ›geringen Verluste‹ hatten sich zu einem regelrechten Gemetzel auf beiden Seiten entwickelt – auf dem Boden, in der Luft und im All.

Die Finnen hatten jedoch Zeit gewonnen. Vapaus verwandelte sich in einen Irrgarten aus Verstecken, geheimen Tunneln und getarnten Waffenfabriken. Computer und Kommunikationsverbindungen wurden angezapft, der Inhalt von Akten und Datenbänken wurde gelöscht oder gefälscht. Auf dem Brocken inszenierte man eine Explosion, und eine überzeugende Show machte die Hüter glauben, er wäre zu einer radioaktiven Todesfalle geworden. Sie hielten sich von ihm fern, und die Werften dort fuhren langsam und in aller Stille mit ihrer Arbeit fort, um die Schiffe herzustellen, die eines Tages für den Kampf gebraucht wurden.

Selbst in der Niederlage hatten die Finnen sich geweigert zu kapitulieren. Die Hüter glaubten, daß ein ganzes Drittel der Bevölkerung von Vapaus bei Aufständen, Massakern und Vergeltungsmaßnahmen umgekommen sei, die mit dem Eintreffen der Hütergarnison begannen. Das Chaos wurde jedoch von den Verteidigern zu ihrem Vorteil genutzt. Mehr als die Hälfte der angeblichen Verluste ging in den Untergrund; die Todesfälle wurden vorgetäuscht. Die Leute waren von der Szene verschwunden und arbeiteten derweil an hundert Projekten für den Tag der Vergeltung.

Aber nicht alle Todesfälle waren vorgetäuscht. Aus meinen Fenstern konnte ich auf halber Höhe der gekrümmten Welt eine schwarze Narbe in der Landschaft sehen. Einem Gespräch im örtlichen Geschäft entnahm ich, daß die gesamte Familie von Dr. Tempkin, dem Verwalter des Satelliten, bei einer einzigen Bombenexplosion ums Leben gekommen war, einen Sohn ausgenommen. Die Leichen der Frau und der Kinder hatte man identifizieren können, aber Tempkins Leiche war nur noch verkohlte Asche.

Ich fragte mich, ob ich die Nerven oder den Mut Tempkins gehabt hätte. Nach Hause zu kommen, nur noch brennende Ruinen und die eigene Familie ermordet zu sehen und die Situation doch noch voller List zum eigenen Vorteil zu nutzen. Hätte ich das Schauerstück fertiggebracht, einen Toten zu suchen und ihn an meiner Statt in die Flammen zu werfen? Tempkin hatte auf mich einen so gütigen Eindruck gemacht. Welche Alpträume plagten ihn?

Die Invasoren hatten nicht erlaubt, ›Tempkin‹ und seine Familie einzuäschern, und an den Ruinen ihres Hauses hielten Posten Tag und Nacht Wache. Der Gestank, der von dort aufstieg, war der Geruch der Barbarei.

Zehn Wochen in vollständiger Dunkelheit lagen hinter mir. Eines Tages notierte ich mir in Gedanken, daß Joslyn heute,

wenn alles planmäßig verlaufen war, mit einem der Beiboote —
der Stars wahrscheinlich, da sie am wenigsten Treibstoff ver-
brauchte — den Signalspürer an der richtigen Stelle und mit der
richtigen Geschwindigkeit im All ausgesetzt hatte. Wenn sie das
Signal der Truppen aufgefangen hatte und es irgendwie
schaffte, das Gerät mitsamt dem gespeicherten Signal den Finnen zu übergeben, konnten wir immer noch gewinnen.

Ich hatte etwas konstruiert, das von Größe und Form her
dem echten Signalspürer ähnelte, und fragte mich, ob der Austausch wohl klappte. Eines Abends ließ ich die Fälschung mit
abmontierter Rückklappe auf einer Bank stehen. Als ich am
nächsten Morgen ›mein‹ Labor betrat, fand ich dort das echte
Gerät vor. Ich nahm einen Schraubenzieher zur Hand und
montierte die Rückplatte daran. An einer Leuchtanzeige war
abzulesen, daß das Gerät eingeschaltet war. Ich wußte nicht, ob
das Signal wirklich gespeichert war oder wie Joslyn es auf
Vapaus eingeschmuggelt hatte, und auch nicht, wie die Finnen
in seinen Besitz gelangt waren und wie es in mein stark bewach-
tes Labor hatte gebracht werden können.

Die Finnen waren gut in dem, was sie taten. Vielleicht entsprachen Mantel-und-Degen-Geschichten ihrem Temperament.
Ich weiß es nicht. Für meinen Geschmack waren sie jedoch ein
bißchen übertrieben geheimnisvoll.

Schon lange bevor ich meine Rolle als Darrow (den ich nicht
gut leiden konnte) übernahm, hatte Tempkins Stab den Zeitpunkt für die Aufstellung der transmittierten Truppen festgelegt
und einen groß angelegten Aufstand für diesen Zeitpunkt
geplant. Es würden nicht nur die fünftausend Ligasoldaten auf
dem Plan erscheinen, sondern Planet und Satellit würden eine
Hölle losbrechen lassen — ein gewaltiger Hinterhalt aus dem
Untergrund heraus. Die Finnen wollten sich darauf konzentrieren, die Transportmöglichkeiten des Feindes zu zerstören. Eine
Armee, die sich nicht fortbewegen kann, kann auch nicht
kämpfen. Also war es von entscheidender Bedeutung, daß ich
mich an den vorgegebenen Zeitpunkt hielt, auch mit meiner
Ankündigung, ich wäre jetzt für das ›Experiment‹ bereit.

Und so verluden die ungeschickten Gefreiten jetzt meine Ausrüstung, die zum Teil echte Technik war, zum Teil nur Dekoration. Endlich war alles verpackt, und ich fuhr mit einem Fahrgastlift zum Liegeplatz meines Verkehrsmittels — einem ballistischen Landungsboot der Finnen, das mit den Farben der Hüter, Schwarz und Rot, übermalt worden war.

Als ich einstieg, sah ich, daß man die zivilen Passagiersitze herausgerissen und durch militärische Pritschen ersetzt hatte. Es war eine schlampige, hastige Arbeit. Scharfe Vorsprünge, schwache Schweißnähte, zerkratzter Lack und überdrehte Schrauben waren überall zu sehen. So arbeiteten die Hüter immer. Sie waren schludrige Ingenieure und Arbeiter. Überall entdeckte ich Hinweise auf die Überstrapazierung ihrer Mittel, eine Hohlheit hinter der schimmernden Fassade des Eroberers. Gefreite trugen Uniformen, die aus einem halben Dutzend Stoffe bestanden, keiner davon sonderlich haltbar. Bei allen Rängen unterhalb des Feldwebels waren geflickte Hosen üblich. Die Hüter zogen sogar die beschlagnahmten Waffen der Finnen ihren eigenen Produktionen vor. Nur wenige Offiziere trugen etwas anderes als eine finnische Pistole. Die Posten in meinem Haus hatten sich beschwert, daß die an sie ausgegebenen Laser ihre Ladung nicht länger als eine Woche halten konnten.

Die Reparaturen, die die Hüter an Kriegsschäden vornahmen, taugten ebenfalls nicht viel. Die neuen Mauern zerbröckelten leicht, und die Arbeiten an einer Brücke über den Zentralsee mußten zweimal wiederholt werden. Trotzdem, den Krieg hatten die Hüter gewonnen.

Bislang.

Noch während ich das Landungsboot betrat, das mich sehr an die *Stars*, *Stripes* und *Uncle Sam* erinnerte, wußte ich nicht recht, wohin die Reise gehen würde. Wir hatten mit diesem Problem gerechnet, und die Finnen hatten mir versichert, ich könnte auf jedem der möglichen Stützpunkte mit Hilfe rechnen oder zumindest darauf hoffen.

Ich reiste unter extrem schwerer Bewachung, und jedes Reisebüro, mit dem *ich* freiwillig gefahren wäre, hätte den Piloten dieses Bootes unverzüglich gefeuert. Wir überlebten die Landung, aber eine ganze Reihe meiner Wächter waren zu sehr damit beschäftigt, die Schotts vollzukotzen, um mir nennenswerte Aufmerksamkeit zu widmen.

Ich trat aus der Luftschleuse hervor und stand einem Dutzend Soldaten gegenüber, die mit Lasergewehren auf meinen Kopf zielten. Manchmal fiel es mir wirklich leicht, die Rolle eines Feiglings wie Darrow zu spielen, und dies war eine der entsprechenden Gelegenheiten. Ich erstarrte vor Schreck. Sie hatten alles herausgefunden und aus irgendeinem Grund nur darauf gewartet, daß ich Neu-Finnland erreichte, um mich zu verhaften!

Dann sah ich jedoch jemanden in Leutnantsuniform gelassenen Schrittes auf mich zukommen, und er lächelte. Mit ausgestreckter Hand stieg er die Fahrgastrampe hinauf. Benommen hielt ich ihm die Hand hin, und er ergriff sie. »Willkommen auf Neu-Finnland, Dr. Darrow. Ich bin Leutnant Grimes und soll Sie zur Basis Demeter begleiten.« Er schüttelte mir herzlich die Hand. »Würden Sie mir bitte folgen?« Er führte mich zu einem Jeep, der gerade vorgefahren war. Die Lasergewehre blieben auf meinen Kopf gerichtet.

»Ist es denn sicher . . . ?« fragte ich, konnte die Frage jedoch nicht zu Ende bringen.

»Oh, die Ehrengarde? Völlig sicher. Sie wird keinesfalls ohne Befehl schießen. Befehle, verstehen Sie? Eine ganze Menge dieser Finnen haben versucht zu entkommen, als sie aus der Luke stiegen, und wir hatten das Gefühl, eine Demonstration der Stärke wäre angebracht. Sie haben jedoch nichts zu befürchten, da bin ich mir sicher. Bitte hier entlang.«

Wir stiegen in den Jeep und fuhren davon.

Es ging in nördlicher Richtung aus dem Stützpunkt hinaus. Die Reise dauerte etwa vier Stunden, bis wir endlich die Tore der Basis Demeter erreichten. Sie wurden hastig geöffnet, und wir folgten einer breiten, ungeteerten Straße durch das zentrale Lager. Wir nahmen die zweite Abzweigung rechts, folgten einer schmalen Straße, die im weiteren Verlauf leicht kehrtmachte, und bogen noch einmal rechts ab, bis wir am Ende einer Sackgasse einen kreisförmigen Hof von etwa dreißig Metern Durchmesser erreichten.

Er war umgeben von massiven, hangarähnlichen Gebäuden, die stahlgrau waren mit grünen Tarndächern. Grimes' Fahrer steuerte uns durch eine Art Scheunentor direkt in das größte dieser Gebäude. Im Innern war es völlig leer und schien noch nie benutzt worden zu sein. Es handelte sich um einen groben Fertigbau ohne Ventilation und Heizung und diente lediglich als Schutz vor dem Regen. Es war ein Würfel von dreißig Metern Länge in jeder Dimension. Fenster gab es nicht. Grimes wandte sich an mich. »Nun, Darrow, das ist für Sie. Wir stellen Ihnen ein Feldbett in der Ecke auf, und die Mahlzeiten werden Ihnen gebracht. Auf der anderen Seite des Hofes finden Sie eine Latrine, zu der Sie jedoch nicht mehr als dreimal täglich geführt werden. Die angeforderten Materialien und die Fracht des Landungsbootes werden innerhalb einer Stunde eintreffen. Mein Befehlshaber erwartet von Ihnen eine Demonstration der Maschine innerhalb von zehn Ortstagen.« Seine Stimme brachte jetzt keinerlei Herzlichkeit mehr zum Ausdruck. Es handelte sich um Befehle, denen ich zu gehorchen hatte, punkt. Er traf Anstalten zu gehen.

»Man hat mir zwei Wochen versprochen! So lange brauche ich mindestens!« Zu spät, er war schon weg. Die beiden Wochen waren natürlich eine Lüge. Ich rechnete damit, in zehn Tagen soweit zu sein, und der Angriff war auch für diesen Zeitpunkt geplant, aber schneller als versprochen zu sein, schien mir eine gute Idee, um die hohen Tiere bei Laune zu halten.

Die Türen fielen dröhnend ins Schloß und sperrten das Tageslicht aus. Ich war allein mit einem Matchbeutel, zwei gefährlich aussehenden Wachtposten und einem irrsinnigen Plan, der sich zu meinem Nachruf zu entwickeln schien.

Ich setzte mich an die den beiden Posten gegenüber liegende Wand und seufzte. Zeit zum Warten.

Es dauerte nicht eine, sondern drei Stunden, bis meine Ausrüstung eintraf. Zwei Stabsunteroffiziere, die laut Aufnähern zum 135. Zoll- und Inspektionskorps gehörten, fuhren mit einem Wagen herein, auf dessen Anhänger mein Gepäck lag. Einer der beiden sprang herunter und reichte mir ein Klemmbrett.

»Unterschreiben Sie alle sechs Ausführungen«, sagte er. »Diese Menge an Ausrüstung geht weit über alles hinaus, was in der Regel bewilligt wird. Die Freigabe und die Inspektion waren ziemlich schwierig.« Er erinnerte mich an den Bibliothekar im Waisenhaus auf Kennedy. Das alte Fossil war entschieden der Meinung gewesen, in einer *ordentlich* geführten Bibliothek dürfte nie ein Buch aus dem Regal genommen werden. Ich unterzeichnete die Formulare bereitwillig und lächelte freundlich zu allen Bestimmungen, an die der gute Mann mich erinnern zu müssen glaubte. Ich versuchte, so freundlich und kooperativ zu sein, daß ich ihm seinen Diensteifer verdarb.

Es gab allerdings wirklich reichlich Formulare zu durchblättern. Quittungen, Empfangsbestätigungen, Erklärungen zur Deklaration, Verzichtserklärungen, Bestätigungen, daß keine erkennbaren Schäden vorlagen, sowie irgendein Zettel betreffs Transportschäden auf dem Landungsboot und allen Bodenfahrzeugen.

Es liegt eine gewisse Schönheit in dem routinemäßigen Mangel an Vorstellungskraft, den ein Bürokrat in seine Arbeit investiert. Für so jemanden ist Schönheit durch Ordnung repräsentiert, so rein wie eine unberührte und zerbrechliche Blume. Wenn auch nur eine Bestimmung leicht in Mitleidenschaft gezogen wird, ist die Blüte für immer dahin. Für das 135. Zoll- und Inspektionskorps blieb die Schönheit jedoch erhalten. Alle Formulare wurden ausgefüllt, jede einzelne Bestimmung erfüllt und jeder einzelne Dollar reibungslos ans Ziel gebracht. Trotz aller Schwierigkeiten war ›diese Menge an Ausrüstung‹ ordnungsgemäß angeliefert worden, einschließlich des Signalspürers, dessen Energielampe nach wie vor leuchtete.

Ganz zu schweigen davon, daß ich damit der erste Mensch der Geschichte wurde, der eine voll bewaffnete und ausgerüstete Armee von fünftausend Mann durch den Zoll schmuggelte. In der Spalte direkt über meiner Unterschrift stand deutlich geschrieben, daß ich nichts zu deklarieren hatte.

Es hätte nicht viel Zweck gehabt, jetzt das auszupacken, was ich von Vapaus mitgebracht hatte. Es waren die letzten Stadien der Arbeit, die empfindlichen elektronischen Bestandteile. Ehe ich damit anfangen konnte, mußten die schweren strukturellen Teile des Empfängers gebaut werden. Der Mann, der mir dabei helfen sollte, war jedoch noch nicht erschienen. Wieder begann das Warten.

Kurz vor Sonnenuntergang wurde ich von den Geräuschen der aufgehenden Scheunentore geweckt. Ein weiterer Wagen kam hereingefahren und brachte Ladungen von Stahl und eine Anzahl elektronischer Bausätze. Ich erhob mich mit steifem Nacken, als ein gutaussehender, fröhlicher und etwas pummeliger junger Mann vom Fahrersitz heruntersprang und federnden Schrittes auf mich zukam. Er streckte die Hand aus. »Doktor Darrow, George Prigot. Die hohen Tiere glauben scheinbar, daß Sie etwas wirklich Großes im Schilde führen.«

»Könnte gut sein.« Ich mochte George gleich. Er war mittelgroß und hatte einen dicken Schopf zottiger, brauner Haare. Seine Augen wirkten ruhig, fast schläfrig, aber trotzdem funkelte etwas tief in ihnen. Sein Händedruck war fest, und die Hände hätten einem Chirurgen gut angestanden — groß, mit langen Fingern und sparsamen, anmutigen Bewegungen.

Er war kein Militär, unabhängig davon, ob er eine Uniform trug oder nicht. Das, was er trug, konnte auch kaum als eine bezeichnet werden. Die Abzeichen waren verblaßt, und das Hemd war zerkrumpelt und so oft gewaschen, daß sich die Grautönung deutlich von der der Hose unterschied. Die Hose ihrerseits war so lang, daß er beinahe über die eigenen Füße gestolpert wäre, die in glanzlosen Schuhen steckten. Jede Truppe hat irgendwo jemand wie George in ihren Reihen — das geduldete Talent, das auf seinem Gebiet zu gut ist, um ohne es auszukommen, und das demzufolge mehr Freiheiten, mehr Spielraum genießt als irgend jemand sonst.

»Ein Materietransmitter! Ich habe mir immer gewünscht, mal an so was mitzuarbeiten. Als ich hierhergeschickt wurde, hatte ich die Hoffnung darauf fast schon aufgegeben. Wird eine Zeitlang nicht viele Forschungen auf diesem Planeten geben.«

»Na ja, jetzt arbeiten Sie daran mit. Haben Sie die Blaupausen gesehen, die per Funk vom Satelliten gekommen sind?« Er deutete auf die Wagenladung voller Strahlträger und Stahlplatten hinter sich. »Da haben wir alles. Vorgefertigte Teile. Mit den letzten Schneidarbeiten sind wir gerade vor einer Stunde fertig geworden. Eigentlich habe ich vor, das Grundgerüst heute nacht aufzubauen, während Sie sich ausruhen. Sie sehen ganz schön fertig aus. Wo sind Sie einquartiert? Ich fahre Sie hin.«

»Kurze Reise. Ich darf nicht weiter als bis aufs Örtchen, dreimal am Tag. Sie bringen noch ein Feldbett.«

»Brillant! Aber wer kann vernünftig arbeiten, wenn er auf einem Stück Segeltuch mitten in einer Werkstatt schläft? Heinrichs!«

»Ja, Sir?«

»Punkt Eins der Tagesordnung lautet, unserem Doktor hier einen Platz zu besorgen, wo er schlafen kann. Wir bauen ihm eine schalldichte Kabine drüben in der Ecke. Besorgen Sie schallisoliertes Baumaterial. Ich möchte das Ding in drei Stunden hier stehen haben. Setzen Sie dem Quartiermeister so lange zu, bis er Ihnen ein anständiges Bett mitsamt Bezügen aushändigt. Dazu brauchen wir noch Arbeitstische und Stühle. Die ganz oben haben anscheinend nicht bedacht, daß wir für unsere Arbeit eine Büroeinrichtung brauchen. Haben Sie verstanden?«

»Okay. Soll ich bei Ihnen Rücksprache nehmen, wenn ich noch etwas brauche?«

»Benutzen Sie Ihren Verstand. Noch besser, nutzen Sie den von Steve. Er weiß, womit er durchkommt, und man sollte immer vom Meister einer Kunst lernen.«

»Jau.« Heinrichs schenkt sich das Salutieren (George schien auch nichts anderes zu erwarten), sprang wieder auf den Wagen und fuhr davon.

»So, das wäre geregelt. Oh! Hat man daran gedacht, Ihnen etwas zu essen zu geben?«

»Nicht die Spur.«

»Ich habe ebenfalls mein Abendessen vergessen. Ich sag' Ihnen was. Machen Sie sich ein bißchen frisch, und ich besorge uns derweil etwas zu essen.« Und weg war er.

Die Abtrittabteilung eskortierte mich über den Hof. Als ich mit Duschen, Rasieren und Zähneputzen fertig war und mich auch sonst wieder fast menschlich fühlte, waren Heinrichs und ein paar andere schon dabei, meine Schlafkabine zusammenzubauen. George tauchte mit zwei schwerbeladenen Tabletts wieder auf, und ›ein paar von den Jungs‹, wie er sich ausdrückte, machten sich daran, die nötige Beleuchtung zu installieren.

Das Licht war grell und wies in verschiedene Richtungen, wie Scheinwerfer auf einem dunklen Feld. Hell erleuchtete Gestalten huschten durch Lichtbalken und verschwanden wieder in völliger Dunkelheit. Riesige, mißgestaltete Wesen tauchten als Schatten an der Wand auf und verwandelten sich wieder in normale Menschen, wenn das Original dichter an die Wand trat und sich aufrichtete.

Eine eilige Arbeit in der Nacht trägt eine gewisse Magie in sich. Die Scheunentore standen offen, und Männer kamen herein oder gingen, um sich Werkzeuge oder auch ein Sandwich aus der Kabine zu holen. Kühle Nachtluft erfüllte den hell erleuchteten Hangar. Es wurde gearbeitet, und Unordnung breitete sich auf dem Fußboden aus — Papierfetzen voller Skizzen und Berechnungen, Sandwichpapier, Unterlegstücke für Metallteile, die noch nicht richtig saßen, Werkzeuge sowie Kabel, die sich in unergründlichen Netzen dahinschlängelten.

Mittendrin wuchs das Gerippe des Empfängers wie eine Ruine empor, die allmählich wieder instand gesetzt wird. Die ersten Stützen tauchten auf, und die weite Krümmung eines Halbzylinders nahm Gestalt an. Teile wurden zusammengeschweißt, und George nahm jede Schweißnaht genau in Augenschein. Er war nicht leicht zufriedenzustellen, und jeder Arbeitsgang wurde so lange wiederholt, bis das Ergebnis seinen Erwartungen entsprach. Bald stand das Skelett des Ungeheuers, und wir fingen an, die Haut darüberzuziehen.

Bleche aus Schmalspurstahl wurden an der Innenseite des Rahmens bündig verschraubt und mit finnischen Präzisionslasern verschweißt. Man konnte mit der Hand über die Nähte fahren, ohne sie zu finden.

Es war eine stolze, gut gedrillte Truppe, und George nahm sie hart ran. Die Männer wußten jedoch auch, wie gut sie waren. Der einfache Arbeiter hatte dieselbe Chance, sich mit einem technischen Argument durchzusetzen wie sein Vorgesetzter. Hier kam es auf die Leistung an, und zur Hölle mit dem Papierkram – eine Geschichte konnte hinterher noch zusammengebastelt werden.

Die Hüter, mit denen ich bislang zu tun gehabt hatte, waren Roboter, Sadisten, Barbaren oder einfach Flegel gewesen. Hier gehörte ich zum Team, denn da ich mit einem Schraubenzieher klarkam, konnte ich auch dazu beitragen, die Arbeit zum Abschluß zu bringen. Nach all den langen Wochen der Isolation seit dem Zeitpunkt, als ich in die *Stripes* einstieg, war das genau das, was ich brauchte.

Ich vergaß beinahe, zu welcher Seite sie gehörten, und wie groß das Risiko war, daß diese Maschine sie das Leben kosten würde. Man kann leicht vernunftgemäß erklären, daß man die Bösen töten will, aber hier war George und bot mir an, mir für die Dauer meines Aufenthaltes sein Tonbandgerät zu leihen, wohingegen ich Vorbereitungen traf, aufgrund derer er womöglich in einer Woche im eigenen Blut lag.

Einen Gedanken gab es immerhin, der mir Mut machte. Der Plan konnte schiefgehen, der Transmitter seinen Geist aufgeben. Der Nachrichtendienst der Hüter kam mir vielleicht auf die Schliche. Möglicherweise hielt ich den Zeitplan nicht ein. Könnte ich nötigenfalls die Arbeiten beschleunigen oder verzögern?

Die große Konstruktion inmitten des Hangars nahm Gestalt an, und die Schweißgeräte tauchten sie von Zeit zu Zeit in helles Licht. Die Arbeiter hatten bereits das Stadium kniffliger Feinarbeit erreicht, als die Erschöpfung mich endlich übermannte. Als der Morgen gerade zur Tür hineinlugte, kroch ich in meine Koje und schlief lange und gut.

Draußen vor meiner behaglichen, kleinen Kabine näherte sich eine Maschine des Todes und der Rettung ihrer Fertigstellung.

Kapitel 7

»Jeff, wenn dieses Ding funktioniert, wird sich wirklich etwas ändern!« George nahm einen tiefen Schluck neufinnischen Wodkas und schnitt eine Grimasse. Er reichte mir die Flasche, und ich bediente mich ein wenig zurückhaltender. Ich nickte leicht benebelt.

»Autos, Flugzeuge, verdammt, sogar die interstellare Raumfahrt — alles überholt. Man drückt nur noch einen Knopf und ist schon am Ziel!«

»Und sobald man dort ist, übergibt einem jemand eine Rechnung über ein Gigawatt Strom.«

»Nur eine Frage des Wirkungsgrades.«

»Denkst du, man könnte in der Richtung viel erreichen?«

»Sicher. Ich denke, du schaffst das.«

»Ich? Hmmm.«

»Ja, du. Jeff, warum tust du immer so, als wäre es gar nicht deine Arbeit?«

»Keine Ahnung.« Ich stellte fest, daß ich mich wieder auf dünnem Eis bewegte, und versuchte ein Rückzugsmanöver. »Ich schätze, die Idee hängt schon so lange in der Luft, daß ich sie gar nicht mir selbst zugute halten kann. Oder ich kann nicht richtig glauben, daß sie funktionieren wird.«

»Oh, sie wird funktionieren.« George war auch kein größerer Theoretiker als Terrance MacKanzie Larson (alias Jefferson Darrow). Seine Meinung, nein, seine Gewißheit beruhte auf Glauben. Auf dem Glauben an mich, den guten, alten Doc Darrow. Ich nahm einen kräftigeren Schluck aus der Flasche.

Judas. Ich kam mir vor wie Judas. Es war so klar, daß George mich mochte, mich respektierte. In seiner Gegenwart fiel es mir immer schwerer, die Rolle des Dr. Darrow zu spielen, den hochgeschätzten Feigling und Kollaborateur. Ich mimte den brillanten Erfinder eines Apparates, von dem er schon als Kind in der

Kinderkaserne auf dem Hüterplaneten Capital geträumt hatte, und führte Verrat im Sinn.

Wir saßen in meinem kleinen Zimmer, und die Jungs von Georges Truppe (oder korrekter als 9462. Technisches Bataillon zu bezeichnen) schmissen eine kleine Party, um die Fertigstellung des Grundgerüstes zu feiern. Was uns jetzt noch bevorstand, war Feinabstimmung mit Oszilloskopen und Tastzirkeln. Einer der Jüngsten öffnete die Tür, steckte eine ziemlich rote Nase herein und schrie: »Kommt schon, die Party steigt hier draußen!« Er rannte fast gegen die Tür, als er wieder ging, ohne auf Antwort zu warten. George grinste und nahm einen Schluck aus der Flasche. Ich schüttelte den Kopf über ihn. »Du bist eindeutig kein Typ fürs Militär, George. Wie bist du da eigentlich hineingeraten?«

»Verdammt, Jeff, auf Capital ist einfach *jeder* ein Typ fürs Militär. Es gibt sonst nichts bei uns. Darauf läuft alles hinaus.«

»Wieso heißt euer Planet überhaupt Capital?«

Er zuckte unbestimmt die Achseln. »Sie stellen sich vor, daß er eines Tages genau das sein wird, die Kapitale, das Machtzentrum von allem und jedem.«

»Von allem? Auch der Erde? Von Bandwidth oder Europa?«

»Ich schätze doch.«

»Jesus Christus! *Warum*?«

»Ich dachte, Politik interessiert dich nicht?«

»Politik, nein.« Der Alkohol und meine Schuldgefühle gegenüber George hatten mir das Mundwerk ein wenig gelockert. »Aber ihr habt hier eine ganze Menge Leute umgebracht, und es werden noch viel mehr, wenn ihr es auch mit dem Rest aufnehmt.«

»Yeah, sie haben viele umgebracht . . .« brummte er vor sich hin und lächelte grimmig. »Und ich weiß, was du denkst und aus Gründen der Fairness nur nicht sagen möchtest: ›Warum tust du immer so, als wäre es nicht *deine* Arbeit?‹« Er lachte verstimmt und blickte auf die Wand in Richtung des Materietransmitters. »Und welche Arbeit werden wir *damit* leisten?«

George wirkte auf einmal sehr bestürzt, und mir fiel ein bißchen zu spät wieder ein, daß ich mir laut Rolle überhaupt keine

Gedanken darüber machen durfte, was die Hüter für Menschen waren. »Ach komm«, sagte ich. »Ihr seid auch nicht schlimmer als andere. Sei nicht so streng mit dir selbst. *Jede* Erfindung hat ein militärisches Potential.« Düster überlegte ich, was für ein Scheißkerl Darrow war, wie ekelhaft perfekt er mit rationalen Argumenten umgehen konnte. Dann erinnerte ich mich daran, daß ich ja Darrow war, und hatte viel Stoff zum Nachdenken. Auf einmal fühlte ich mich, als hätte ich lange Zeit kein Bad genommen.

George grunzte. »Es gibt da einiges – was du nicht von uns weißt. Dinge, die wir alle über uns wissen, die die Führung der Hüter aber zu Staatsgeheimnissen erklärt hat. Wenn ich dir davon erzähle, würden wir beide vor dem Erschießungskommando landen.« Er machte eine Pause. »Nicht nur, daß wir Kriege führen. Du hast recht, das machen alle. Aber mein Volk hat Dinge getan ... Wenn du wüßtest, was wir aus uns selbst gemacht haben ... Manchmal glaube ich, daß wir in Wahrheit gegen unsere eigene Vergangenheit Krieg führen. Und wir verlieren ihn.« Er nahm einen tiefen Schluck.

Etwas in seinem Tonfall jagte mir einen kalten Schauer über den Rücken. In diesem Augenblick *wußte* ich tief im Innersten, daß die Hüter meine Klassenkameraden entführt hatten. Und ich *wußte*, daß für die Hüter eine Entführung noch gar nichts war, daß da noch mehr hintersteckte, und schlimmeres. Ich versuchte, das Thema zu wechseln. »Komm, George, nimm's nicht so schwer. Wir sollten jetzt feiern, denn wir haben die Arbeit endlich hinter uns.«

Er lächelte schwach. »Yeah, ich denke auch.«

»Und es ist schließlich eine tolle Maschine, was?«

»Ein Superding.« George bemerkte, daß mir ein bißchen schwummerig wurde. Er klopfte mir auf den Rücken und stand auf. »Leg dich ins Bett und schlaf ein wenig. Morgen wartet viel Arbeit auf uns.«

Und auch ein ausgewachsener Kater. *Meiner* war jedenfalls sehr eindrucksvoll. Ich trieb mich schon zu lange in der Umgebung von Technikern herum: Ein starkes Bedürfnis überkam mich, den eigenen Kopf auseinanderzuschrauben und das zu reparieren, was darin nicht stimmte.

Wir fuhren mit der Arbeit fort.

Und eines Tages stellte ich fest, daß morgen der Tag der Entscheidung war. Zu dem Zeitpunkt hatte ich schon anderthalb Tage mit fingierten Schaltkreisen herumhantiert. Jetzt war es an der Zeit, die Verzögerung zu beenden. Alle auf Vapaus zusammengestöpselten Apparate, die ganzen eindrucksvoll blinkenden Lampen, waren an Ort und Stelle. Die meisten von Georges Leuten waren schon wieder an andere Arbeiten zurückgekehrt. Lediglich George und Heinrichs gingen mir noch zur Hand.

Ich klappte die Inspektionsluke zu, hinter der ich herumgefummelt hatte, und schlenderte zu einem der Wachtposten hinüber. »Überbringen Sie bitte dem Stützpunktkommandanten eine Nachricht. Sagen Sie ihm, daß wir morgen zur zweitausendsten Stunde für eine Demonstration bereit sind.«

»Ja, Sir.« Es war wirklich ein großer Augenblick – zum ersten Mal hatte mich einer der Posten mit ›Sir‹ angesprochen, beziehungsweise etwas zu mir gesagt.

Zu diesem Zeitpunkt traten überall auf der Welt und in Vapaus Hunderte von Plänen in Kraft. Mit ein bißchen Glück waren die Truppen der Hüter bereits zur Hälfte außer Gefecht, wenn die Ligasoldaten eintrafen – durch eine Unmenge unerklärlicher Reifenpannen, kurzgeschlossener Motoren, seltsamer Fälle von Lebensmittelvergiftungen, durch Verzögerungen und Probleme beim zivilen Nachschub und Brände allerorts.

Der Nachrichtendienst der Hüter würde all dem bald auf die Schliche kommen. Es bestand durchaus die Gefahr, daß bereits jemand festgenommen und verhört worden war, der mehr wußte, als er hätte wissen sollen. Verschwörung ist ein anspruchsvoller Beruf, der jedoch nur von Amateuren ausgeübt wird. Ganz sicher gab es warnende Hinweise darauf, daß etwas im Gange war. Würde jemand eine Verbindung zwischen meiner Maschinenattrappe und der plötzlichen Anschlagserie von seiten einer Bevölkerung herstellen, die als mittlerweile bezwungen galt?

Je tiefer es in die Nacht ging, desto mehr schleppte sich die Zeit für mich hin, und ich fühlte mich allein und verängstigt.

Der verbliebene Posten behielt mich scharf im Auge, gestattete mir jedoch, vor den Hangar zu gehen und im milden Herbstwetter frische, klare Luft zu schnappen.

Ich blickte zum kristallklaren Sternenhimmel hinauf, zu den altbekannten Sternen, die von einer neuen Welt aus gesehen an ungewohnten neuen Stellen erschienen. Wie schon so viele Male dachte ich an Joslyn. Sie war irgendwo da draußen, und nur wenn ich überlebte, würde ich sie wiedersehen. Das allein war schon Grund genug zum Kampf. Ich dachte an die schöne Zeit vor der Begegnung mit der Drohne und ihren schrecklichen Nachrichten zurück, und an noch frühere Tage während der Ausbildung und vor dem Verlust der *Venera*. Wie war ich nur von dort bis zu diesem traurigen Ort gelangt? Wie kam es, daß ich versuchen sollte, das Joch zu brechen, das die Hüter dieser Welt aufgebürdet hatten?

Ich erkannte, daß ich nie eine Wahl gehabt hatte, daß ich kommen mußte. Die Vorstellung, ich hätte es in der Behaglichkeit der Messe auf der *J. M.*, wenn auch nur für einen Moment, für begreiflich gehalten, einfach die Flucht zu ergreifen... Nein, dies war jetzt durch Pflicht, durch Ehre und Zorn mein Krieg geworden. Durch das, was sie der Familie Tempkin angetan hatten, wenn nichts anderes.

Und Joslyn — auch sie war in diesen Kampf verwickelt. Und das war ein verdammt guter Grund zu kämpfen. Wenn wir siegten, würde sie in Sicherheit sein.

Das Schicksal einer Welt lag in dieser Nacht in meinen Händen, aber es war Joslyn, an die ich dachte.

Ich blickte zu den Sternen hinauf, erfüllt von Liebe zu meiner Frau.

Da sah ich eine korpulente Gestalt in einem Überzieher in geflissentlicher Eile auf mich zukommen. Der Jeep, mit dem er gekommen war, hielt hinter ihm. Der Mann überquerte eine beleuchtete Stelle, und mir gefror das Blut in den Adern. Bradhurst. Der Nachrichtendienst. Er kam schnurstracks auf mich zu und öffnete den lippenlosen Mund zu einem Basiliskenlächeln.

»Guten Abend, Fregattenkapitän Larson.«

O mein Gott!

Zeig ein Pokerface. Ignoriere die Anspielung. Du sitzt echt *tief* im Schlamassel. Ich stand da und starrte ihn an. »Hmm? Bradhurst? Ich bin's, Darrow. Sie haben sich den Falschen ausgesucht.« Mein Herz klopfte so heftig, daß ich es glaubte hören zu können.

»Ich habe genau den richtigen Mann, Fregattenkapitän.«

Ein Augenblick des Schweigens und der Erstarrung verstrich. Bradhurst musterte mich mit seinen boshaften, ausdruckslosen Augen, und ich wollte nur noch wegrennen.

»Ich weiß nicht, wovon Sie reden. Ich bin Darrow!«

»Natürlich sind Sie das. Kommen Sie aber trotzdem mit.« Er gab dem Posten mit einem Wink zu verstehen, daß er mich auf einen Spaziergang mitnahm. »Der Posten scheint Ihnen zu vertrauen, wenn er Sie derart vor der offenen Tür stehen läßt.«

»Er hat keinen Grund zum Argwohn. Und wo sollte ich auch hinlaufen?«

»Sie bringen die Sache auf den Punkt.« Bradhurst genoß die Situation wie eine Katze, die mit einem Vogel spielt, der nicht wegfliegen kann, die es ihn jedoch immer wieder versuchen läßt.

Er streckte die Hände in die Taschen, holte zwei feine Lederhandschuhe hervor und zog sie sich sorgfältig über die fetten Finger. »Versetzen Sie sich mal in meine Lage. Dank meines Einsatzes erhält jemand eine Vertrauensposition, die Verantwortung für eine wichtige, neue Waffe. Diese Waffe ist außerordentlich nützlich, eine starke Versuchung. Die persönlichen Unterlagen des Mannes sind zufriedenstellend. Alles sehr günstig, nicht wahr? Besonders, wenn man bedenkt, daß dieser Mann einfach aus dem Nichts erschien, ohne jede Erklärung, warum er bislang übersehen wurde.« Bradhurst lächelte hinterhältig.

»Die ganze Sache hat jedoch einen Haken. Sollte irgendwas schiefgehen, könnte man *mir* die Schuld dafür geben. Also habe ich noch mal alles nachgeprüft. Und ein drittes Mal. Ganz langsam. Ganz sorgfältig. Ich habe sogar eine Datei überprüft, die die Personalliste des Planetenliga-Erkundungsdienstes enthält. Diese Informationen und die Fingerabdrücke dazu waren höchst interessant.

Ich weiß nicht, wie Sie hierhergekommen sind, Larson, aber Sie sind nun mal da. Die Maschine im Hangar — ich weiß nicht, worum es sich dabei handelt, aber ich weiß, was sie nicht ist. Und sie entstand nicht, um den Hütern von Capital in irgendeiner Form zu nützen.«

Bradhurst blieb stehen und wandte sich mir zu. Ich dachte an Flucht, aber er hatte recht. Wohin sollte ich laufen?

Er funkelte mich an. »Es scheint heute nacht eine unglückliche Zahl von Zwischenfällen und Problemen mit den Einheimischen zu geben. Ich fragte mich, ob Sie irgendwas darüber wissen. Aber das spielt im Moment keine große Rolle. Wir sind weit genug gegangen. Jetzt kehren wir um und nehmen die Maschine auseinander — wir finden schon heraus, wozu sie *wirklich* dient. Und wenn wir dann jede einzelne Information aus den Resten Ihres Gehirns gequetscht haben, werden Sie sterben.«

Egal, wie schlecht die Chancen standen, ich mußte in die Dunkelheit entkommen, mich wieder in den Hangar schleichen und versuchen, den Transmitter frühzeitig zu aktivieren. Ich hatte kaum eine Chance, aber das galt auch, wenn ich es nicht versuchte. Ich hob einen Fuß . . .

»Versuchen Sie nicht zu fliehen, Larson.« Seine Stimme klang auf einmal so hart und kalt wie Granit. Ich hielt mich noch zurück, aber ich *mußte* es versuchen!

Er zog seine Seitenwaffe. »Ich warne Sie . . .«

Ein rötlicher Lichtstrahl fuhr zischend durch seinen Hals, er sackte mir gurgelnd in die Arme und war tot.

Stiefel knirschten auf dem Weg, und die Umrisse eines Mannes erschienen, der gerade den Laser wieder ins Halfter steckte. »Ich mußte den Transmitter stoppen. Ich konnte nicht zulassen, daß weiter getötet wird. Eigentlich wollte ich *dich* töten, bis ich diesen Kerl reden hörte.«

George Prigot. Er packte die Leiche, zog sie von mir weg und ließ sie zu Boden fallen. Ich schluckte, vorübergehend geblendet durch den Blutschwall, der mir ins Gesicht gespritzt war.

Ich blickte hinunter in Bradhursts dickes, aufgequollenes Gesicht. Ein dünner Blutstrom sickerte aus seinem Mund. Das ganze Gesicht war jetzt so ausdruckslos wie diese glasigen, mörderischen Augen.

»Er ist kein Verlust«, sagte George. Er musterte mich scharf. »An dem Abend, als wir gemeinsam einen getrunken haben, erkannte ich, daß Capital keine gute Welt ist. Schon in diesem stinkenden Camp ist das Leben besser, nur weil man nicht mehr auf Capital ist und ein bißchen näher an den Leuten, die einmal Frieden gekannt haben. Ich konnte der Sache keinen Einhalt gebieten, und diese Maschine — was die alles tun könnte... Bist du wirklich aus der Liga?«

Ich holte tief Luft und überließ mich dem großen Zittern. Es war verdammt knapp gewesen. »Ja, Terrance MacKenzie Larson, Marine der Republik Kennedy, Liga.«

»Gut.« Er stieß die Leiche mit der Stiefelspitze an. »Was machen wir mit dem?«

»Ich weiß es nicht.«

»Warte einen Moment. Ich kenne eine Stelle. Hilf mir mal!« Wir packten jeder einen von Bradhursts Armen und zerrten die noch warme Leiche fast fünfzig Meter weit durch die Dunkelheit zu einem Geräteschuppen. George lehnte sie daran, fummelte mit einem Schlüsselbund herum und schloß auf. Wir schoben den Toten hinein. Dann lief ich zurück und tat mein Bestes, um die Blut- und Schleifspuren auf dem Kies zu beseitigen. Niemand würde jetzt noch was entdecken, es sei denn, er suchte gezielt nach Blut. Ich eilte zurück zu George, der sich im Schatten des Schuppens versteckte.

»Jetzt erzähl mal«, forderte er. »Was genau passiert, wenn wir den Schalter drücken?«

»Frag nicht, was kommt, sondern wer. Es ist wirklich ein Materietransmitter, und die Liga strahlt fünftausend Soldaten hierher ab.«

»Mein Gott! Klappt das wirklich?«

»Ich hab' keine Ahnung. Ich hoffe.«

»Jesus! Aber wie — egal. Später. Was unternehmen wir jetzt in Sachen Bradhurst?«

»Mal überlegen. Ruf den Hangar an. Sie sollen seinem Fahrer mitteilen, daß du mit Bradhurst die Sicherheitsfragen für die Demonstration erörterst und ihn dann selbst zu seinem Quartier zurückfahren wirst. Wir müssen sie bis nach dem Test hinhalten. Danach spielt es eh keine Rolle mehr.«

»Gut. Bin gleich wieder da. Bleib so lange hier.«

»Wo sollte ich schon hin?« Aber George war bereits in der Dunkelheit verschwunden. Ich saß lange dort am Schuppen.

George kam zurück. »Okay, ich glaube, sie haben es mir abgenommen.«

»Gut. Suchen wir uns doch einen Platz, wo wir reden können.« Ich wollte weg von der Leiche.

George führte mich zu einem leeren Gebäude am Rand des Camps. Er wußte, wie man den Wachtposten aus dem Weg ging. George — was stand für ihn auf dem Spiel? Konnte ich ihm wirklich vertrauen, oder hatte er es sich bis zum Morgen schon wieder anders überlegt? Darf man je einem Überläufer bedingungslos vertrauen?

In dieser Nacht gab es keine Zweifel an ihm. Er stellte mir Fragen, und wir trafen Entscheidungen. Wir planten und intrigierten. Wir befaßten uns mit dem Tod der Männer, in deren Gesellschaft er heute noch gefrühstückt hatte.

»Ich verlange viel von dir, George.«

»Ich weiß, aber du verlangst es ja gar nicht. Ich mache es von selbst. Ich habe einfach die Nase voll von unseren häßlichen, kleinen Mordmaschinen. Heute morgen war ich draußen vor dem Camp. Ein Erschießungskommando. Ich erkannte einen der Soldaten und sein Gewehr. Gestern erst habe ich die Energiezuleitung für ihn repariert. Und sie erschossen ein zwölfjähriges Mädchen, das auf der Suche nach seinem Daddy hereinspaziert war. Sie hatte geglaubt, er wäre vielleicht bei den Soldaten. Sie hatte nicht mal daran gedacht, wessen Soldaten das waren. Man hat sie wegen Spionage erschossen.«

Mir fehlten die Worte.

Es war zuviel, es kam zu schnell, stand schon zu kurz vor dem Abschluß. Wenn, wenn, wenn — einen anderen Gedanken konnte ich gar nicht mehr fassen. Niemand hatte die leiseste

Vorstellung von dem, was morgen geschehen würde. Günstigenfalls konnten wir darauf hoffen, daß Bradhurst niemandem etwas von seinen Entdeckungen gesagt hatte und daß die Hüter weniger wußten als wir.

Alles, was ich mit Sicherheit wußte, war, daß morgen einige von uns sterben würden.

TEIL ZWEI

KRIEG AUF DEM BODEN

ZWISCHENSPIEL

In jener Nacht suchten mich die Geister heim. Ich lag träumend in einer Schweißpfütze, umringt von Gesichtern, die mich anstarrten, die sich meiner nicht sicher waren, die daran zweifelten, ob ich das in mich gesetzte Vertrauen rechtfertigen würde.

Deutlich sehen konnte ich nur die *Augen* der Geister. Ihre Gesichter und Körper schimmerten und wurden fast klar erkennbar und real, nur um doch wieder zu verschwimmen.

Ein schmutziger, schlammverkrusteter GI mit einem Baby auf den Armen; ein Cherokee, der in der Nacht Ausschau hielt nach den Schurken, die seine Welt verheerten; ein zierliches, verängstigtes Mädchen in einem ausgebombten U-Bahn-Schacht, das die anderen Kinder zu beruhigen versuchte, die mit ihm dort gefangen saßen, das ihnen Kinderreime vorsang, ihnen Geschichten erzählte und dabei mit halbem Ohr nach Grabungsgeräuschen lauschte, den Geräuschen der sich anbahnenden Rettung, das eine kleine Melodie summte und sich fragte, ob überhaupt Hilfe eintreffen würde . . .

Vergessene Helden betrachteten mich, zeigten auf mich und spornten mich an, wollten wissen, ob ich bei dieser Aufgabe, bei *meiner* Aufgabe scheitern würde.

Aber dann, ich glaube, so gegen Morgen, tauchte Joslyn zwischen ihnen auf. Sie ergriff meine Hand und lächelte die toten Beschützer an.

Sie nickten langsam einer nach dem anderen und zogen sich in die düsteren Nebelschwaden zurück, um ein anderes Tor der Gefahren zu bewachen, um in einen anderen Teil der Dunkelheit zu blicken, die per Definition den freien Menschen umgeben muß.

Kapitel 8

Am nächsten Morgen brauchte ich eine ganze Weile, um zu erkennen, daß die Nacht endlich doch vorüber und der Tag der Entscheidung tatsächlich angebrochen war. Ich zog mich rasch an und durchlief ein letztes Mal die tägliche Routine des Geleitzuges zur Latrine, dicht gefolgt von den beiden bewaffneten Posten.

Wieder in meinem Zimmer, zog ich einen offiziell aussehenden weißen Laborkittel über meinen Overall, holte Bradhursts Laser unter der Matratze hervor, steckte ihn in eine Tasche des Overalls und hoffte, der Laborkittel würde die ausgebeulte Stelle verbergen.

Dann frühstückte ich — oder vollführte zumindest die dabei üblichen Bewegungen. Etwa drei Bissen bekam ich tatsächlich hinunter, wenn ich es auch kaum schaffte, sie unten zu behalten. Nun, es gab reichlich Anlaß, Angst zu haben.

Ich schob das Tablett von mir, bemühte mich um ein gefaßtes Gesicht und ging hinaus in den Hangar. Die Überreste unserer besessenen Bastelarbeit waren weggeschafft worden, und Klappstühle standen für die Besucher bereit. Ich hatte gewußt, daß einige Besucher kommen würden, aber nicht, daß sich so viele angesagt hatten. Wieder eine Sorge mehr, keine, auf die ich vorbereitet gewesen war.

Meine Armbanduhr schien immer größer zu werden, und die Zahlen, die sie anzeigte, brauchten zunehmend länger, um weiterzulaufen. Stunden verstrichen, während ich an meinem Kontrollpult stand und die Schalterfolgen prüfte und noch mal prüfte, während ich x-mal Abläufe kontrollierte, die ich längst auswendig kannte.

Die Zeit schleppte sich dahin.

Endlich war der Augenblick nahe. Eine graue, tressenbesetzte Uniform nach der anderen spazierte herein, suchte sich ihren Platz und setzte sich.

Ich machte mir Sorgen wegen Bradhurst. Wurde er heute erwartet? Wie lange würde es noch dauern, bis man ihn vermißte? Wie lange, bis ich in Verdacht geriet? Hatte er jemandem in seinem Stab von der Entlarvung des Fregattenkapitäns Larson erzählt?

Weiter traf ein grauer Mann nach dem anderen ein. Die Uhr kroch auf den verabredeten Zeitpunkt zu, und ich hoffte, daß sich nervöse Wissenschaftler in ihrem Verhalten nicht von nervösen Spionen unterschieden.

Immer wieder fragte ich mich, ob ich George vertrauen konnte? Er war noch nicht eingetroffen. Hatte er kalte Füße bekommen? Redete er bereits mit der Geheimpolizei?

Fünfzehn Minuten vor dem Test kam er — der einzige Mann seiner Abteilung, der dabeisein würde. Er trug eine Galauniform, in der ich ihn heute zum ersten Mal sah — eine förmliche Angelegenheit, die ihm als Offizier aber auch Gelegenheit bot, seine Seitenwaffe zu tragen. Er nickte mir zu und berührte seine spitze Mütze seitlich mit einer zylindrischen Kartenhülle. Pokerface.

Allmählich entwickelte ich die Geistesgegenwart, wie ein Soldat zu denken. Das halbe Publikum trug Seitenwaffen der einen oder anderen Art, und meine beiden Wächter standen stocksteif neben dem Eingang und salutierten bei allem, was sich bewegte. Ihre Stiefel glänzten im Nachmittagslicht. Mit ein bißchen Glück waren sie zu sehr mit Spucken und Polieren beschäftigt, um viel auszurichten, wenn es hart auf hart kam. Sie hatten allerdings sehr viel Feuerkraft dabei — Lasergewehre, mit denen sie Löcher in Stahlplatten bohren konnten.

Okay, ich mußte sie zuerst erwischen und *dann* die Offiziere, und das in den wenigen Sekunden zwischen der Aktivierung des Transmitters und der Materialisation der ersten Ligatruppen.

Auch letztere waren für mich eine völlig offene Frage. Einmal vorausgesetzt, daß sie überhaupt abgesandt worden waren, daß der Signalspürer seine Arbeit korrekt geleistet hatte und nicht von irgendeinem tölpelhaften Gefreiten im Transportdienst der Hüter beschädigt worden war, hatte ich trotzdem keine Ahnung, welche Art Soldaten eintreffen und wie sie reagieren würden. Ich konnte nur darauf hoffen, daß sie auf Probleme gefaßt waren.

Als die Liga die Drohne auf den Weg gebracht hatte, war ihr militärischer Planungsstab nicht in der Lage gewesen, eine gemeinsame Streitmacht aufzustellen. Die von der Drohne übermittelten Berichte besagten, daß wir mit einer kombinierten Truppe rechnen mußten, die man hastig in der Hälfte der Mitgliedsstaaten zusammengesucht hatte. Da das Schiff, das sie zum Transmissionspunkt transportierte, von der Erde hatte starten sollen, mußten wir mit einem großen Anteil von Truppen irdischer Staaten rechnen. Wie die Berichte überall zwischen den Zeilen andeuteten, hatten die politischen Realitäten eine Anzahl kleiner Einheiten erfordert, symbolische Beiträge von Mitgliedsstaaten, die weder die Zeit noch das Geld für mehr hatten.

Meine besorgten Überlegungen wurden unterbrochen, als der Stützpunktkommandant General Schlitzer, begleitet von einer Welle des Salutierens, eintraf. Leutnant Grimes führte ihn zu mir, stellte uns einander vor und überließ uns dann einem Gespräch unter vier Augen. Schlitzer schüttelte mir die Hand. »Guten Tag, Doktor. Ist alles bereit für die Demonstration?«

Ich schluckte und versuchte zu lächeln, während mir das Herz in die Hose sank. »Ich denke doch, Sir.«

»Gut. Hoffen wir, daß es ein großer Tag für uns beide wird.« Er musterte die große Maschine. »Sagen Sie mal«, fuhr er fort, »warum ist der Empfänger soviel größer als der Transmitterkorb?«

Verdammt! Das hatte er ja fragen *müssen*! Der Korb der Transmitterattrappe maß kaum einen Quadratmeter, während der Empfänger zehnmal so groß war. »Nun, Sir, der Transmitter ist ein viel komplexeres Gerät und muß exaktere Maße einhalten, während der Empfänger einfach nur groß genug sein muß, um das aufzunehmen, was geschickt wird. Um also bei späteren Restläufen Zeit zu sparen, haben wir gleich einen so großen Empfänger gebaut, daß er allen großen Transmittern gerecht wird, die wir in Zukunft bauen.« Ich hoffte inständig, daß er mir diese Erklärung abkaufte.

»Ich verstehe. Na, ich denke, diese Dinge können wir beruhigt Ihnen und den anderen Technikern überlassen.« Er nickte knapp und wandte sich dem Publikum zu. Was ein paar Minuten später seinen Tod bedeuten sollte.

Die übrigen Offiziere bemerkten, daß er etwas sagen wollte, und verstummten. Schlitzer schickte sich an, eine kleine Rede zu halten.

»Gentlemen, Sie alle haben gehört, welche Grundidee hinter diesem Gerät steckt. Sollte es funktionieren, werden wir in der Lage sein, Materie in Form von Radiowellen zu senden. Die Steigerung unserer Fähigkeit, schnell, hart und effektiv zuzuschlagen, ist kaum vorstellbar. In ein paar Minuten wissen wir vielleicht schon, daß unsere nächste Eroberung nicht nur größer sein wird, sondern auch mit geringeren Kosten zu erreichen sein wird. Heute sehen wir den Transmitter. Morgen sehen ihn ein Dutzend Welten, Welten, die nicht mehr in der Lage sein werden, sich uns entgegenzustellen, es sei denn um den Preis des Todes. Doktor?«

Ich nickte, schluckte schwer und drückte auf die ersten Knöpfe. Ich setzte die Anlage unter Strom und vernahm das laute, zufriedenstellende Klicken, mit dem die großen Relais ansprangen. Die Hangarbeleuchtung flackerte und wurde für einen Moment schwächer, während der Transmitter immer mehr Energie absorbierte. Kontrollampen und Meßgeräte erwachten zum Leben. Dann blieb nur noch ein einzelner Schalter zu drücken, um die automatische Sequenz zu starten. Ich blickte über das Publikum hinweg in das einzige Gesicht, das nicht konzentriert den Transmitter oder den Empfänger betrachtete – in das Gesicht Georges. Ganz langsam hatte er sich hinter die ahnungslosen Wachtposten zurückgezogen.

Ich drückte den Schalter.

Die Beleuchtung flackerte wieder, als erneut viel Energie in den Signalspürer strömte. Jetzt war es passiert. Von diesem Augenblick an arbeitete der Transmitter automatisch weiter.

Piep! Der erste von drei Warntönen. Das System war bereit.

Ich steckte die Hand in die Tasche und ergriff die Pistole des toten Obersts Bradhurst. George hatte ebenfalls die Hand am Halfter liegen.

Piep! Der Signalspürer schaltete sich zu.

George tötete den ersten Posten. Ein lautloser Laserstrahl pustete ihm das Leben aus dem Schädel.

Piep! Empfang von Objekten angelaufen... Ein Windstoß fuhr über das Publikum hinweg, als die Luft im Empfänger dem Materialisationseffekt weichen mußte.

Ich zog die Pistole und schoß auf den General. Er drehte sich kreischend um, als er spürte, wie sein Rückgrat sich unter meinem Laser öffnete. Wie ein Stein fiel er zu Boden.

Licht blitzte am Empfänger auf, produzierte Nachbilder, nein, keine Nachbilder, echte Menschen!

Sie waren da!

Ich drehte mich um und feuerte in die Menge der Offiziere. George schoß dem zweiten Posten ins Herz, schnappte sich sein Gewehr und zog den Laserstrahl quer durch die Menge, verwundete, blendete und tötete die Hälfte davon in einem einzigen schrecklichen Augenblick. Die Hüter waren entsetzt, im Schock. Zwei Drittel von ihnen waren bereits tot, ehe die ersten zurückschossen.

Ich duckte mich hinter die Konsole — die zufällig nicht aus schwerem Stahl bestand — und musterte die eingetroffenen Soldaten. Sie waren wirklich da. Es hatte funktioniert. Aber dieser Empfang überraschte sie völlig.

Ein paar von ihnen sprangen aus dem Korb und duckten sich, waren sich nicht sicher, auf wen sie schießen sollten, wenn überhaupt auf jemanden. Die übrigen standen nur benommen herum.

Piep! Die nächste Gruppe würde in zehn Sekunden eintreffen...

Ich stand da und schrie: »Verflucht noch mal, runter von der Plattform! Weg da! Weg da!« Sie gehorchten, und ich erkannte die Uniformen: Gut bewaffnete Marineinfanteristen der Republik Kennedy!

»Raus aus dem Korb! Rasch!«

Sie rührten sich. Einer von ihnen war geistesgegenwärtig genug, etwas auf die Leute zu werfen, auf die ich schoß. Ein Blitz zuckte durch den Raum, begleitet von einem lauten Krachen, und wo vorher Menschen gestanden hatten — der Feind —, gab es nur noch Blut und Gestank.

Piep! PIEP! Weitere Truppen waren unterwegs.

Ich steckte meine Waffe weg und zog den Laborkittel aus. »Soldat! Sie da, kommen Sie mal her!«

Sie trabte herbei und salutierte. »Sir!«

»Wer weiß, wann hier ein bißchen Artillerie eintrifft?«

»Kaplan, Stabsunteroffizier Kaplan hat den Plan dabei, wer wann fällig ist, Sir.«

»Kaplan!«

»Ja, Sir!«

Kaplan stand schon vor mir und fummelte mit einem dicken Papierstoß herum. »Kaplan, wann bekommen wir Artillerieunterstützung?«

»Eine Sekunde, Sir... ah... Teile der einhundertsiebten Leichten Artillerie, Britische Armee. Fünfte Gruppe, die eintrifft. Sir, was, zum Teufel, ist hier passiert?«

»Später. Bleiben Sie bei mir.« Ich hob den Blick vom Papier und suchte George. »Oh, halt durch George. Es wird noch schlimmer.« George ließ das Gewehr fallen, als hätte es sich unter seinen Händen in eine Schlange verwandelt. Er sah schlecht aus, sehr schlecht. »George, hör mal! Die fünfte Gruppe, die hier auftaucht, ist britische Artillerie. Du mußt sie raus auf den Hof führen und ihr die Ziele zeigen, okay?«

»O Gott — ja, okay.« Er stand fast unter Schock. Dann riß er sich zusammen und antwortete mit fester Stimme. »In Ordnung, ich mache es.« Er ging mit großen, ruckartigen Schritten zum Empfänger.

Kaplan und die erste Gefreite, mit der ich gesprochen hatte, blieben bei mir stehen und beobachteten, wie ihre Kameraden aus dem Nichts erschienen und aus dem Empfängerkorb traten.

»Entschuldigen Sie, Fregattenkapitän Larson«, wandte sich die Gefreite an mich, »wo genau sind wir eigentlich? Sollten wir nicht auf einer freien Ebene landen?«

»Das Hauptquartier hat einen Fehler gemacht. Die ursprünglich angepeilte Stelle liegt im offenen Meer. Hier befinden wir uns in einem der Hauptstützpunkte des Feindes. Wir mußten improvisieren. Oh, und es ist jetzt Mitte Oktober irdischer Zeit. Sie haben etwa einen Monat lang als eine Art Aufzeichnung existiert.«

Sie schluckte und machte große Augen. »Meine Güte! Wie kommen wir jetzt hier raus?«

»Mit äußerster Vorsicht.«

Piep! Piep! PIEP!

Nach der Bewaffnung zu urteilen handelte es sich bei dieser Fuhre um die ganz harten Burschen. Das waren keine Schreibtischakrobaten; sie machten ganz den Eindruck von Feldoffizieren. Ich musterte die Abzeichen und entdeckte den Befehlshaber. Es war ein großer, kräftig gebauter Mann in der Uniform eines Brigadegenerals der Britischen Armee.

Diesmal war es an mir, anzutraben und zu salutieren.

»Fregattenkapitän Terrance MacKenzie Larson, RK-Marine.«

Er sah sich in dem raucherfüllten Hangar um und musterte die verstümmelten Leichen in den Uniformen hoher Offiziere sowie den Haufen Soldaten, der versuchte Aufstellung zu nehmen. Er erwiderte den Gruß. »Berichten Sie!«

»Ein kartographischer Irrtum, Sir. Die ursprünglich vorgesehene Landungsstelle liegt im offenen Meer. Die Finnen und ich erarbeiteten eine Möglichkeit, Ihr Leitsignal im Weltraum aufzufangen, es aufzuzeichnen und im Signalspürer hierherzuschmuggeln. Wir täuschten den Feind und brachten ihn dazu, uns bei der Konstruktion des Empfängers zu helfen. Im Verlauf dieser Aktion waren wir gezwungen, das Projekt mitten in einem ihrer größten Armeestützpunkte durchzuziehen. Viele hier stationierte Offiziere waren hier in der Annahme, sie würden Zeuge einer Demonstration des Materietransmitters . . .«

»Die wir ihnen sicherlich auch geboten haben. Sie wurden niedergeschossen, und auf dem Stützpunkt gibt es niemanden mehr, der Befehle erteilt. Vielleicht haben wir dadurch eine oder zwei Minuten für uns.«

»Ja, Sir.«

»Können wir hier ausbrechen?«

»Vielleicht. Wenn es uns gelingt, genügend Lastwagen aus ihrem Fuhrpark zu stehlen.« Ich wies mit einem Nicken auf George. »Dieser Mann kann Ihnen auf der Stützpunktkarte die Stelle zeigen.«

»Roberts! Sie kümmern sich darum, nehmen ein paar Korporalschaften und besorgen diese Lastwagen!« Er deutete auf Kaplan. »Sie da! Beziehen Sie Posten am Transmitter und erklären Sie den eintreffenden Truppen, was hier vorgeht.« Der Brigadegeneral wandte sich wieder an mich. »Wie sieht es mit Hilfe von den Einheimischen aus?«

»Sie sollten eigentlich gerade damit beschäftigt sein, die Hüter — den Feind — auf dem Planeten und auch auf dem Satelliten Vapaus zu attackieren, ihm eine Menge kleiner Nadelstiche zu versetzen. Die ganze Aktion ist als wechselseitiges Ablenkungsmanöver geplant.«

»Ausgezeichnet.«

Auf einmal entdeckte ich Soldaten, die etwas, was nach einer Kleinhaubitze aussah, hinter sich in den Empfänger zogen. Ich stieß George an und deutete dorthin. Er gab Roberts rasch die letzten Anweisungen, nahm dann die ziemlich verwirrt aussehenden Tommies in Schlepptau und führte sie hinaus auf den Hof.

Der Brigadegeneral sah all dem ziemlich gleichmütig zu. »Sieht doch ganz danach aus, als säßen wir richtig schön in der Patsche. Nebenbei, Brigadegeneral Taylor, Britische Armee.«

»Sir!«

Ein lautes Krachen ertönte draußen, einen Moment später gefolgt von einer Folge ohrenbetäubender Explosionen am Südende des Stützpunktes. »Soviel zum Munitionsdepot, könnte ich mir denken«, versetzte Taylor.

»Als nächstes werden sie das Waffenarsenal aufs Korn nehmen und dann die Kasernen und die restlichen Einrichtungen bearbeiten«, sagte ich.

Eine abgehackte Folge scharfer Detonationen ertönte im Ostteil des Lagers. Taylor blickte alarmiert auf. »Das sind nicht unsere Artilleriegranaten!«

Einer der Soldaten von Kennedy kam vom Hof hereingestürmt. »Ein großer Teil des Lagerzauns ist direkt vor uns hochgegangen!«

Wir liefen auf den sich rasch füllenden Hof hinaus. Es war ein aufgelöster Haufen, und Taylor schnappte sich den ersten Offizier, den er sah, und schrie: »Schaffen Sie die Leute von hier weg! Sprengen Sie die Hangars auf und bringen Sie sie dort unter! Die Straße muß frei sein! Leutnant Roberts kommt jetzt jeden Moment mit den Lastwagen, die uns hier rausbringen. Schnell!«

Er ging weiter, gefolgt von einer kleinen Gruppe, zu der auch ich gehörte. Der Zaun war tatsächlich auf einer Länge von vielleicht hundert Metern zerstört worden. Bewaffnete stürmten auf uns zu. Einer von ihnen hielt eine Flagge hoch...

Die Flagge Neu-Finnlands! »Nicht schießen!« schrie ich. »Das sind unsere Leute!« Ich stellte fest, daß ich die Pistole in der Hand hielt, steckte sie wieder ins Halfter und lief den Finnen entgegen. Ich traf auf einen dünnen, drahtigen Mann von etwa Fünfzig, der eine abgetragene alte Uniform trug. Er salutierte, während einige seiner Soldaten sich in einer Traube um uns sammelten. »Es ist so, daß wir Lastwagen und einen Zug haben«, brachte er mühsam auf englisch hervor.

»Ich spreche etwas Finnisch«, unterbrach ich ihn.

Er seufzte erleichtert und wechselte die Sprache. »Gut! Wir haben ein paar Lastwagen, und ein Zug wartet etwa zwölf Kilometer von hier auf der Strecke. Ein paar Ihrer Leute können wir auf den Lastwagen mitnehmen, die anderen im Zug. Wir haben von weiter oben erfahren, daß hier eine Menge Soldaten zu evakuieren sind.«

»Das ist mal sicher. Kommen Sie mit.« Ich führte ihn zu Taylor und erklärte dem Brigadegeneral die Lage.

Taylor nickte und zog ein kleines Funkgerät aus der Gürtelhalterung. »Freiling! Führen Sie alle Truppen, derer Sie habhaft werden, durch die Lücke im Zaun! Die Einheimischen halten Transportmöglichkeiten für Sie bereit.« Er schaltete das Gerät ab und wandte sich an mich. »Fragen Sie ihn, wie viele Leute er transportieren kann.«

Der Finne hatte bereits verstanden und antwortete auf englisch, ehe ich übersetzen konnte: »Etwa zwei Millionen!«

»Zwei Millionen!«

»Tausend! Ich meine zweitausend! Entschuldigung.«

»Und wenn Sie mehr Transporter hätten, könnten Sie dann mehr Leute befördern?«

»Transporter? Ah ja, Lastwagen! Sicher, was Sie möchten.«

»Gut.« Taylor sprach wieder ins Funkgerät: »Major Kavanos! Ja, ich verstehe Sie. Trommeln Sie ein paar Ihrer Leute zusammen und folgen Sie Roberts zum Fuhrpark. Holen Sie von dort so viele Lastwagen, wie Sie bekommen können. Beladen Sie sie mit Soldaten und fahren Sie zur Lücke im Zaun. Stellen Sie einen weiteren Trupp für die Verteidigung des Fuhrparks ab. Wenn wir den wieder verlieren, ist die Party vorbei.«

Ehe er das Sprechgerät wegstecken konnte, machte es mit einem Piepton wieder auf sich aufmerksam. »Ja. Ich verstehe. Nun, erwidern Sie das Feuer. Versuchen Sie die feindlichen Positionen auszumachen und mit Hilfe unserer Artillerie auszuschalten.« Er wandte sich an mich. »Diese Hüter haben sich wieder soweit organisiert, daß sie zurückschießen. Wir ziehen uns besser in den Hof zurück.«

Es war das reinste Chaos. Der Transmitter spuckte nach wie vor Soldaten aus, und der Platz reichte nicht mal mehr für die, die schon da waren. Taylor schüttelte den Kopf. »Sollte der Feind den klugen Einfall haben, mit seiner Artillerie auf den eigenen Stützpunkt zu feuern, sind wir die idealen Zielscheiben.«

Der erste Lastwagen kämpfte sich auf den Hof vor, soweit die Menge ihm Platz machte. Taylor bahnte sich seinen Weg zwischen den Soldaten hindurch und sprang aufs Trittbrett. »Sie da! Halten Sie an, nehmen Sie gleich an Ort und Stelle Leute an Bord und fahren Sie rückwärts wieder heraus! Heh, Sie da mit den braunen Baretten!«

»Sir!« meldete sich der Offizier der Angesprochenen.

»Packen Sie Ihre Leute auf den Lastwagen und verschwinden Sie von hier!«

»SIR!«

Taylor packte einen Feldwebel der U. S. Army am Kragen. »Sehen Sie zu, daß Sie dieses Irrenhaus hier in den Griff kriegen!« Und der Feldwebel machte sich an die Arbeit.

»Machen Sie die Straße frei!« Taylor nahm das Sprechgerät wieder zur Hand. »Hier Taylor. Achtung, an alle kommandierenden Offiziere. Stellen Sie Ihre Einheiten in ordentlichen Reihen auf, so dicht wie möglich am Rand des Hofes. Der Fahrweg muß frei werden. Verteilen Sie sich. Eine gut plazierte Granate könnte uns alle erledigen. Stabsunteroffizier Kaplan, wenn Sie so freundlich wären, diese Befehle an die eintreffenden Truppen weiterzugeben!«

Nordöstlich des Hofes tobte ein ganz ordentliches Gefecht. Die einhundertsiebte Artillerie feuerte weiterhin aus allen Rohren auf den Rest des Stützpunktes, und der Hof wurde immer wieder von dichtem Rauch verhüllt, wenn ein Windstoß aus der entsprechenden Richtung kam. Ich arbeitete mich zur Hofmitte vor, wo die einhundertsiebte ihre Geschütze aufgestellt hatte. Auch George war dort und bearbeitete die Karte mit kühler Präzision, die Lippen zu einer dünnen, entschlossenen Linie zusammengepreßt. Die Haubitzen schleuderten Erdbrocken vom Boden hoch, und die Männer waren voller Staub. Besonders George war von einer schmutzigen weißen Schicht bedeckt.

»George!« Die Geschütze krachten erneut und machten für lange Sekunden jedes Gespräch unmöglich. »Wie kommen wir voran?«

Er schüttelte eine Staubschicht von der Karte und deutete auf die Stellen, die rot ausgestrichen waren — etwa zwei Drittel des gesamten Stützpunktes. »Wir nehmen das Lager Block für Block auseinander, und das hier ist schon alles — na ja, weg. Nicht mehr viel übrig, außer den Kasinozelten und einigen Kasernen.« Einer der Artilleristen tippte mir auf die Schulter. »Müssen wir damit rechnen, daß Brigadegeneral Taylor...« WAMM! »... Patrouillen ausschickt, die die von uns getroffenen Stellungen sichern?« Mitten in seinem Satz wurde eine Granate abgefeuert, aber er redete weiter, als wäre gar nichts passiert.

»Nein, das bezweifle ich. Wir wollen den Stützpunkt gar nicht halten, sondern so schnell wie möglich weg von hier.«

»Sehr gut, Sir.«

»Feldwebel — können Sie mir Mister Prigot überlassen?«

»Oh, ich denke...« WAMM! »...doch, Sir. Inzwischen kommen wir mit der Karte ganz gut zurecht. Einer meiner Jungs kann die Aufgabe übernehmen.«

»Komm, George. Du mußt endlich diese Uniform loswerden.«

»Mmm? O ja.«

Der Feldwebel nahm George genauer in Augenschein. »Sieht so die andere Seite aus, Sir?«

»Ja«, antwortete ich.

»Dachte ich mir. Haben wohl ein bißchen infiltriert, wie?«

»Etwas in der Art«, warf George ein. Sein Tonfall drückte keine Spur von Gefühl aus, als wäre sein Inneres erstarrt. Ich zog ihn auf die Beine, und wir bahnten uns einen Weg zum Empfängerhangar.

»Du ziehst dich am besten in meinem Zimmer um«, schlug ich vor.«

Drinnen standen die Soldaten nicht mehr so dicht, und Kaplan schien die Situation mehr oder weniger unter Kontrolle zu haben. Als wir eintraten, informierte er gerade eine neue Gruppe über die Lage.

Ich wartete, bis er fertig war. »Wie viele kommen noch?«

Er warf einen Blick auf die lange Liste, deren Einträge mit großer Geschwindigkeit abgehakt wurden. »Mal sehen — die letzte Gruppe war von der Sechsten Republik, also Franzosen. Damit sind wir etwa zur Hälfte durch, und es kommen noch um die 40 Gruppen.«

»Stellen Sie sicher, daß dieses Ding zur Hölle gepustet wird, sobald die letzten eingetroffen sind.«

»Wurde bereits angeordnet, Fregattenkapitän. Oh, zum Schluß kommen auch noch etliche Fuhren Waffen, die wir an die Einheimischen weitergeben sollen.«

»Gut. Sie stehen schon draußen und können sie gleich entgegennehmen.«

»Ja, Sir.« Begleitet von einem PIEP und aufblitzendem Licht erschien eine weitere Gruppe im Empfänger. Kaplan machte sich wieder an die Arbeit. »Also, wer seid ihr? Europäische Föderierte? Okay. Hört gut zu, Jungs, und wer von euch Englisch spricht, gibt es an seine Kumpel weiter. Die Lage ist ganz schön vermurkst . . .«

Wir ließen ihn stehen und suchten meine Kabine auf, die ein paar von den Hütern schalldicht gemacht hatten, damit ich nachts darin schlafen konnte. Ich schloß die Tür vor dem Krieg draußen, und wir setzten uns auf mein Bett.

George seufzte tief. »Mein Gott, wie bin ich da nur hineingeraten?«

»George, du kannst aussteigen. Du hast für deine Schuld bezahlt. Man kann von niemandem erwarten, daß er in aller Ruhe damit fortfährt, seine eigenen Leute umzubringen.«

»Nein, Jeff. Oder Terrance oder MacKenzie oder wer immer du bist.«

»Nenn mich Mac.«

»Mac — verstehst du es denn nicht? Ja, ich habe vielleicht meine Schuld bezahlt, was diese Zwölfjährige angeht. Mal abgesehen davon, daß sie trotz allem tot ist. Aber *wie viele mehr habe ich geholfen umzubringen?* Mir ist egal, wie lange ich mit den Leuten zusammengearbeitet habe, an denen ich jetzt Verrat übe. Es sind Mörder. Wie viele Menschen wurden mit den billigen Waffen ermordet, die ich repariert habe, und den Maschinen, die ich entworfen habe? Selbst wenn ich mein Leben lang weitermache, kann ich das nicht wiedergutmachen.«

Er starrte für einen Moment ins Leere. Dann schüttelte er sich und zog die schwere Uniform aus. »Machen wir lieber Tempo.« Er wechselte in einige meiner Sachen, die ihm nicht sonderlich gut paßten, aber ihren Zweck erfüllten, und winkte mich dann zur Tür. »Nichts wie raus hier. Sehen wir mal, was draußen läuft.«

Wir kamen wieder am Empfänger vorbei, wo Kaplan gerade dem einhundertsten Luftlande-Sonderkommando die Lage erläuterte, und traten hinaus ins Freie.

Dieser Feldwebel hatte den Laden ganz schön in Schwung gebracht. Die Lastwagen rollten unbehindert hinaus, beladen mit Männern und Frauen aus ich weiß nicht wie vielen Armeen. Es schien, als hätte jeder Mitgliedsstaat irgendeine Einheit nach Neu-Finnland entsandt. So ziemlich das einzige, was fehlte, war die Schweizergarde des Vatikans.

Die einhundertsiebte feuerte weiterhin auf den Stützpunkt, aber der aus den Trümmern aufsteigende Rauch war inzwischen zu dicht, um zu sehen, ob sie noch viel mehr ausrichteten, als nur Schutt hochzupeitschen.

Ich entdeckte Taylor mitten auf dem Hof, wie er gerade in sein Funkgerät sprach. »Hier Taylor. Gute Arbeit bislang. Halten Sie die Sache in Bewegung.« Er drehte sich zu uns um, als George und ich auf ihn zukamen. »Die Finnen haben die ersten Truppen inzwischen in den Zug verladen.« Er blickte über das organisierte Chaos hinweg, das einmal ein Armeestützpunkt gewesen war, und schüttelte den Kopf. »Sieht glatt so aus, als kämen wir damit durch. Erstaunlich. Sie und Ihre finnischen Freunde haben gute Arbeit geleistet.«

Armeestützpunkte sind im allgemeinen nicht darauf ausgelegt, Angriffen von innen her standzuhalten. Wir hatten die meisten kommandierenden Offiziere in den ersten dreißig Sekunden getötet. Die erste Warnung, die der Großteil des Feindes erhalten hatte, war die Zerstörung seines eigenen Munitionsdepots gewesen. Ich wollte gar nicht darüber nachdenken, wie viele Menschen bei diesem plötzlichen Angriff massakriert worden waren, wie viele ohne jede Chance auf Gegenwehr gestorben waren. Das Landefeld war kraterübersät, die Funkzentrale zerstört, das ganze Lager verwüstet und tot.

Kaplan trat zu mir. »Vorsicht, es wird gleich sehr laut.«

»Wird der Empfänger . . .« BLAMM!

»Ganz gewiß wird er, wollte ich sagen!« antwortete Kaplan. »Allmächtiger Gott, ich möchte nie mehr jemandem erklären, wo er sich befindet oder was los ist. Das heute reicht fürs ganze Leben.«

Die ersten Lastwagen kamen jetzt für ihre zweite Fuhre von der Eisenbahnstrecke zurück. Taylor zückte erneut das Sprechgerät. »An alle Befehlshaber — Lastwagen auf der zweiten Tour! Sehen Sie zu, daß Sie in Bewegung bleiben! Verteilen Sie sich, aber bleiben Sie in Funkreichweite. Sollte der Feind die Bahnstrecke zerstören, möchten wir schließlich noch ein paar andere Eisen im Feuer haben!«

Aus Richtung des Fuhrparks tauchten jetzt nicht nur Lastwagen auf. Jeeps rollten an, Halbkettenfahrzeuge und sogar ein riesiger Müllwagen. Sie alle hielten auf dem Hof, nahmen ihre Passagiere an Bord und setzten sich zum Zaun hin in Bewegung.

Hin und wieder waren die zischenden Geräusche von Hochenergielasern und von abprallenden Geschossen zu hören, die letzten Hinweise auf richtige Kämpfe im Stützpunkt.

Wir hatten es geschafft. Wir hatten es tatsächlich wider alle Erwartungen geschafft, diese Truppen herzubringen und aus dem Stützpunkt zu evakuieren. Und sie würden wenigstens lange genug durchhalten, um Gelegenheit zum Kampf zu finden.

Die Lastwagen rollten weiter.

Kapitel 9

Die Lastwagen mit summenden Elektromotoren rollten an und brachten die Soldaten aus dem zerstörten Lager.

Taylor und ich betrachteten die Prozession, und die Menge der Soldaten schrumpfte von einigen tausend auf ein paar hundert. Nach wie vor gab es keinen echten Widerstand, und der von uns erwartete Hüterangriff erfolgte nicht.

Taylor hatte eine komplette Einheit bislang zurückgehalten — das erste Bataillon der U.S. Army, fünfundsiebzigste Infanterie, eine Rangereinheit. Die Soldaten waren auf den Dächern und an den Grenzen des von uns beherrschten Bereiches stationiert. Taylor blickte von den Rangern auf dem Dach zu den Soldaten auf dem Boden, schüttelte trübselig den Kopf und sah wieder hinauf zu einem Ranger auf dem Dach des Empfängerhangars.

Er holte eine etwas schäbige Pfeife hervor, zündete sie an, sagte zu mir: »Wenn die Verstärkung der Gegenseite eintrifft, erwischen sie uns mit heruntergelassenen Hosen. Was wir hier haben ist ein ungeordneter Haufen, keine Kampfeinheit.«

Von den Rangern abgesehen, handelte es sich bei den zurückgebliebenen Soldaten um Versprengte, die von ihren Einheiten getrennt worden waren. Viele der evakuierten Einheiten waren aufgesplittert, und die Soldaten hatten nicht die geringste Vorstellung, wohin es ging.

»Vielleicht kommt der Gegenangriff gar nicht, solange wir noch hier sind«, sagte ich. »Die Finnen sollten eigentlich inzwischen den größten Teil der feindlichen Streitkräfte sabotiert haben. Nach Tempkins Plan müßten die Hüter für den Moment aus dem Spiel sein.«

Taylor wandte den Blick nicht von dem Ranger ab, während er mir antwortete. »Keine Schlacht ist jemals nach Plan verlaufen. Haben Sie mal von dem amerikanischen Überfall auf die Ploestiölfelder im Zweiten Weltkrieg gehört? Punktbombadierung. Eine der ersten Gelegenheiten, bei der sie eingesetzt wurde. Sämtliche Bombergeschwader, von einem abgesehen, verfehlten ihr Ziel und mußten noch einmal umkehren. Hunderte von Flugzeugen kamen gleichzeitig aus drei verschiedenen Richtungen. Die reine Hölle. Der Befehlshaber der Verteidiger glaubte, es wäre so geplant gewesen; er konnte nicht mehr tun, als dem zusehen, was er für eine geplante Orchestrierung hielt. Niemand in der Luft hatte auch nur die geringste Ahnung, was eigentlich ablief.«

»Und was ist passiert?«

»Die Amerikaner verloren mehr als die Hälfte ihrer Flugzeuge.« Taylor schwieg eine Zeitlang. »Irgend jemand da draußen...« Er machte eine vage Geste mit dem Pfeifenstiel. »...hat zu früh angegriffen oder wurde während der Ausgangssperre aufgegriffen und mit Wahrheitsserum vollgespritzt. Ein Sabotageakt ist mißlungen. Einer der Hüteroffiziere fragt sich, was mit seinem Freund auf diesem Stützpunkt los ist, und schickt ein Flugzeug, nachdem er per Telefon nicht durchgekommen ist. Sie werden kommen. Wenn wir erstaunlich viel Glück haben, sind wir bis dahin weg.«

»Und was dann?« erkundigte ich mich.

»Ich habe keine Ahnung.«

Die Sonne sank dem Horizont entgegen, umspielte die Wipfel der seltsamen Bäume Neu-Finnlands am Rande der Lichtung, und allmählich setzte die Dunkelheit ein. Nur ein paar hundert von uns waren zu diesem Zeitpunkt noch im Stützpunkt.

Auf einmal piepte Taylors Sprechgerät. Ich verstand die dünne Stimme, die aus dem kleinen Lautsprecher quäkte. »Sir, sie sind da! Ich bin etwa fünfhundert Meter östlich von Ihnen. Habe sie mit Infrarot ausgemacht. Ich zähle zehn – nein, da kommt noch eine zweite Reihe um die Biegung! Zwanzig Fahrzeuge, einschließlich etwa zehn Panzer.«

»Wieviel Zeit bleibt uns noch?«

»Fünf, vielleicht zehn Minuten bis zum Camp, und dann solange, bis sie uns gefunden haben.«

»Was nicht lange dauern wird. Halten Sie mich auf dem laufenden. Bayet!« rief Taylor.

»Sir!« Eine große, schlaksige Frau mit schwarzen Kraushaaren, die unter ihrem Helm hervorquollen, trabte herbei. Oberstleutnant Louise Bayet, die das erste Bataillon der fünfundsiebzigsten Infanterie kommandierte.

»Louise, organisieren Sie bitte eine Gefechtslinie neunzig Meter östlich von hier. Informieren Sie Ihre Scharfschützen, daß mit Zielen aus dieser Richtung zu rechnen ist.«

»Sir!« Es dauerte nur wenige Augenblicke, dann eilten ihre Soldaten bereits zu den neuen Positionen.

Taylor schnappte sich wieder das Funkgerät. »Roberts! Schaffen sie alle her, die Sie finden können, und packen Sie alle Ihre Leute auf einen Lastwagen, Sie selbst eingeschlossen! Ich möchte Sie in zwei Minuten hier sehen, und ich möchte, daß Sie in drei Minuten eine Lastwagenkolonne über den westlichen Horizont führen!«

Er schaltete den Funk ab und brüllte: »Alle, die nicht zur fünfundsiebzigsten Infanterie gehören! Die letzten Lastwagen sind unterwegs! *Steigen Sie ein!* Wer keinen Platz mehr findet, rennt zu Fuß nach Westen, so schnell er kann! Tun Sie Ihr Bestes, um Anschluß an Ihre Einheiten zu halten! Viel Glück!«

Ich wandte mich an Taylor, während sich rings um uns neue Aktivität entfaltete. »General, mit Ihrer Erlaubnis würde ich gerne zurückbleiben und tun, was ich kann.«

»Wie Sie wünschen.«

»Danke, Sir.« Ich schnappte mir ein verwaistes Laser/Geschoßgewehr und schloß mich eilig einer Gruppe Ranger an, die nach Osten marschierte.

Einer von ihnen packte mich am Arm und sagte: »Warten Sie eine Minute. Saunders will gerade . . .« BLAMM! Ein fünfzehn Meter langes Stück Boden flog in die Luft und hinterließ einen Graben. »Das sind sogenannte Grabenminen. Sie schaufeln sich selbsttätig ein Loch und vergrößern es mit einer genau abgemessenen Sprengladung. Wenn man sie in einer Reihe ausbringt, erzeugen sie einen Graben wie diesen.« Er war ein großer, stämmiger Schwarzer mit einem sanften, fast kindlichen Lächeln. »Sie sind Fregattenkapitän Larson, nicht wahr?«

»Ja.«

»Dachte ich mir. Wer sonst sollte hier noch ohne Uniform herumlaufen.«

»Krabnowski!« rief Bayet.

»Ma'am!« antwortete mein Kampfgefährte.

»Späher meldet, drei Lastwagen kommen in circa dreißig Sekunden zwischen diesen beiden Gebäuden hindurch.«

»Okay.« Krabnowski lud seinen schultergestützten Raketenwerfer mit einem Streifen gefährlich aussehender Zehn-Zentimeter-Raketen. Er bohrte den Schaft des Werfers in die Grabenmündung und spähte durch das Visier. Der erste Lastwagen kam in Sicht, aber er ließ ihn fahren. Der zweite fuhr durch die Lücke und blieb ebenfalls ungeschoren. Als die Schnauze des dritten erschien, feuerte Krabnowski direkt in den Motorblock. Pfeifend zog die Rakete ihre Bahn, und das Führerhaus explodierte in einer Stichflamme. Der Lastwagen blieb abrupt stehen und versperrte den ersten beiden den Rückzug. Krabnowski jagte je zwei Raketen in diese Fahrzeuge. Schreiende Männer sprangen aus den brennenden Wracks hervor und versuchten zu fliehen, wurden jedoch von Rangern im Graben und auf den Dächern niedergeschossen.

Und von mir.

»Krab! Panzer im Anrollen, links von den Lastwagen!«

»Okay, Bob.« Krabnowski schob eine Ladung dünner, nadelspitzer panzerbrechender Raketen in den Werfer. »Wie viele?«

»Keine Ahnung. Sal meinte, mindestens fünf, aber dann rannte sie bereits. Wird langsam heiß da draußen!«

»Hoffentlich schafft sie es«, sagte Krabnowski.

Ein gewaltiger Einschlag erschütterte den Boden ein paar Meter hinter uns, schleuderte Erde und Gestein in die Gräben und erfüllte die Luft mit Staub.

»Da kommen sie . . .«

Die Panzer tauchten inmitten der Rauchschwaden auf und krochen bedächtig über das Schlachtfeld. Krab leistete sich nicht den Luxus, erst mal abzuwarten und ihnen den Rückzug zu versperren, sondern feuerte sofort und traf den vordersten. Der Panzer rollte weiterhin direkt auf uns zu, und der Lauf seines Hauptgeschützes schwenkte in unsere Richtung.

Krabnowski schoß jetzt auf die Ketten beiderseits, und sie explodierten, aber der Panzer fuhr auf den nackten Rädern weiter. Ich gab ein, zwei, drei Schüsse auf die Infanteristen ab, die ihm folgten, und streckte sie nieder, aber der Tank selbst setzte unerbittlich seinen Weg fort, die Geschützmündung direkt auf uns gerichtet.

Krab gab einen letzten Schuß ab und betätigte den Abzug ganz sanft, damit das Geschoß auch richtig saß. Die Rakete schlug an der Stelle ein, wo der Geschützlauf in den Turm mündete. Das Metall war dort gefalzt und damit schwächer.

Eine donnernde, doppelte Explosion riß das Rohr fast ganz ab. Es hing in einem verrückten Winkel nutzlos herab.

»Ich will verdammt sein! Hab' ich die Rakete doch glatt in die Mündung gesetzt!«

Ein weiteres Geschoß traf hinter uns den Boden, noch dichter diesmal. Ich hörte Bayets Stimme. »Zurückziehen! Zurückziehen! Zurück auf den Hof!« Das brauchte man uns nicht zweimal zu sagen. Mit den Panzern buchstäblich auf den Fersen liefen wir wie der Teufel in Richtung Hof.

Der letzte Lastwagen mit Ligasoldaten fuhr gerade ab. Roberts stand auf der Ladeklappe und schien nicht glücklich darüber zu sein, daß er fort mußte. Taylor blickte dem Laster nach und schien nicht glücklich darüber zu sein, daß er bleiben mußte. »Wir haben uns soviel Zeit wie möglich verschafft, Fregattenkapitän Larson. Alle außer der fünfundsiebzigsten sind jetzt evakuiert. Wir werden nun herausfinden, wie die Hüter ihre Gefangenen behandeln.«

Bayet blickte den Panzern entgegen. »Und wie lange sie sie festhalten können.«

Wir benutzten eine der Decken von Darrows Bett als weiße Flagge.

Mir war nach Weinen zumute.

Die halbe Nacht hindurch marschierten die besiegten Ligatruppen unter schwerer Bewachung zu einem anderen Stützpunkt. Dort wurden wir auf Lastwagen verladen und in die Nacht davongefahren. Zehn Stunden nach dem letzten Schuß erreichten wir eine Einrichtung, die anscheinend früher ein ziviles Gefängnis der untersten Sicherheitsstufe gewesen war. Ich fragte mich, ob die Hüter die finnischen Kriminellen auf die Bevölkerung losgelassen oder einfach erschossen hatten. Die Hüter verteilten uns zu jeweils zweien auf die Zellen und sammelten die Erkennungsmarken ein. Ich hatte natürlich keine. Sie wollten wissen, wie ich hieß, und ich sah keinen Sinn darin, einen falschen Namen anzugeben. Ich hoffte, daß George Prigot geistesgegenwärtig genug gewesen war, seine Marke wegzuwerfen und sich einen Decknamen zu geben. Ich kam zusammen mit Krabnowski in eine Zelle. Er war recht freundlich, aber trotzdem fühlte ich mich sehr, sehr allein.

Der vorherige Tag hatte einen zweifelhaften Erfolg mit sich gebracht. Die Ligasoldaten waren eingetroffen und hatten einen feindlichen Stützpunkt dem Erdboden gleichgemacht, aber auf beiden Seiten waren Menschen gefallen, und kein Tag, der in einem Gefängnis endet, ist gänzlich als Erfolg zu werten.

Wir waren gerade eine Stunde dort, als ein geschniegelter Stabsunteroffizier unsere Zellentür öffnete und brüllte: »Larson! Mitkommen!«

»Was für ein Glück. Bis später, Krab.«

»Viel Glück, Fregattenkapitän.«

Vor unserer Zellentür gesellte sich ein mürrischer Gefreiter zu dem Stabsunteroffizier. Die beiden führten mich in einen Raum, der aussah, als wäre er einmal das Besucherzimmer des Gefängnisses gewesen — groß und von einer Glaswand in zwei Hälften geteilt. Die ursprüngliche Einrichtung war vollständig entfernt worden. Auf meiner Seite der Scheibe stand nur ein kahler Holzstuhl in grellem Scheinwerferlicht. Der übrige Raum auf dieser Seite lag im Dunkeln.

Ein seltsames Gerät mit etlichen Sonden stand in einer Ecke. Es ähnelte vage einer umgedrehten, zwei Meter langen Spinne auf Rändern, genau die Art von Apparat, die die Hüter lieber im Dunkeln verstecken.

Auf der anderen Seite der Glaswand sah ich nur zwei Silhouetten vor dem Hintergrund weiterer Scheinwerfer, die in meine

Richtung strahlten. Ich wurde auf den Stuhl gedrückt und ziemlich nachlässig darauf festgebunden.

»Kommen wir gleich zur Sache, Larson.« Die flache, blecherne Stimme kam aus einem Lautsprecher an der Decke. Geblendet von den Scheinwerfern, konnte ich nicht einmal erkennen, welche der Silhouetten die Unterredung führte. »Vor ein paar Tagen erhielten wir Berichte des Inhalts, ein Jefferson Darrow wollte heute eine Art Demonstration auf der Basis Demeter durchführen. Ein Oberst Bradhurst vom Nachrichtendienst arbeitete an der Theorie, Sie wären Darrow, und Sie entsprechen seiner Beschreibung auch so gut, daß wir uns nicht mal mit Fingerabdrücken aufhalten werden. Wir stellen Ihnen jetzt ein paar Fragen, und wir werden die Antworten erhalten. Wie sind die Ligasoldaten hergekommen, und um wie viele handelt es sich?«

»Terrance MacKenzie Larson, Fregattenkapitän der Marine der Republik Kennedy, vier neun sieben acht zwei fünf vier.«

Er seufzte. »Lassen Sie die Spielchen. Wir halten uns nicht an Ihre Regeln. Und wenn Sie auf einen altertümlichen Schwachsinn wie die Genfer Konvention abzielen, so glaube ich mich zu erinnern, daß zu Zeiten, als man sie noch ernstnahm, ein Soldat, der ohne Uniform gefangengenommen wurde, rechtlich als Spion galt. Man hielt es für angemessen, ihn zu erschießen.«

Die zweite Silhouette mischte sich ein. Sie klang müde, mitfühlend, freundlich. »Fregattenkapitän, seien wir doch vernünftig. Name, Rang und Identifikationsnummer kennen wir inzwischen. Sie und ich, wir wissen doch beide, daß wir Möglichkeiten haben, an die Antworten zu kommen, und ich versichere Ihnen, daß wir uns nicht damit aufhalten werden, es angenehm für Sie zu machen. Also: Wie viele Soldaten sind es, und woher kommen sie?«

»Terrance MacKenzie . . .«

»Ja, ja, wir verstehen das schon«, meldete sich die erste Stimme wieder. »Schalten Sie bitte das Heldenprogramm ab. Wenn ich es mache, werden Sie sich zehn Minuten später wünschen, Sie *wären* als Spion erschossen worden.«

Ich antwortete nicht. Ich war zu verstört.

»Ihre letzte Chance, Fregattenkapitän.«

Ich sagte nichts. »Okay. Starten wir das Experiment. Stabsunteroffizier, wären Sie so freundlich?«

Ich hörte ein paar deutliche Geräusche hinter mir, und auf einmal stach mich eine Nadel ins Hinterteil.

Nach wenigen Sekunden schwamm mir der Kopf und konnte ich nichts mehr klar ins Auge fassen.

Die RK-Marine hatte großen Wert darauf gelegt, uns beizubringen, wie man Verhören widerstand. Man hatte uns Fähnrichen sogar richtige Wahrheitsseren verabreicht und gezeigt, wie man sich ihnen widersetzte, und ich betete jetzt darum, daß ich mich an die Lektion erinnerte.

Schon als die Wirkung der Droge einsetzte, begann ich sie zu meiner Verteidigung zu nutzen. Eine ›Wahrheitsdroge‹ macht den Betroffenen nicht aufrichtiger, sondern nur gesprächiger, teilnahmsloser, offener gegenüber Suggestionen. Also wies ich mich selbst an, teilnahmslos zu sein und die Außenwelt zu ignorieren, niemandem zuzuhören, ja überhaupt nichts zu hören. Für die Dauer des Verhörs versuchte ich mich vollständig abzuschotten. Ich spürte, wie die Droge mich hilflos machte und unternahm einen letzten Versuch, die Wahrheit hinter den Träumen und dem verwickelten Netz der freien Assoziationen zu verbergen, das mein Hirn konstruierte.

Der Lehrer forderte mich auf, die Präambel der Verfassung von Kennedy aufzusagen, ich scharrte mit den Füßen und begann, aber was ich sagte, war falsch . . .

›Sie sind alt, Vater William‹, sagte der junge Mann,
›Und Ihr Haar ist schon ganz weiß.
Trotzdem machen Sie fortwährend Kopfstand −
Halten Sie das in Ihrem Alter für richtig . . .‹

Die Klasse brach in Gelächter und Buhrufe aus, und der Lehrer, der auf einmal eine graue Uniform trug, schlug mich heftig . . .

. . . Meine Lippen waren trocken und rissig. Jemand wollte mir ein Rätsel aufgeben, aber sie nannten immer wieder die Antworten und verlangten, daß ich mit der Frage antwortete. »Wie viele Menschen passen in einen Koffer?« Aber so sehr ich mich auch bemühte, ich kam einfach nicht darauf.

. . . Ich glaubte zunächst, die Welt hätte sich vergrößert, aber dann fiel mir ein, daß ich ja ein Kind war. Ich folgte den langen Korridoren des Krankenhauses, in dem Mom und Dad als Ärzte arbeiteten, und suchte sie. Ich fragte mich, warum alle Betten leer waren, denn vorher hatten darin überall Kranke gelegen. Ich faßte mir ans Gesicht — ich trug eine Chirurgenmaske. Niemand konnte mich so erkennen. Ich fühlte mich gut dabei. Niemand, den ich nicht leiden konnte, würde mich hinter dieser Maske erkennen! Ich ging immer weiter, stieg in dem leeren Krankenhaus die Treppen hinauf und hinunter, entdeckte aber nirgendwo eine Menschenseele. Ich wurde müde und setzte mich schließlich in eine Ecke, um zu weinen. Nach einer Weile hörte ich abgehackte, knallende Schritte näher kommen. Ich blickte auf und sah einen häßlichen, alten Mann in grauer Uniform. Ich bekam solche Angst, daß ich versuchte, ihn wegzuwünschen. Er verwandelte sich in eine hübsche Krankenschwester, und ich sah, daß es Joslyn war, die zu mir trat und mir sagte, ich müßte nur ruhig bleiben und dürfte nichts verraten, dann wäre alles in Ordnung . . .

. . . Aber wo steckten Mom und Dad?

Ich saß auf dem Schleudersitz und wartete darauf, daß das Ding endlich startete, damit ich aussteigen konnte, wenn das schon auf andere Weise nicht möglich war. Sollte doch der nächste Auszubildende sich daraufsetzen! In der Kontrollkabine schienen sie jedoch Probleme mit der Technik zu haben und rollten jetzt irgendeinen großen Testapparat herein. In diesem Augenblick war mir klar, daß ich den größten Teil des Tages hier verbringen würde, und ich hörte auf, mich zu beschweren. Ich preßte die Lippen zusammen und wartete einfach ab. Ich wollte die Hand ausstrecken und den Interkom abschalten, aber meine Arme klebten an dem gottverdammten Schleudersitz fest . . .

. . . Sitz? Die scharfen Umrisse der verglasten Kontrollkabine verschoben sich und verschwammen. Der Schleudersitz veränderte die Form. Er war jetzt ein Holzstuhl, auf dem man mich festgebunden hatte. Nur der Testapparat blieb gleich, und ich erkannte das Spinnending auf Rädern wieder, das in einer Ecke des Verhörzimmers gestanden hatte. Die Arme des Gerätes entfalteten sich und wurden rings um meinen Kopf plaziert. Am Ende jeden Armes saß eine stumpfe Sonde, die einen roten Lichtstrahl auf meinen Kopf richtete. Ich hatte mörderische Kopfschmerzen, und die Nase war voller Schleim und Blut.

Ein Mann mit Tränensäcken unter den Augen, ungekämmten Haaren und zerknitterter Uniform sah den Technikern zu, während sie an dem Apparat herumhantierten. Er sagte etwas, und ich erkannte die Stimme des zweiten Verhörführers wieder. »Sieht so aus, als würden Sie uns eine lange Nacht bescheren.« Er deutete mit dem Kopf auf die Spinnenmaschine. »Während Sie wieder zu sich kamen, haben wir ein sehr kleines, ja eigentlich mikroskopisches Gerät in Ihren Kreislauf injiziert. Es fuhr in Ihr Gehirn hinauf, und diese Sonden dienen dazu, es *exakt* an die Stelle zu führen, wo wir es haben wollen. Oh, machen Sie sich keine Sorgen; das Ding ist klein genug, um durch schier jede Ader zu gelangen, und löst sich in etwa neunzehn Stunden völlig auf. Ein physischer Hirnschaden tritt nicht ein. Andererseits werden Sie die nächsten Stunden aber auch nicht gerade genießen. Sie haben doch bestimmt schon mal von direkter Hirnstimulation gehört? Nun, wir haben diese Technik ein bißchen verfeinert.«

Er wandte mir den Rücken zu und ging weg.

Einen Augenblick später war er schon wieder bei seinem Partner hinter der Glasscheibe. Die erste Stimme drang wieder aus dem Lautsprecher, schwer vor Erschöpfung und Verärgerung. »Ich versichere Ihnen, daß Sie uns in einer Minute anflehen werden, unsere Fragen beantworten zu dürfen — aber vielleicht wird es Ihnen ein wenig schwerfallen, uns das klarzumachen.«

»Er sagt die Wahrheit, Fregattenkapitän, Bevor wir also fortfahren, wiederhole ich die Frage: Woher kommen die Soldaten?«

»Terrance Mac . . .« Die Welt explodierte.

Meine Hände und Augen und mein Gehirn standen in lodernden Flammen. Die Welt bestand aus Schmerz und Feuer. Brände tobten durch den Raum und erzeugten dichten, stinkenden Qualm. Die starr in Habachtstellung verharrenden Posten brannten lichterloh, und Flammenzungen leckten über ihre Uniformen.

Ich blickte an mir herab und sah, daß meine Brust brannte, und der Gestank von geröstetem Fleisch drang mir ins Bewußtsein. Meine *Augen* brannten und brannten, und ich spürte, wie die Lider von der furchtbaren, sengenden Hitze verzehrt wurden . . .

Dann war es vorbei.

Mein Schreien verstummte, ohne daß mir bewußt geworden war, wann ich überhaupt damit angefangen hatte. Wimmernd sackte ich in mir zusammen. Ich war unversehrt. Körperlich zumindest.

»Was wir einmal getan haben, können wir beliebig oft wiederholen. Das Gerät in Ihrem Gehirn wurde sorgfältig dort plaziert, wo es den Bereich stimulieren kann, der Ihnen das Gefühl von *Feuer* und *Schmerz* vermittelt.« Ein mörderisches Vergnügen schwang in der Stimme des ersten Mannes mit. »Sagen Sie uns, was wir wissen möchten, oder Sie werden brennen und brennen, bis Sie sich wünschen, das Feuer wäre echt, um Sie zu töten und damit den Schmerz zu beenden. Aber er kann nicht enden, niemals, es sei denn, Sie antworten uns. Woher kommen die Soldaten?«

Vielleicht hätte ich ja geantwortet, wäre ich in der Lage gewesen, auch nur ein Wort hervorzubringen. Statt dessen herrschte Schweigen.

Und dann brannte ich wieder.

Es hätte nicht mehr so schlimm sein sollen, jetzt, wo ich wußte, was ich zu erwarten hatte, aber es war schlimmer — viel, viel schlimmer.

Meine Eingeweide standen in Flammen. Ich spürte richtig,

wie Herz, Lungen, Gedärme und Magen unter der Hitze zu Asche wurden.

Meine Beine waren der Inbegriff brennender Qual, pulsierende Schäfte eines Schmerzes, der eigentlich mit dem Tod hätte enden müssen.

Im Schädel tobten die Flammen und verwandelten Gehirn und Augen in schwarze Asche, die weiterschwelte, als schon nichts mehr hätte übrig sein dürfen . . . Dann war es vorbei. Die Fragesteller mußten etwas gesagt haben, aber ich verstand sie nicht. Mein Hirn raste brennend vor Entsetzen, erfüllt von einem Gedanken: zu fliehen, zu überleben! Aber ich war ja an den Stuhl gefesselt . . .

Und erneut geriet die Welt in Brand. Die Qual verlieh mir eine irrsinnige Kraft, und unter krampfhaften Zuckungen riß ich den Stuhl in Stücke. Die Knoten, die mich gehalten hatten, lösten sich, und ich sprang brüllend auf.

Ich stolperte und fiel hin und landete auf den Händen, oder auf dem, was dem Eindruck der Schmerzen nach hätten verkohlte Stümpfe sein müssen, und der Aufprall bedeutete neuen und heftigen Schmerz.

Ich schrie, ich kreischte, ich brüllte und ächzte in einem fort, ohne innezuhalten und Luft zu schöpfen.

Ich richtete mich auf und erblickte die Wachtposten, brennende Zwillingstürme, die sich langsam, ganz langsam auf mich zubewegten.

Haßerfüllt, knurrend wie ein Tier, sprang ich sie an, packte den ersten am Hals und riß daran, und sein Genick brach unter der Kraft meines Irrsinns. Ich entriß dem Toten den Laser und feuerte damit in einem fort auf den zweiten Mann, während er schon stürzte, denn ich wollte sicherstellen, daß wenigstens etwas hier wirklich und wahrhaftig brannte.

Zwei Granaten an seinem Gürtelclip detonierten, schleuderten seine Überreste an die Decke und rissen den Fußboden auf.

Ich drehte mich um und schoß durch die Glasscheibe. Die beiden Männer, die das Verhör geführt hatten, warfen sich zu Boden, aber ich schickte ihnen den Laserstrahl hinterher, der dabei einen Verteilerkasten durchschnitt. Die Lampen, die ich inmitten der überall tobenden Flammen nur noch matt erblickte, flackerten auf und erloschen.

Die Waffe fest im Griff, stolperte ich durch die Tür, durch die man mich hereingeführt hatte, und stieß auf einen weiteren, brennenden Soldaten. Er starb gleich dort, wo er stand. Ich riß ihm den Laser aus dem Halfter und die Granaten vom Gürtel, wobei ich mich darüber wunderte, daß sie in meinen brennenden Händen nicht detonierten.

Zwei weitere Posten tauchten auf, und ich streckte sie blindlings nieder.

Die Flammen loderten weiter und umhüllten alles, was ich sah oder spürte. Inzwischen war ich schweißgebadet, und sogar der *Schweiß* und die nassen Kleider brannten. Das Blut, das aus einem Schnitt an meiner Hand sickerte, stand ebenfalls in Flammen.

Schlingernd und brüllend stolperte ich den Korridor entlang, prallte immer wieder von der Wand ab, wußte kaum, was ich tat, und scherte mich auch nicht darum. Sobald sich etwas bewegte, schoß ich, ohne nachzusehen, ob ich auch getroffen hatte. Der Korridor wurde immer länger, ein scheußlicher Tunnel in brennenden Orange- und Rottönungen, fast wie die monströse Speiseröhre eines Ungeheuers aus der Hölle, das mich verschlungen hatte.

Etwas geriet mir in den Weg, hinderte mich am Weiterkommen. Die Tür des Zellenblocks, erkannte ich. Zuerst überlegte ich mir, sie mit einer Granate wegzusprengen, doch dann fiel mir gerade noch rechtzeitig ein, daß ich mich damit selbst getötet hätte.

Ich mußte hinaus, ich mußte entkommen! Der Laser fiel mir wieder ein, und ich durchschnitt damit sauber das Schloß. Die Tür schwang auf. Ein brennender Posten stand auf der anderen Seite und griff nach seiner Waffe. Ich streckte ihn mit meiner nieder. Vor mir sah ich wieder eine Tür. Sie aufbrennen wie die anderen? Aber sie brannte ja bereits. Doch vielleicht war das der Weg nach draußen! Ich mußte hinaus! Ich schnitt das Schloß durch.

»Heh, sind Sie verrückt? Jesus Christus, das ist ja der Typ, der bei uns war!«

»Egal! Er hat den verdammten Zellenblock geknackt!«

Sie kamen auf mich zu, und ich richtete die Waffe auf sie . . .

. . . und erhielt einen Schlag in den Nacken, und ging zu Boden, schmerzgekrümmt. Warum hörte er nicht auf? Ich verlor nicht sofort das Bewußtsein, versuchte mich aufzurichten, doch dann gab ich auf und überließ mich dem Schmerz. Es war zuviel — warum hörte er nicht auf, warum konnte ich nicht einfach *sterben*? Trotzdem vernahm ich weiterhin Stimmen; sie wollten nicht verstummen.

»Er hat die Waffen geröstet! Schnappt euch die Laser und die Granaten, und dann nichts wie raus hier!«

»Macht mal hier drüben auf!«

»Nimm doch die Schlüssel, du Idiot!«

»Los, los! Überall liegen tote Wachen! Sehen wir zu, daß wir wegkommen, solange der Stromausfall anhält!«

»Das ist Larson! Mein Gott, was haben sie mit ihm gemacht?«

Es war mir egal. Schmerz strengt an. Er läßt nicht nach, gönnt einem keine Ruhe. Ich zuckte und bebte am ganzen Körper. Jeder Muskel spannte sich. Ich konnte nicht ohnmächtig werden, aber ich konnte schlafen. Und träumen.

Von Feuer.

Ich erwachte mitten in einer kalten Nacht, der auf so herrliche Art jede Wärme abging. Meine Beine und Arme waren ein einziger Krampf, aber sie waren unversehrt und wunderbar kalt.

Ich wurde hochgehoben und getragen und an andere Hände weitergereicht. Es fiel gar nicht ins Gewicht, daß hinter mir Gewehre und Laser feuerten. Vorsichtig wurde ich auf die köstliche, durchdringende Kälte einer metallenen Lkw-Ladefläche gebettet.

Kapitel 10

»Ihr sollt ihn hinlegen, habe ich gesagt, nicht fallenlassen!«

»Nur keine Aufregung!«

»Er ist wieder am Zittern.«

Stimmen. Licht und Dunkelheit, zu unbestimmt, um es Sehen zu nennen. Wundgeriebene Haut. Müde, verspannte Muskeln. Durst.

»He, er hat die Augen bewegt! Ich denke, er kommt wieder zu sich.«

»Gut. Vielleicht kann ich ihm dann ein paar Fragen stellen.« Es war eine Stimme mit einem rauhen Akzent.

Sie sprachen über mich. Jemand hielt mir ein Glas Wasser an die Lippen, und ich trank zunächst mechanisch. Da kam mir der Durst erst richtig zu Bewußtsein, und ich schluckte das Wasser gierig hinunter.

»Genug für den Moment«, sagte die rauhe Stimme. Ein Arm in einem weißen Ärmel nahm das Glas weg. »Können Sie reden?«

»Ehhh — ja.«

»Gut. Wir gehen auch ganz langsam vor.«

»Was ist mit mir geschehen?«

Hinter dem Arm zeichnete sich verschwommen ein Gesicht ab. Rundherum drängten sich grüne und braune Uniformen mit grob umrissenen Gestalten darin. Sie scharrten mit den Füßen und betrachteten mich.

Ein Lächeln. »Das wollte ich Sie gerade fragen. Ich denke, unsere Freunde, die Hüter, haben mal wieder ihre Gehirnmaschine eingesetzt, nicht wahr?«

»Ja.« Das war es — sie hatten mich gezwungen, in einem fort an Feuer und Flammen zu denken. Ich brannte, das Feuer breitete sich im Bewußtsein aus, und ich biß mir die Lippen blutig, um das Feuer zu löschen und mich von dem Qualm und dem Gestank zu retten . . .

KLATSCH! »Aufhören!« KLATSCH! »Denken Sie nicht mehr daran! Das Gehirntransplantat wirkt wieder. Es hat sich zwar inzwischen aufgelöst, aber Menschen, die das Gleiche wie Sie durchgemacht haben, sind noch an der Erinnerung gestorben. Die Hüter zeigen ihren Opfern den Tod, und niemand kann sich den lange ansehen und dabei am Leben bleiben.«

Jemand gab mir eine Spritze in den Arm. »Ein Tranquilizer. Er wird Sie entspannen.« Ich holte tief und bebend Luft, nickte dann und versuchte an Kälte und Stille zu denken.

»Wenn Sie ihnen das heimzahlen möchten, müssen Sie sich zunächst ausruhen.« Wieder wurde mir ein Glas Wasser an die Lippen gehalten, und ich wollte danach greifen, aber ein Gurt hielt meinen Arm fest. »Entspannen Sie sich. Schlafen Sie. Sie haben es verdient. Später bringe ich Ihnen dann bei, wie Sie diese Erfahrung wieder vergessen können.«

Nach langem Schlaf erwachte ich und verspürte einen Bärenhunger. Es war Mittagszeit des langen neu-finnischen Tages, schloß ich aus dem Licht, das durch riesige Erkerfenster hereinfiel. Das Zimmer war in weiß und pastellgrün gehalten, durchflutet von goldenem Sonnenlicht, und vermittelte Ruhe, Geborgenheit und Wärme. Ich lag im Bett und dachte nach.

Dachte an zwei Dinge, eines davon sehr schön, das andere eine Folter. Es war fantastisch, die Verantwortung für fünftausend Menschenleben los zu sein. Sie waren hier und konnten für sich selbst sorgen. Ich hatte meine Aufgabe in diesem Krieg erledigt und konnte ihn den Profis überlassen.

Dennoch fühlte ich mich nicht wohl in meiner Haut. Ständig schwankte ich zwischen Erleichterung und Gewissensbissen hin und her.

Gestern hatte ich mindestens ein Dutzend Menschen getötet.

Irgendwo warteten Familien auf den Anruf, den Brief oder den uniformierten Besucher, der ihnen mitteilte, daß ihr Sohn oder Bruder tot war, getötet von einem Unbekannten.

Mir war klar geworden, warum niemand Soldat werden sollte.

Die Tür ging auf, und man brachte mir frischen, heißen Kaffee, Buttermilchpfannkuchen und Wurst. Dann erschien der

Arzt, der sich schon vorher um mich gekümmert hatte. »Einige Ihrer Kameraden sagten, sie kämen von demselben Planeten wie Sie. Sie haben Ihnen ein Frühstück gemacht, das Sie wahrscheinlich mögen. Eine ganze Menge, was?«

Es war wirklich eine Menge, aber das konnte mir nur recht sein.

Ich verschlang alles, was mir aufgetischt wurde. Es kam mir vor, als wären Monate vergangen, seit ich das letzte Mal etwas gegessen hatte, und mein Magen schien das aufholen zu wollen. Endlich bekam ich die letzte Wurst auf dem Teller zu fassen und lehnte mich zurück, eine Tasse mit dem besten Kaffee aller Planeten in der Hand.

»Fühlen Sie sich jetzt besser?«

»Phantastisch!«

»Gut. Halten Sie sich jetzt bereit, denn ich werde etwas tun, was Sie aus dem Gleichgewicht bringt und Ihnen angst macht.« Er holte ein Feuerzeug aus seiner Hosentasche. Es war aus mattiertem Silber, verziert und schwer. Er zog den Daumen zurück und zündete es.

Feuer!

Ich starrte fasziniert in die Flamme. Sie wechselte von einer freundlichen Gelbtönung zu grauenhaftem Rot und wuchs an. Sie befreite sich von dem winzigen Feuerzeug und leckte über die Zimmerdecke, ergoß sich über das Bettzeug und verbrannte mir die Beine und Arme . . .

KLATSCH!

Meine Wange schmerzte, und die Flammen auf der Bettdecke verschwanden so plötzlich wie die auf dem Feuerzeug. »Das, mein Freund, wird jedesmal passieren, wenn Sie eine Flamme oder ein Feuer irgendeiner Art sehen — Kerze, Lagerfeuer, Raketenzündung, vielleicht sogar Laserstrahlen oder die Sonne am Himmel. Die Hüter lieben es, Gedanken an Feuer zu induzieren. Vielleicht geht es wieder weg, vielleicht nicht. Die Hüter kümmern sich nicht mehr um die Leute, bei denen sie das Gehirnimplantat eingesetzt haben, denn die werden im allgemeinen wahnsinnig. Viele landen bei mir. Ihr General hat unsere Leute befragt und Sie dann hergebracht. Sie sind stark und gut ausgebildet, wie man mir berichtete, und sind der Folter relativ früh entkommen. Wenn wir Glück haben, ist es also nicht so schlimm. Hoffen wir darauf.

Es wird allerdings ein wenig dauern. Vielleicht einen Tag, vielleicht eine Woche oder einen Monat. Wenn Sie sich nicht die Zeit nehmen, bis ich Sie für geheilt erkläre, werden Sie sterben, und es wird der fürchterlichste Tod, den ich mir vorstellen kann. Sie ängstigen sich einfach zu Tode. Diejenigen, die nicht frühzeitig auf diese Weise umkamen, konnte ich heilen.

Wir werden Sie hypnotisieren. Legen Sie sich zurück, entspannen Sie sich und blicken Sie in das Sonnenlicht, das zum Fenster hereinfällt. Schauen Sie sich an, wie der Zweig des Baumes draußen es hüpfen und tanzen läßt, auf und nieder, auf und nieder . . .«

. . . »und jetzt kommen Sie wieder zu sich. Gut! Zum Glück sind Sie ein ausgesprochen kooperativer Patient. Morgen arbeiten wir weiter daran.« Der kleine Mann traf Anstalten zu gehen. An der Tür blieb er stehen, drehte sich um und zeigte ein beinahe scheues Lächeln. »Und nicht zu vergessen . . . danke für alles, was Sie für uns geleistet haben.«

An den folgenden drei Tagen fanden täglich zwei Sitzungen mit dem Arzt statt, und im Unterbewußtsein löste sich meine Seele allmählich aus dem Griff eines flammenfarbenen Monsters.

Darüber hinaus passierte kaum etwas. Ich hatte viel Zeit zum Nachdenken und vieles, worüber ich nachzudenken hatte.

Ich machte mir große Sorgen, die Hüter könnten Verstärkung erhalten. Die Invasion der Ligasoldaten hatte sie sicher schwer getroffen, und obendrein hatten die Finnen sich auf dem ganzen Planeten erhoben, vielerorts mit zumindest vorübergehenden Erfolgen. Der Feind hatte mit ihnen alle Hände voll zu tun. Die verstreuten Ligatruppen beteiligten sich an diversen Kommandoaktionen und erzielten dabei gute Ergebnisse, nach den Berichten zu urteilen, die wir erhielten.

Das alles würde in dem Augenblick zunichte gemacht, in

dem die Hüter Verstärkung erhielten, wir jedoch nicht. Wenn die Schiffsabwehrraketen in den Randbereichen des Systems aktiviert blieben und Neu-Finnland weiterhin vor seinen Verbündeten abschirmte, hatten wir verloren.

Das Umgekehrte traf ebenfalls zu: Wenn das Raketensystem ausgeschaltet wurde, hatten wir gewonnen. Wir wußten nicht viel über die Hüter, aber wie es schien, beherrschten sie nur zwei Sternensysteme − das von Neu-Finnland und das ihres Heimatplaneten Capital, wo immer er auch lag. Es konnte zu einem langen und blutigen Krieg kommen, aber wenn unsere Seite die Schiffsabwehrraketen knackte, konnte die Liga ihre im Vergleich gewaltigen Ressourcen einsetzen, und die Sache war schnell erledigt.

Das Raketensystem war der Schlüssel. Offenkundig wurde es von irgendeiner zentralen Befehlsstelle aus gesteuert, denn sonst hätten die unbemannten Geschosse nicht über die planmäßige Ankunft von Hüterschiffen informiert werden können. Sie mußten so programmiert sein, daß sie bestimmte Ziele *nicht* beschossen. Wenn Sie niemand umprogrammierte, würden sie sich auf alles stürzen, was sie entdeckten. Die Lichtgeschwindigkeit war nicht schnell genug für eine andere Art der Steuerung, denn wenn die Geschosse eine Stunde oder einen Tag lang auf ein Funksignal von der Basis hätten warten müssen, hätte das anvisierte Schiff Zeit gehabt, sie zu entdecken, sich gegen sie zu verteidigen, Abwehrmanöver einzuleiten oder einfach mit c^2 zu verschwinden.

Nein, wir mußten von einer hochempfindlichen, negativ programmierten Steuerung ausgehen, und das bedeutete, daß es eine zentrale Leitstelle geben mußte.

Sie einzunehmen, zu sichern und die Raketen abzuschalten bedeutete, den Krieg zu gewinnen.

Andernfalls war er verloren.

Er war sogar dann verloren, wenn wir die Leitstelle einfach vernichteten. Bestimmt waren die Hüter clever genug gewesen, alles so zu arrangieren, daß sie den Raketen auch von außerhalb des Sonnensystems Signale geben konnten. Auch wenn das Signal einen Monat brauchte, um die interstellare Leere zu überbrücken, konnten sie trotzdem das Eintreffen eines Schiffes mit einer Ersatzleitstelle entsprechend planen. Bis die Ersatzsteuerung einsatzbereit war, würden die Raketen sich weiterhin auf alles stürzen, was ohne Vorwarnung eintraf.

Ich war überzeugt, daß die Hüter keinesfalls nur einen Controller außerhalb des Systems hatten. Es mußte auch einer im System sein, damit die Möglichkeit bestand, sich gegen Blockaden, falsche Signale und Fehlfunktionen abzusichern. Soweit vertraute ich der eigenen Logik. Jetzt mußte ich nur noch herausfinden, wo sich die Leitstelle befand, und schon war das Kartenhaus fertig. Ich hoffte auf einen weiteren geistigen Höhenflug . . .

Höhenflug!

Vapaus. Die Leitstelle mußte auf Vapaus sein. Und das brachte Probleme mit sich, vielleicht sogar eine Katastrophe.

Ich suchte meine Hose und verließ das Krankenbett. Ich mußte mit Brigadegeneral Taylor sprechen. Der diensthabenden Schwester entkam ich erst nach einem kleineren Gefecht, und bei dem Gedanken an sie und ihre Kollegin, Schwester Tulkaas, fragte ich mich langsam, ob die Finnen nur weibliche Drachen im Pflegedienst beschäftigten.

Jemand hatte mir eine komplette RK-Armeeuniform ausgeliehen, die mir auch nicht schlechter paßte als die meisten Sachen, die ich mir borge. Zwanzig Minuten nachdem ich aus dem Haus des Arztes entwischt war, drehte ich bereits Däumchen vor Taylors Büro in einem requirierten Schulgebäude. Ich bekam langsam kalte Füße, denn die geliehene Hose reichte mir nicht übers Schienbein.

Schneller als ich erwartet hatte, wurde ich zum Brigadegeneral hineingeführt.

Nach einer kurzen Begrüßung kam ich zur Sache und erläuterte ihm meinen Gedankengang über Existenz und Art der Raketenleitstelle. Nichts davon war ihm neu. Das hatte ich auch nicht erwartet — schließlich bezahlte man ihn dafür, sich mit solchen Problemen auseinanderzusetzen, und er wies mich freundlich darauf hin, daß der Planungsstab schon auf diese Idee gekommen war, ehe die Ligasoldaten den Transmitter betreten hatten.

»Das dachte ich mir, Sir, aber es kann nicht schaden, sich diesbezüglich rückzuversichern.«

Er nickte höflich und nahm wieder die Papiere zur Hand, bei deren Bearbeitung ich ihn unterbrochen hatte. »War da noch etwas, Fregattenkapitän?«

»Na ja, Sir, ich weiß, wo diese Leitstelle zu finden ist. Oder wenigstens, wo sie eigentlich sein sollte.«

Damit gewann ich seine Aufmerksamkeit zurück. »Wo?«

»Auf Vapaus.«

»Ah ja. Warum?«

»Na ja, Sir, betrachten Sie es mal so: Wenn wir uns die Sache mit der Leitstelle richtig überlegt haben, bedeutet dies für die Hüter im Fall einer katastrophalen, aussichtslosen Situation, daß sie diese Leitstelle lediglich zu vernichten brauchen und sich dann zurücklehnen und auf Verstärkung warten können – und zwar nur auf eigene Verstärkung.«

»Und Vapaus ist ein wunderbar großes Ziel, das man von jeder bewohnten Stelle auf der Planetenoberfläche aus anpeilen kann. Selbst auf dem kleinsten Schiff findet eine Bombe Platz, mit der man Vapaus wie eine Eierschale knacken könnte. Clever!«

»Und noch etwas, Sir: Sie haben geplant, daß wir darauf kommen.«

»Wie?«

»Damit wir nicht in Versuchung geraten, Vapaus einzunehmen. Falls wir das täten, würde das den Tod von viertausend Menschen bedeuten.«

»Mein lieber Junge, wir *haben* Vapaus bereits eingenommen! Die Einwohner überwältigten die dortige Garnison noch am Tag unseres Eintreffens. Sie waren schon lange darauf vorbereitet, und nur die Furcht vor einer Rückeroberung durch die Hüter hat sie davon abgehalten. Als überall auf dem Planeten die Hölle ausbrach, entschieden die Anführer auf Vapaus jedoch, das Risiko wäre jetzt gering genug, um einen Versuch zu wagen. Soweit ich es verstanden habe, bestand das größte Problem der Finnen darin, die Gefangenen am Leben zu halten. Die Posten wandten sich im allgemeinen ab, wenn Lynchmobs erschienen.«

»Dann möchte ich respektvoll darauf hinweisen, daß sowohl Vapaus als auch unsere einzige Siegeschance in höchster Gefahr schweben! In dem Augenblick, in dem ein Befehlshaber der Hüter den Eindruck gewinnt, seine Seite stünde mit dem Rücken zur Wand, wird er Vapaus vernichten.«

Taylor wurde nachdenklich. »Wenn Sie recht haben, bleibt uns keine andere Chance mehr, als jedes Aerospace-Feld des Feindes auszuschalten, ehe sie dazu kommen, einen Angriff zu starten.« »Während wir gleichzeitig Vapaus signalisieren, mit äußerster Vorsicht nach der Leitstelle zu suchen. Sie hätte ohne weiteres in einem Besenschrank Platz.«

»Stimmt. Fregattenkapitän, mein Respekt vor dem Planetenliga-Erkundungsdienst ist gerade wieder um Punkte gestiegen. Ich denke, ich setze meinen Stab lieber gleich an die Arbeit.«

»Ich könnte mich irren, Sir.«

»Ja, das könnten Sie, aber ich wäre ein verdammter Idiot, wenn ich davon ausginge. Sie haben bislang ein bemerkenswertes Überlebenstalent erwiesen, Fregattenkapitän, was entweder Glück oder klares Denken oder beides erfordert. Ich glaube eher an Ihren Verstand. Wenn Sie den Weg hinaus allein finden, fange ich gleich an, mir ein paar Gedanken zu machen.«

Als ich ging, sah ich noch, wie er seine Pfeife hervorholte.

Taylor war ein guter Befehlshaber, soviel hatte er bei der Evakuierung der Basis Demeter schon bewiesen. Er hatte das erste Bataillon der fünfundsiebzigsten Infanterie ausgewählt, um den Rückzug der übrigen Streitkräfte zu decken, und die fünfundsiebzigste war als leicht bewaffnete Truppe wie auch als Rangereinheit hervorragend dazu ausgebildet, individuelle Initiative zu entfalten und eigenständig zu handeln. Ich denke, Taylor hatte damit gerechnet, daß die fünfundsiebzigste in Gefangenschaft geriet und sich selbst wieder daraus befreite.

Die Schnelligkeit, mit der sie meinen ziemlich ungeplanten Angriff ausgenutzt hatte, war der Beweis für die ausgezeichnete Vorbereitung. Zehn Minuten nachdem ich die Zellentür aufgebrannt hatte, waren die Soldaten bereits damit beschäftigt gewesen, Lastwagen zu stehlen und ihre letzten Kameraden zu befreien.

Nach weiteren vier Stunden gut geplanter Überfälle auf den Nachschub der Hüter und Unterstützung durch die Finnen war die fünfundsiebzigste bereits wieder fast vollständig ausgerüstet, und das alles geschah so leise, daß unsere Basis dem Feind nach wie vor unbekannt war.

Taylors Stab bewies nun rasch, daß er nicht weniger gut war als sein Leiter. Die Finnen hatten ein gutes Agentennetz aufgezogen, und Taylors Leute nutzten es wirkungsvoll.

Die ersten Informationen, die wir erhielten, klangen sehr gut. Gegenwärtig verfügten die Hüter über lediglich einen Stützpunkt, von dem aus sie ein Schiff nach Vapaus starten konnten: Basis Talon, der das Oberkommando der Liga den Codenamen Hades gegeben hatte. Bei allen anderen Aerospace-Stützpunkten, die beim Eintreffen der Ligatruppen einsatzfähig gewesen waren, handelte es sich um kleine Flugfelder, kaum mehr als freie Flächen mit Treibstofftanks. Diese Anlagen hatten einfach dadurch ausgeschaltet werden können, daß die Tanks hochgejagt oder Krater in die Startbahnen gesprengt wurden. Ein paar waren früher Zivilflughäfen gewesen, und einen oder zwei davon hatten wir erobert. Trotzdem verfügte der Feind weiterhin über gute Boden-Luft-Raketen und stark befestigte Flugplätze, auf denen jedoch nur Flugzeuge landen konnten, keine Raumschiffe. Ein paar Schiffe der Finnen waren abgeschossen worden, deshalb hatten unsere Freunde die Raumfahrt im Augenblick eingestellt.

Unglücklicherweise machte Hades das, was den Hütern zahlenmäßig an Flugplätzen abging, durch seine Stärke und Größe wieder wett. Der Stützpunkt war riesig und durch umfangreiche Verteidigungsanlagen gesichert. Ohne zu wissen, warum sich die Liga für Hades interessierte, waren die Finnen bereit, die Sache mit anzugehen. Denn wenn die auf Hades stationierte Jäger- und Luftabwehr ausgeschaltet werden konnte, beherrschten die Finnen wieder den Luftraum des eigenen Planeten und konnten sichere Orbitalraumfahrt betreiben.

Die Ligatruppen und die Finnen hatten zumindest eine faire

Chance, Hades außer Gefecht zu setzen. Es gab allerdings ein paar Probleme. Unsere Soldaten waren weit verstreut und mußten erst zusammengezogen werden, und das in aller Heimlichkeit. Wir mußten uns auf schwere Verluste einstellen. Trotzdem sollte es möglich sein, Hades einen verheerenden Schlag zu versetzen. Und wenn die Liga und die Finnen erst Vapaus und den Luftraum kontrollierten, war der Krieg auf dem Boden auch schnell gewonnen. Es stand noch eine große Zahl von Hüterstreitkräften da draußen bereit, viele davon in recht guter Verfassung, aber wenn wir den Weltraum und die Luft beherrschten, hatten sie keine Chance mehr.

Es sah so aus, als wäre ein Schlag gegen Hades der richtige Weg, um den Krieg zu gewinnen, selbst wenn die Raketenleitstelle nicht existierte. Taylor überlegte es sich anders und entschied, niemanden über unsere Theorien zur Leitstelle zu informieren. Zu viele Spione, zu viele Lauscher bei der Kommunikation.

An der Wand des Schulzimmers, das Taylor als HQ benutzte, hing eine Karte des Planeten, und ich bekam allmählich eine Vorstellung von der geographischen Lage. Abgesehen von großen Landmassen an den beiden Polen konzentrierten sich Neu-Finnlands Landflächen fast ganz auf die westliche Hemisphäre. Dort lagen drei kleine Kontinente, größtenteils nördlich des Äquators. Nur der größte der drei erstreckte sich über den Äquator hinweg.

In geologischen Zeitaltern gemessen hatten sich diese drei Landmassen erst in der jüngsten Vergangenheit geteilt und lagen daher noch dicht beieinander, von schmalen, aber tiefen Kanälen getrennt. Die Küstenlinien waren rauh und wiesen zahlreiche schöne Buchten auf.

Der kleinste, am dünnsten besiedelte dieser Kontinente war Neu-Lappland. Er lag hoch im Norden.

Sowohl Hades als auch die Ligastreitkräfte befanden sich auf dem größten und am stärksten bevölkerten Kontinent, Karelien; der dritte hieß Kuusamo.

Karelien beherbergte die größten Städte und wahrscheinlich neunzig Prozent der Bevölkerung. Um die Bevölkerung ausreichend unter Kontrolle zu halten, hatten die Hüter hier auch ihre größten Stützpunkte angelegt. Die Städte lagen fast alle an der Küste, die Stützpunkte der Hüter dagegen im Binnenland, um die Soldaten vor feindlichen Einflüssen zu schützen und um die Transportwege zu Lande und in der Luft zu beherrschen.

Das Gelände in Karelien war rauh, hügelig und größtenteils bewaldet; man konnte hier nur schwer Straßen anlegen. Vor dem Krieg war der Luftverkehr sehr wichtig gewesen. Den Luftraum beherrschten jetzt die Hüter, aber sie waren nicht weit genug verteilt, um die Straßen wirkungsvoll überwachen zu können. Zusätzlich wurde das durch den dichten Wald erschwert, so hofften wir zumindest.

Wir trugen Informationen über die restlichen Ligatruppen zusammen. Nadeln tauchten auf der Karte auf und markierten die entsprechenden Positionen. Ein Muster zeichnete sich ab, ein ungleichmäßiger Kreis mit den Ruinen der Basis Demeter im Mittelpunkt. Finnen und Ligatruppen hatten sich auf der ganzen Karte verteilt, auf allen drei Kontinenten und nahegelegenen Inseln. Wir waren ziemlich verstreut, daran gab es keinen Zweifel.

Taylors Stab bestimmte die Gruppen, die besser verschoben werden sollten, diejenigen, die am besten an Ort und Stelle eingesetzt werden konnten, und die, welche am Sturm auf Hades teilnehmen sollten. Viele Truppenteile sowohl der Finnen wie der Liga, die eigentlich dabei sehr nützlich gewesen wären, mußten bleiben, wo sie waren, weil sie einfach nicht rechtzeitig hingeschafft werden konnten.

Vom Tempo hing alles ab. Laut Bayets Auskunft benötigte ihre fünfundsiebzigste Infanterie noch drei Tage, bis sie wieder voll ausgerüstet war, und weitere drei Nächte für den Marsch nach Hades.

Taylor nahm diese sechs Tage als Maßstab. Jeder, der es in sechs Tagen bis vor die Tore von Hades schaffen konnte, allein oder tausend Mann stark, erhielt den Marschbefehl.

Die Überraschung sollte unser größter Trumpf werden. Die Vorbereitungen mußten rasch und im verborgenen durchgeführt werden. Wir mußten die Hüter erwischen, ehe sie sich zu einem Angriff auf Vapaus entschlossen.

Die Tage schleppten sich in einem Geflecht undurchschaubarer Entscheidungen dahin, die meist völlig unverständlich waren. Eine Vermutung baute auf der anderen auf, logische Folgerungen verwandelten sich in willkürliche Überlegungen, und schiere Erschöpfung ließ klare Gedanken zu einer Seltenheit werden.

Aber Stück für Stück brachten Taylor und sein Stab Licht ins Dunkel und konnten präzisieren, wo jedermann steckte, wann er von dort aufbrechen sollte, mit welchem Transportmittel er sich fortbewegen sollte und welche Stelle von Hades er anzugreifen hatte.

Am Ende des zweiten Tages nach meinem Gespräch mit Taylor war die Beleuchtung in dem kleinen Klassenzimmer heruntergeschaltet. Der Boden war mit Papieren übersät, die Luft erfüllt von dem Geruch zu vieler Menschen, die zuviel Kaffee tranken. Aber abgesehen von einem Feldwebel, der auf einem Stuhl schlief, und gelegentlich Kurieren, die irgendeinen verlegten Zettel suchten, war der Raum leer.

Die Karte von Hades, die uns der finnische Nachrichtendienst um den Preis des Lebens tapferer Menschen beschafft hatte, war mit Plastikmarkern von unterschiedlicher Form und Größe bedeckt sowie mit breiten Filzstiftlinien, die direkt ins Herz des Stützpunktes wiesen.

Fünfzig Soldaten sollten die Energiezentrale einnehmen...

Zwanzig Soldaten sollten die Umzäunung zwischen Position fünfhundert und sechshundertzehn aufschneiden...

Einhundert Soldaten sollten sich mit tragbaren Flugabwehrwaffen für die nächsten zehn Stunden bereithalten...

Zweihundertfünfzig Soldaten sollten die Orbitalmaschinen suchen und zerstören...

Geschätzte Gesamtzahl der finnischen und Ligatruppen: viertausenddreihundert. Geschätzte Gesamtzahl der feindlichen Streitkräfte: sechstausend.

Ein zufälliger Windstoß fegte durch ein offenes Fenster herein und blies einige der Marker von der Karte. Sie fielen klappernd zu Boden.

Kapitel 11

Taylor wußte nicht, wo er mich einsetzen sollte. Er fragte mich nach meinen Wünschen, und ich antwortete: »Scout.«

Er gab das an seinen Adjutanten weiter, und der Adjutant teilte mir mit: »Team Fünf.« Ich meldete mich im Einsatzzelt, und man forderte mich auf zu warten. Team Fünf würde sich wohl bald einfinden. Wie sich herausstellte, handelte es sich dabei um Krabnowski mit drei Kameraden.

»Morgen, Fregattenkapitän, Sir. Hab' gerade vom HQ erfahren, daß Sie bei uns mitmachen.«

»Hallo Krab, nennen Sie mich doch Mac. Ich weiß ohnehin nicht, was Marineränge für Sie bedeuten. Ich schätze, Sie sind Team Fünf?«

Krab sah überrascht aus. »Ja. Heh, Bob, Goldie, Joan, das ist Fregattenkapitän Mac.«

Bob musterte mich mit verschlafenen Augen unter buschigen, schwarzen Brauen. »So?«

»Hi, Mac«, sagte Goldie. Sie war kurz und stämmig und sah sogar in einer US-Armeeuniform blendend aus. Ihre Augen waren groß, und von einem klaren Blau, ungeschminkt, das war auch gar nicht nötig. Die Haarfarbe war ein warmes Honigblond. Sie hatte eine üppige Oberweite, eine schmale Taille und ansehnliche Hüften.

Joan fiel auf den ersten Blick vielleicht weniger auf, aber bei genauerem Hinsehen erwies sie sich als Schönheit, während Goldie lediglich hübsch war – groß, schlank, kühl, kurzgeschnittenes braunes Haar. Ihre grauen, stillen Augen lagen über hohen Wangenknochen.

»Hi, Mac«, sagte sie. »Das ist eine Gefreitenuniform. Wieso nennt Krab Sie ›Fregattenkapitän‹?«

»Weil ich Fregattenkapitän bin. RK-Marine, aber niemand hat eine Marineuniform für mich mitgebracht.«

»Und man kann schlecht nur Unterwäsche tragen, während man die bösen Jungs niederschießt«, warf Krab ein.

Die anderen drei wirkten auf einmal beunruhigt. »Oh! Sir, Sie sind ein *echter* Offizier?« fragte Goldie.

»Ziemlich echt, ja.«

»O Mann! Sir! Tut mir leid, das mit dem ›Hi, Mac‹, aber man gewöhnt es sich an, auf die Rangabzeichen zu reagieren, Sir.«

»Schon in Ordnung. Ich werde mich nicht so sehr aufs Befehlen verlegen. Ich bin eher als Mitfahrer dabei.«

»Na ja, okay, Sir«, meinte Goldie.

»Mac.«

»Mac, Sir.«

»Lassen Sie den Sir weg.«

Goldie wandte sich an Krabnowski. »Warum hast du uns nicht gesagt, daß es sich bei dem Neuen um einen Offizier handelt?«

»Dachte mir, ihr hättet auch soviel Grips wie ich und würdet ihn erkennen«, antwortete Krab.

Goldie musterte mich intensiv. Sie dachte sich Schmutz und Dreitagebart weg, und da ging ihr ein Licht auf. »Sie sind Fregattenkapitän *Larson*! Terrance MacKenzie Larson! Der Mann, der uns hergeholt hat!«

»Das stimmt.«

Joan pfiff und stieß Krab in die Rippen. »Krab, wie schaffst du es nur immer wieder, dir ganz oben Freunde zu machen?«

»Charme, Gefreite. Ganz einfach Charme.«

»Und *Sie* waren es auch, der uns rausgeholt hat und dem man das Gehirnimplantat eingesetzt hat.«

»Mann, dafür werden wir den Hütern echt einheizen, diesen Scheißkerlen«, meinte Goldie.

»Dann gehen wir mal mit dieser Show auf Tour und verschaffen Ihnen Gelegenheit dazu.«

»Der Wagen wartet draußen.«

Zehn Minuten später winkten uns die MPs und der finnische Stadtpolizist durch das Tor.

Eine dünne Schicht Pulverschnee bedeckte das Land, als wir die Stadt hinter uns ließen. Alles war weiß und still.

Unser Auftrag lautete schlicht, nach Patrouillen und Einheiten der Hüter Ausschau zu halten, die möglicherweise den Vormarsch der Ligatruppen Richtung Hades entdecken könnten, sie, wenn möglich, zu stoppen oder wenigstens die zu warnen, die uns folgten.

Wir saßen dichtgedrängt in einem beschlagnahmten Wagen, auf dem mittschiffs ein schweres Maschinengewehr montiert war. Für fünf Personen war es relativ eng, besonders wenn Leute wie Krab und ich dabei waren, aber irgendwie ging es doch.

Etwas verwirrte mich schon seit einiger Zeit, und ich beschloß, einfach danach zu fragen. »Heh, Krab, vielleicht können Sie mir etwas erklären«, sagte ich. »Wieso haben Sie nicht alle möglichen tollen Sachen dabei? Scheint, als hätten die hohen Tiere Ihnen kein einziges Bonbon mit auf den Weg gegeben.«

»Es liegt nicht daran, daß sie uns ärgern wollten«, antwortete Krab. »Es war einfach ratsam. Ist Ihnen schon aufgefallen, was wir hier fahren?«

»Ein gestohlenes Hüterauto.«

»Richtig. Ein Auto. Kein Hovercraft oder irgendeine Supermaschine auf Spinnenbeinen. Ein Auto — eine hübsche, simple Maschine. Ein Motor in jeder Radnabe. Ein Batteriepack unter dem Rücksitz als Antriebsquelle. Die Hüter haben sich dasselbe überlegt wie wir.«

»Nämlich was?«

»Beide Armeen befinden sich am Ende wirklich langer Nachschublinien. Es geht um Lichtjahre. Also sollte dieser Jeep lieber einfach gestrickt sein, damit er notfalls mit minimalem Aufwand repariert werden kann. Obendrein ist er für diesen Job das ideale Gerät. Das Gelände ist uneben, und es geht mehr auf und ab als geradeaus. Ein Hovercraft würde schon an der ersten größeren Steigung scheitern. Außerdem sind Hovercrafts verdammt laut, mit Infrarot leicht zu erkennen und nicht sehr stabil — zum Beispiel werden sie von starkem Wind abgetrieben. Und wenn man mal schnell weg muß, kann es einen den Kopf kosten, daß es eine halbe Ewigkeit dauert, bis sich das Luftkissen aufgepumpt hat. Und sie sind *viel* komplizierter und anfälliger als Autos.«

»Okay, das klingt vernünftig, aber wieso haben sie euch mit dermaßen primitiven Waffen losgeschickt? Keine selbstlenkende Muni . . .«

»Selbstverfehlende Muni«, berichtigte mich Goldie. »Die Dinger suchen sich irgendein Ziel, nicht unbedingt eines, das Sie ausgesucht haben. Man sollte sich auch gar nicht erst an die Dinger gewöhnen, sonst vermißt man sie zu sehr, wenn einem der Vorrat ausgeht. Glauben Sie, irgend jemand hier könnte uns Ersatz herstellen, wenn wir alles verballert hätten? Abgesehen davon können unsere Standardwaffen solche Sachen eh nicht verfeuern.«

»Jetzt redest du schon wieder schlecht von LISA«, meinte Joan.

»Tue ich nicht!« gab Goldie zurück. »Es ist einfach eine Tatsache — sie kann keine selbstlenkende Muni verschießen.«

»Warten Sie eine Minute«, warf ich ein. »Was ist eine LISA?«

»Das hier«, sagte Bob und tätschelte den Schaft seines Gewehrs. »Die Liga-Standardausgabewaffe. LISA. Alle unsere Schützeneinheiten hier tragen sie.«

»Und wenn du darauf bestehst, dann rede ich auch schlecht von ihr«, verkündete Goldie heiter. »Bestehe meinetwegen auf zielsuchenden Geschossen, aber die LISA hat einfach eine viel zu niedrige Schußfrequenz. Nur achtzig Geschosse pro Minute im automatischen Modus.«

»Komm schon, bleib ernst, Goldie«, erwiderte Krab. Seine Stimme verriet, daß er mit dem Thema längst sattsam vertraut war. »Bei automatischem Feuer schießt man in neunundneunzig von einhundert Fällen sowieso nicht gezielt; vielmehr will man die andere Seite zwingen, in Deckung zu gehen, damit sie nicht auf *einen selbst* zielen kann. Wenn das Ding hier zweihundertundfünfzig Schüsse pro Minute abgeben würde, würden sich die Gegner auch nicht schneller ducken, sondern dir würde lediglich viermal schneller die Munition ausgehen — und möchtest du zusätzlich dein halbes Körpergewicht in Munition herumschleppen, nur um dann alles zu verballern?«

»Könnte man nicht einfach leichtere Munition herstellen?«
fragte ich.

»Wäre nicht sinnvoll. Vom Gewicht eines Geschosses hängen
schließlich Impuls, Reichweite, Präzision und Durchschlagkraft
ab. Es sollen doch schließlich hübsche, große Löcher entstehen,
wenn es etwas trifft«, erklärte Krab. »Leichtere Kugeln werden
vom Luftwiderstand gebremst und von Windstößen abgelenkt
– alles nicht so toll. Ich mag die LISA«, setzte er nachdenklich
hinzu. »Hübsche, einfache Mechanik. Kriegt keine Ladehem-
mungen. Ich wünschte mir nur, sie würden auf die Laserfunktion zugunsten von zusätzlichen einhundert Schuß verzichten.«

»Tatsächlich, Fregattenkapitän, heißt unser Ding LISA/L,
wobei das zweite L für Laser steht«, erklärte Bob. »Krab hier
hält das für Firlefanz und meint, es lohnte sich nicht, die Energiepacks mitzuschleppen.«

Allmählich wünschte ich mir, ich hätte dieses Gespräch nicht
angefangen. Soldaten haben nun mal ausgeprägte Ansichten zu
ihrer Ausrüstung, denke ich mir. Meine vier Kameraden hatten
sich rasch in eine heftige Diskussion über die Vorzüge der LISA
hineingesteigert, neben anderem.

Was die zusätzliche Laserfunktion anging, stimmten sie darin
überein, daß sie die Mühe nicht wert war. Laser nützen in
Rauch oder Nebel nicht viel, die Energiepacks sind störanfällig
und nicht sonderlich haltbar, und ein in der Nacht abgefeuerter
Laser ist zwar ziemlich leise, aber der Strahl verrät dem Feind
mit tödlicher Sicherheit die Position des Schützen. Der Herstel-
ler hatte mit dem Verkauf ein bißchen was zusätzlich verdient,
aber das war auch schon der einzige Vorteil dieser Technik.

Krab räumte ein, daß die U.S. Army eine modernere Version
besaß, die man an die Ranger hätte ausgeben können, aber das
galt auch für die Britannier, die Chinesen, die Deutschen und
die Bandwidthern. Und was war, wenn ein Yank und ein Deut-
scher mal im selben Rattenloch saßen und keine Munition aus-
tauschen konnten? Die LISA war der kleinste gemeinsame Nen-
ner, und wenn alle die gleichen Waffen hatten, war man viel
besser dran, als wenn jede Einheit ein spezielles Gerät einsetzte,
mit dem niemand sonst etwas anfangen konnte.

Trotzdem war die High Tech nicht ganz vom Schlachtfeld verbannt. Da gab es zum Beispiel die Eiserne Jungfrau, mit der Bob die erste Wache übernahm. Es handelte sich dabei um eine Kombination von Radar, Sonar und Infrarotsucher, ein kompaktes Gerät, das man sich über den Kopf stülpte und das einem Träger anschließend seine Sicht von der Welt über zwei Videoschirme vermittelte, die eine Handbreit vor seinem Gesicht schwebten. Wer die Jungfrau mehr als eine Stunde lang trug, bekam garantiert Kopfschmerzen, also wechselten wir uns halbstündlich ab.

Ich kam als zweiter an die Reihe und hatte einige Mühe, mich an das Gerät zu gewöhnen. Ein netter, kleiner Bildcomputer wandelte die Radarimpulse so um, daß man den Eindruck hatte, durch ein elektronisches Fernglas zu blicken.

Normalerweise rotierte das Blickfeld der Eisernen Jungfrau etwa einmal pro Minute, und ich hatte das Gefühl, mein Kopf wäre auf einem Drehzapfen montiert und würde darauf langsam kreisen. Mit Hilfe von Zungenschaltern konnte ich zwischen Radar, Sonar und Infrarotaufnahme umschalten und die automatische Kreissuche unterbrechen, wenn etwas Interessantes ins Blickfeld kam. Die Eiserne Jungfrau war wirklich ein Foltergerät, aber doch sehr praktisch, wenn man die Umgebung im Auge behalten wollte.

Wir fuhren weiter.

Joan übernahm die Jungfrau, und ich konzentrierte mich darauf, wieder die Flecken aus meinem Blickfeld zu bekommen. Goldie saß zusammengerollt wie ein Kätzchen unter dem Maschinengewehr. »Heh, Fregattenkapitän! Wissen Sie, wie man Ghost spielt?«

»Wie man was spielt?«

Krab schüttelte den Kopf. »Seien Sie ja vorsichtig! Sie ist unschlagbar in diesem Spiel!«

»Sei bloß still, o mein Stabsunteroffizier, oder wir lassen dich nicht mitspielen! Okay, Fregattenkapitän, der erste sucht sich einen Buchstaben aus. Jeder fügt dann einen weiteren Buchstaben hinzu. Dabei muß am Ende ein richtiges Wort rauskommen, aber es müssen mehr als drei Buchstaben sein. Derjenige, der als erster ein richtiges Wort bildet, bekommt einen Buchstaben – erst G, dann H und so weiter. Der erste, der ›GHOST‹ zusammen hat, verliert, und die anderen machen weiter, bis nur noch einer übrig ist.

Bob, du fängst an.«

»Mal überlegen . . .«

»Was für ein Wort soll denn mit E-L-E-N-T anfangen?«

»Es ist doch schon ein perfektes Wort.«

»Bluff nicht! Mach weiter, Bob, gib ihr was zu knacken!«

»Wenn du auf ›Elentier‹ hinauswillst, wirst du's schwer haben. Außerdem ist das ein . . .«

»E-L-E-N-T ist ein perfektes . . .«

»Krab! Runter von der Straße!« Joan griff von außen an die Eiserne Jungfrau und bediente die Handsteuerung.

Krabnowski steuerte den Jeep in den Wald und ins Unterholz hinein und brachte ihn in einer Schneewolke zum Stehen. Noch während der Wagen in Bewegung war, hielt Krab schon den Raketenwerfer in der Hand. Er hatte ihn sich persönlich von unseren Gefängnisaufsehern zurückgeholt. »Wo?« fragte er.

»Bandit!* Kommt im Tiefflug heran, direkt von Hades! Kurs – Südsüdost, sagen wir mal, einhundertneunzig.«

Krab setzte rasch den Helm ab und knallte eine Raketenladung in den Werfer. »Bob, mach dem HQ Beine! Wenn jemand auf der Straße ist, sofort runter! Wir versuchen, ihnen den Weg wieder freizumachen.«

»Scout Fünf an HQ-Funk! Scout Fünf an HQ-Funk! Wir haben Bandit ausgemacht, kommt in unsere Richtung, Kurs zirka einhundertneunzig. Möglicherweise Aufklärer.«

Goldie war auf den Beinen, hatte die MG-Klammern bereits gelöst und die Waffe geladen.

»Goldie – kann man mit dem Ding Panzerungen durchschlagen?« fragte ich.

---

* Bandit: Geläufige Funkverkehrskurzform für feindliches Flugzeug. Anm. d. Übers.

»Nein, aber es wird ihn verdammt ablenken, während Krab ihn richtig aufs Korn nimmt«, entgegnete sie knapp. »Joan — wie lange noch?«

»Er fliegt tief und langsam — sagen wir mal achtzig Sekunden. Und korrigiere den Kurs auf einhundertfünfundneunzig — direkt zwischen den beiden Bergen dort hindurch.«

»Yeah, der ist wirklich dabei, Fotos zu machen«, meldete sich Bob. »HQ bestätigt. Sie sind bereits alle unter den Bäumen.«

»Wird ihnen bei Infrarotsuchern irrsinnig viel nützen«, bemerkte Krab, während er am Raketenwerfer herumfummelte. »Joan, folgt er der Straße?«

»Sieht ganz so aus.«

»Goldie, zeig ihm, daß wir auch noch da sind.«

Sie jagte einige Explosivgeschosse in die Luft, und sie detonierten auf dem höchsten Punkt ihrer Flugbahn.

»Er hat den Köder geschluckt! Er kommt! Sichtbar in zehn Sekunden!«

Jetzt hörten wir den Düsenantrieb heulen.

»Kommt ganz schön großspurig daher«, berichtete Joan. »Glaubt wohl, er würde gleich einen Einheimischen mit einer Spielzeugpistole erledigen. Wink ihm noch mal zu, Goldie!«

Der Jet tauchte am Horizont auf und kam direkt auf uns zu. Goldie knallte eine weitere Salve in die Luft.

Der Jet beschleunigte plötzlich und donnerte direkt über uns hinweg, wobei er eine Bombe fallenließ, die etwa hundert Meter von uns entfernt aufschlug. Der Boden wackelte unter unseren Füßen, als sie hochging, und die Luft war plötzlich voll von Rauch und brennenden Holzstücken.

»Er dreht um!« rief Joan. »Kommt aus dem Norden wieder schnurstracks die Straße langgebrettert!« Goldie riß das MG herum und zielte auf ein Stück Himmel direkt über der Straße.

Das Donnern der Triebwerke wurde kurz schwächer und brandete dann wieder auf, lauter denn je.

»Er wirft wieder 'ne Bombe! Sollte etwa . . .«

Der Boden platzte fünfzig Meter vom Jeep entfernt auf, und der Korditgestank in der Luft verdichtete sich drastisch. Der Jet kreischte über uns hinweg, und Goldie setzte ihm eine Salve an den Rumpf, wo die Geschosse wie Knallkörper explodierten.

Krab trabte mit dem Raketenwerfer zur Straße. »Beim nächsten Mal! Joan, ruf mir zu, wenn er auf eintausendfünfhundert Meter heran ist! Das gibt den Wärmespürern etwas Zeit!«

»Alles klar. Goldie, ich denke, du hast seinem Leitwerk was verpaßt. Er dreht ziemlich weit ab. Vielleicht geht's ab nach Hause ... Nein, da kommt er wieder!«

»Hab' ihn!« brüllte Krab.

»Eins fünf null null, JETZT!«

Krab feuerte sechs Raketen gleichzeitig ab, und sie zogen flammend ihre Bahn gen Himmel und schwenkten in Formation ab, um dem Jet nachzujagen. Eine verpaßte die enge Kurve, aber die anderen fünf schlugen im Ziel ein. Ein Feuerball breitete sich aus, eine tosende, orangefarbene und schwarze Masse, die in den Wald stürzte. Dort detonierte sie und schleuderte uns aus dem Jeep.

Plötzlich war alles wieder ruhig.

Und da packte es mich wieder. Ich konnte es richtig fühlen. Das war *echtes* Feuer, richtiges Feuer, das tötete und verzehrte. Entsetzt und fasziniert starrte ich hinein. Es war real, und es war genau hier und würde für lange Zeit brennen.

Da wurde mir schlagartig klar, daß *ich* ja gar nicht in Flammen stand, daß der Brand außerhalb von mir wütete.

Oder doch beinahe.

Mit einer Anspannung des Willens richtete ich mich auf und staubte mich ab.

Krabnowski traf gerade wieder beim Jeep ein und trat ein paar brennende Zweige zur Seite. Bob sprach mit ruhiger Stimme etwas ins Funkgerät und hängte dann das Mikro wieder ein. Joan nahm die Eiserne Jungfrau ab und schüttelte blinzelnd den Kopf. Sie setzte das Gerät auf dem Schoß ab und rieb sich die Augen.

Krab reichte Goldie den Raketenwerfer. Sie verstaute ihn und lud das MG wieder ein. Krab startete den Wagen, und wir fuhren weiter.

Zehn Minuten später stritten sich Goldie und Bob schon wieder, ob ELENTIER ein richtiges Wort war. Hinter uns stieg eine Säule aus tiefschwarzem Rauch in den Himmel.

Wir schlugen sechzig Kilometer von der Absturzstelle entfernt unser Lager auf. Einen weiteren Zwischenfall hatte es nicht gegeben.

Die Nacht war bitterkalt, dunkel und still. Ich hielt Wache im Jeep und dachte, in eine Decke gewickelt, nach.

Irgendwie fühlte ich mich *sicher* — zum ersten Mal, seit ich an diesem Krieg teilnahm. In dieser Nacht sah ich die Gefahren kristallklar und wie aus der Ferne, wie am Horizont einer gewaltigen Ebene ausgebreitet. Ein Mensch oder eine Maschine konnte auftauchen und mich zu töten versuchen. Wenn der Versuch erfolgreich war, würde ich sterben. So einfach war das. Keine Listen, keine Intrigen, kein Bluff und Gegenbluff, weder Taktik noch Strategie noch die Frage, wem man eigentlich trauen konnte.

Ich mußte nur vorsichtig sein, ansonsten konnte ich abschalten und ausruhen.

Auf einmal glaubte ich, das Quartett, mit dem ich unterwegs war, zu verstehen, und auch die ruhige Präzision, mit der sie heute nachmittag gekämpft hatten.

Es kommt nämlich der Augenblick, wo in einem Kampf nur noch die Wahl zwischen einem JA, ich werde überleben, oder einem NEIN, ich werde es nicht, bleibt. Diese Alternativen sind elementar und funktionieren automatisch. Auch ein Selbstmörder überquert vorsichtig die Straße auf dem Weg zu dem Hochhaus, von dem er springt.

Triff die richtige Entscheidung, wähle den richtigen Weg, und du wirst überleben. Andernfalls nicht.

Ich barg das Gewehr in den Armen und ließ den Blick ruhig durch die kalte Nacht schweifen.

Zwei Tage später komplizierte sich die Lage wieder. Wir folgten weiter derselben Straße, genossen den Tag und hielten die Augen weiter offen, als Krab den Wagen urplötzlich ins Unterholz steuerte.

»Was . . .« begann ich, aber er bedeutete mir zu schweigen.

Ich schloß den Mund und hörte das hohe Summen eines Elektromotors.

Mit eindeutigen Gesten drängte Krab uns andere in Deckung, lief dann gleich etwa zwanzig Meter zurück und nutzte ausnahmsweise mal die Laserfunktion seines Gewehres, um durch einen Baumstamm zu schneiden. Mit lautem Krachen fiel der Baum quer über die Straße.

Krab kam zurückgerannt und duckte sich neben mir ins Gebüsch.

Wir warteten.

Fünfzehn Sekunden später erhielten wir Gesellschaft. Ein Wagen wie der, den wir von den Hütern gestohlen hatten, kam angebraust. Die beiden Insassen hatten den Sturz des Baumes gehört und hielten ihre Waffen schußbereit.

Sie stoppten ein paar Meter vor dem Baumstamm und wollten gerade aussteigen, wobei sie sich vorsichtig umsahen.

Sie kamen allerdings nicht mehr lebendig aus ihrem Fahrzeug. Ich streckte jeden von ihnen mit einer Kugel in die Brust nieder.

Eine ganze Weile geschah nichts. Ich hatte gefeuert, ohne nachzudenken, hatte das Richtige getan. Jetzt war mir schlecht.

Wir krochen vorsichtig aus dem Gebüsch, denn wir waren uns nicht sicher, ob diesen Hütern nicht vielleicht weitere folgten.

»Gut getroffen, Fregattenkapitän«, meinte Krab.

»Yeah, einfach phantastisch«, versetzte ich bitter.

»Bob, nimm das in die nächste Meldung auf, die wir durchgeben«, sagte Krab und schulterte sein Gewehr.

Wenig später waren wir bereits Meilen weiter, jetzt mit zwei Fahrzeugen.

Wir waren unserem Marschplan voraus und wollten den Abstand zur Hauptstreitmacht hinter uns mehr oder weniger halten. Es brachte nichts, ein Straßenstück ›frei‹ zu melden und dann achtundvierzig Stunden verstreichen zu lassen, bis die eigene Truppe es passierte.

Mit diesem Gedanken im Hinterkopf beschloß Krab, frühzeitig zu kampieren.

Wir schlugen das Lager dicht vor der Kuppe eines leicht ansteigenden Hügels auf, von wo wir Ausblick über ein breites Tal hatten. Die Aussicht war hübsch, und dazu würden wir auch jeden entdecken, der sich uns näherte. Wir hatten uns eine flache Mulde ausgesucht, die uns immerhin Schutz vor dem Wind bot.

Es in einer kalten Nacht schön warm zu haben, ist sehr angenehm. Wir drängten uns dicht ums Feuer und entspannten uns beim Abendessen. Goldie hatte offiziell Wache, was bedeutete, daß sie beim Essen das Gewehr auf dem Schoß liegen hatte. Die Eiserne Jungfrau war darauf eingestellt, wie verrückt zu piepen, sollte irgend etwas ihr Radarsystem alarmieren. Wir waren also abgesichert.

Als Bob mit dem Essen fertig war, spazierte er zu dem gerade erbeuteten Wagen. Von dort kehrte er mit einem dicken Leinwandsack zurück, der mit einem dumpfen Schlag aufprallte, als er ihn fallenließ.

Bob hockte sich davor und zerrte an einer Schnalle des Verschlusses. »Die Post ist da.«

Goldies Interesse erwachte, und sie half ihm. Joan seufzte verzweifelt, wie eine Betreuerin im Kindergarten, deren Schützlinge immer wieder absichtlich die Farbe umkippen. »Fregattenkapitän, ich hatte gehofft, Ihre Anwesenheit würde die beiden wenigstens etwas ruhiger machen. Sagen Sie mir doch bitte, ob das hier wenigstens eine unehrenhafte Entlassung für beide rechtfertigt.«

Ich grinste. »Könnte gut sein.«

Bob meldete sich im Tonfall gekränkter Würde. »Wir *schnüffeln* ja nicht, sondern erkunden, nicht wahr? Wir haben hier schließlich einen ganzen Sack voll nachrichtendienstlichem Material.«

»Und wir brauchen für den Rest der Nacht nicht mehr nach Brennholz zu suchen«, ergänzte Goldie.

»Nein, wir können doch nicht Beweismaterial vernichten«, wandte Bob ein.

»Heh, Fregattenkapitän«, sagte Goldie. »Wenn wir Schecks oder Geld oder so was finden, dürfen wir es dann beschlagnahmen?«

»Wie clever, Goldie«, meinte Bob. »Spazier ruhig in die Nationalbank von Neu-Finnland und fordere sie auf, einen Hütersoldscheck einzulösen. Nur zu gern werden sie dir schon an der Tür den Kopf abhacken.«

»Hm, ich schätze, du hast recht. Was haben wir denn da sonst noch?«

»Nicht viel. Laß mich sehen − langweilig, langweilig. Gott kriegen die Hüter vielleicht eine dröge Post!«

Krab hatte einen Einfall. »Heh, sind da irgendwelche Carepäckchen drin?«

»Gute Frage«, sagte ich, holte eine kleine, zehn Zentimeter lange Schachtel hervor und schnitt sie mit dem Messer auf. »Eine Goldader! Schokolade, Zigaretten, irgendwelche Plätzchen . . .«

Bob und Goldie warfen sofort die Briefe weg und suchten nach weiteren Päckchen. Innerhalb weniger Minuten waren sie von einem Haufen Lebensmitteln, Zigaretten, der langen Unterhose irgendeines frierenden Soldaten und einer Sammlung Pornoromane auf extradünnem Papier umgeben . . . ›Speziell für den Raumtransport abgepackt, um *Ihr* Geld zu sparen‹, wie auf dem Paket stand. Bob fand, daß er eine Glückssträhne hatte, und wühlte weiter.

»Hallo! Das sieht aber interessant aus.«

»Was hast du da, Bob?« wollte Krab wissen.

»Militärpost oder so was. Steht STRENG GEHEIM drauf.«

»Sei vorsichtig! Vielleicht ist da eine Bombe drin!« warnte ihn Goldie.

»Nur 'ne Sekunde.« Er brachte eine Taschenlampe und ein Taschenmesser zum Vorschein. »Mensch, wenn die glauben, ich käme *da* nicht durch . . .« Die Taschenlampe im Mund, machte er sich am Schloß der Mappe zu schaffen. Nach minutenlangem Herumprobieren verbog er die Klinge etwas nach links, und mit einem Klicken ging die Mappe auf.

Bob grinste, soweit das mit der Lampe im Mund möglich war, und blätterte durch den Inhalt.

Er fing an zu lesen und wechselte so abrupt die Gesichtsfarbe, als hätte jemand einen Schalter umgelegt. Er schluckte und sprach ganz leise, aber sein Tonfall reichte, um uns andere zum Schweigen zu bringen. »Gottverdammte Scheiße! Wir werden alle sterben! Fregattenkapitän, Stabsunteroffizier Krabnowski, wir sollten unseren Zeitplan lieber gleich zum Teufel jagen und die Funkstille brechen.

Da — da kommt ein Schiff. Ein verflucht großes Schiff. Ein Raumschiff, das auch in die Atmosphäre eindringen kann. Ist wohl so eine Art Träger für Flugzeuge oder kleinere Raumschiffe. Die verdammte Kiste muß groß wie ein Asteroid sein, und die *Geschütze*, die es aller Wahrscheinlichkeit nach hat . . .«

Ich griff ebenfalls in die Mappe und fand einen Zettel mit einer Zahl darauf. Ich las laut vor: »Komplette Besatzungsstärke: Zweitausend Mann.«

Nach den Zahlen, die dort zu lesen waren, gab es keine Hoffnung mehr: »Wartungseinrichtungen für achtzig Raumjäger vom Typ Comet, für fünfzig Aerospacejäger vom Typ Revenger und vierzig Flugzeuge vom Typ Tornado werden angefordert.«

Es kam noch dicker, sehr viel dicker. Wir hielten eine Sendung für den toten Befehlshaber der Basis Demeter in Händen, für Schlitzer, den ich eigenhändig erschossen hatte. Die Papiere hatten ihn davon in Kenntnis setzen sollen, was alles vorzubereiten war.

Bob fingerte nervös an einem der Dokumente herum. »Sie nennen das Ding *Leviathan*.«

»Fregattenkapitän! Ein Wagen kommt!«

»Sind Sie sicher, daß es der vom HQ ist?« Es war immer noch Nacht; sie dauerte lange auf Neu-Finnland. Ich richtete ein Infrarotfernglas auf die Straßenbiegung.

Krab tätschelte seinen Raketenwerfer, lud ihn und hielt ihn auf dem Schoß bereit. »Wenn nicht, habe ich einen speziellen Empfang bereit.« Als der Wagen jedoch hinter den Bäumen zum Vorschein kam, flatterte von seiner MG-Stellung das Banner der Liga mit Flamme, Schiff und Stern. Zwei Personen saßen in dem Fahrzeug, eine Frau und ein Mann. Ich erkannte George wieder. Die Frau mußte der Offizier vom Nachrichtendienst sein, den Taylor uns nach Empfang des Berichtes über die Leviathan zugesagt hatte. Das HQ hatte sich nicht weniger beunruhigt gezeigt als wir.

Der Wagen hielt.

»Mein Gott, George!« Er sah wie der Tod auf Urlaub aus — bleich, müde, verbraucht.

»Hallo, Jeff.« Seine Stimme klang flach und erschöpft. Wann hatte er das letzte Mal geschlafen?

»Krab, kommen Sie rüber!« Krabnowski rief Joan zu, sie sollte die Wache übernehmen, eilte herbei und half mir, George aus dem Wagen zu heben.

»George, was ist mit dir passiert?« fragte ich. Krab und ich hielten ihn aufrecht. Ich war überzeugt davon, daß er nicht mehr aus eigener Kraft stehen konnte.

»K-kann einfach nicht schlafen. Hab' nichts gegessen. Weiß nicht.«

Ich drehte mich zu der Frau um, die sich gerade kopfschüttelnd vom Fahrersitz erhob. »*Bonsoir*, Fregattenkapitän. Leutnant Marie-Françoise Chen, Armee der Sechsten Französischen Republik, 899 70 12 28. Ich weiß nicht, warum man mir diesen Mann mitgegeben hat. Ob nun Experte für Hütertechnologie oder nicht, einsatzfähig ist er auf keinen Fall. Tut mir leid.«

»Da bin ich ganz Ihrer Meinung.« Verdammt, Krieg hin, Krieg her, man konnte aus George einfach nicht noch mehr herauspressen, solange er in einer solchen Verfassung war! »George, du mußt was essen. Wir werden dir erst mal was zu futtern geben und dich dann schlafen schicken.«

»Mag nichts essen. Hab' versucht zu schlafen. Geht nicht.«

»Du ißt, ob du willst oder nicht. Goldie — mixen Sie irgendeinen Imbiß zusammen. Und holen Sie so was wie eine Schlaftablette aus dem Erste-Hilfe-Kasten.«

»Okay.«

Halb führten, halb trugen Krab und ich George zum Lagerfeuer. Goldie war bereits mit seiner Mahlzeit beschäftigt. Bob und Leutnant Chen luden irgendwelche Gerätschaften aus dem Wagen und folgten uns. Chen nahm das Geheimmaterial zur Hand, während wir George abfütterten. Goldie verabreichte ihm mit der Suppe, die sie aus gefriergetrockneten Vorräten angerichtet hatte, ein starkes Sedativum. Bald überwältigte ihn die Wirkung des Medikamentes, und er verfiel in einen unruhigen Schlaf, voller Träume, die ihn ein Dutzend Mal geweckt hätten, wäre das Mittel nicht so stark gewesen. »Wieso legen Sie sich nicht auch aufs Ohr, Fregattenkapitän?« schlug Krab vor. »Alle anderen haben sich letzte Nacht wenigstens sechs Stunden gegönnt. Sie haben überhaupt nicht geschlafen, und dabei müssen wir noch eine Zeitlang hier warten.«

Chen blickte auf. »Ja, Fregattenkapitän, tun Sie das, wenn Sie müde sind. Es wird einige Stunden dauern, bis ich irgendwelche Resultate habe.«

»Schon überredet. Goldie — geben Sie mir auch eine dieser K.o.-Pillen.« Ich konnte es mir nicht leisten, kostbare Schlafenszeit mit sorgenvollen Gedanken zu verschwenden.

»Fregattenkapitän, aufwachen!« Joan hielt mir einen Becher Kaffee unter die Nase und beendete damit meinen Traum. Ich nahm ihr den Becher ab und kippte den Inhalt mit einem Schluck hinunter, wobei ich mir die Zunge verbrannte. »Arrggh. Danke. Wie lange habe ich geschlafen?«

»Etwa drei Stunden.«

»Was ist mit George?«

»Schlummert wie ein Säugling. Er hat endlich damit aufgehört, sich hin und her zu werfen.«

»Das ist immerhin was.« Ich hatte in Kleidern geschlafen, nur Hemd, Gürtel und Schuhe hatte ich ausgezogen. Ich wand mich aus dem Schlafsack und zog mich wieder an, mit einem leichten Widerwillen angesichts der Tatsache, daß das saubere Hemd nun schon den Großteil der Woche ›sauber‹ war.

»Hat Chen irgendwas rausgefunden?«

»Behauptet sie. Darum habe ich Sie geweckt.«

Joan zog sich aus dem Zelteingang zurück, um mir den Weg freizumachen. Wir gingen zum Feuer hinüber, neben dem Chen saß, ohne zu bemerken, daß sie leicht zitterte. Sie trug eine Decke um die Schultern und hatte einen Becher Tee neben sich stehen. Feine, zarte, orientalische Züge prägten ihr rundes Gesicht mit den hohen Wangenknochen. Ihre Finger waren lang und graziös, und sie bewegten sich schnell und präzise.

Die Nacht war kalt, klar und still. Ein schwacher Lichtschimmer im Osten kündigte die immer noch ferne Dämmerung an.

Als ich näher kam, blickte Chen auf und klappte das Notizbuch zu. Lange Zeit starrte sie nur ins Leere und kaute auf ihrem Bleistift herum. Dann stand sie auf, salutierte und sprach rasch auf mich ein: »Fregattenkapitän Larson, ich habe meine erste Analyse abgeschlossen.«

»Und?«

Sie zögerte. »Verlassen wir lieber kurz das Lager. Kommen Sie!« Ich folgte ihr hinaus auf die dunkle Lichtung.

»Fachlich gesehen«, begann Chen, »sollte ich diesen Bericht wohl nur General Taylor persönlich erstatten. Ich finde jedoch, Sie und Ihre Freunde haben ein Recht, davon zu erfahren. Verzeihen Sie mir, daß ich *Ihnen* die Aufgabe zuschiebe, es den anderen zu sagen. Es fällt schwer, selbst nur einer Person gegenüber. Ich habe über das feindliche Schiff, die *Leviathan*, schon das meiste herausgefunden. Die gute Nachricht ist die, daß sie schon lange vor unserem Angriff von Capital gestartet ist. Der Zufall führt sie jetzt her, nicht die Nachricht von unserem Gegenangriff. Zu diesem Zeitpunkt befand sie sich bestimmt viele Lichtjahre entfernt tief im All. Keine Warnung hätte sie per Funk rechtzeitig erreichen können, und wir überwachen alle möglichen Startpositionen von Nachrichtendrohnen der Hüter — bislang haben sie keine abgeschickt. Der Kommandant der *Leviathan* wird bei seinem Eintreffen damit rechnen, ein unterworfenes, friedliches System vorzufinden. Nach der Ankunft wird er allerdings dann sehr rasch erfahren, daß wir hier sind. Wir können uns nicht auf einen Überraschungseffekt verlassen. Und ich muß darauf hinweisen, daß ich die genaue Ankunftszeit nicht kenne, daß es aber bald sein wird, sehr bald.

Ich habe die Stärke unserer eigenen Truppen berechnet und in Beziehung zu dem gesetzt, was wir über die anderen Stützpunkte des Feindes wissen.

Die *Leviathan* nun ist wirklich furchteinflößend. Rein vom Potential her könnte sie uns alle leicht schlagen. Die Rüstung des Giganten weist allerdings Schwachstellen auf, und ich glaube sogar, daß er kaum gepanzert ist. Es besteht eine leise Hoffnung für uns. Es gibt eine minimale Chance für uns, die *Leviathan* zu besiegen.

In meinem Beruf gehe ich mit Zahlen um, mit Fakten und Wahrscheinlichkeiten. Manchmal ist es schmerzlich, daran zu denken, daß es sich bei diesen Zahlen um Menschen aus Fleisch und Blut handelt.

Dann zwinge ich mich dazu, nur den Zahlenaspekt zu sehen, damit das Schreckliche etwas von seinem Schrecken verliert. Diesmal bringe ich es allerdings nicht fertig; ich kann an nichts anderes denken, als daß ich es mit Menschen zu tun habe, die lachen und weinen.

Es wird sehr schwer für uns. Wir brauchen viel Glück und Mut. Vielleicht können wir dann die *Leviathan* besiegen und diesen Krieg gewinnen.

Dabei werden mit ziemlicher Sicherheit die meisten von uns sterben.«

Kapitel 12

Beim ersten Tageslicht nahmen wir wieder Verbindung mit General Taylor auf. Er befahl uns, an Ort und Stelle zu bleiben. Dort waren wir inzwischen nur noch wenige Fahrtstunden von Hades entfernt. Es wäre nicht sehr klug gewesen, die Informationen, die wir gewonnen hatten, aufs Spiel zu setzen, indem wir noch weiter vorrückten.

Die Streitkräfte der Finnen und der Liga hatten im Norden von Hades halbkreisförmig Position bezogen. Bislang war es kaum zu Zwischenfällen gekommen. Mit etwas Glück entdeckten uns die Hüter erst, wenn es zu spät war.

Also warteten wir. Als George erwachte, schlug ich vor, uns ein wenig die Beine zu vertreten. Wir mußten miteinander reden. Es schien ihm besser zu gehen als am Abend zuvor, aber er sah nach wie vor nicht gut aus.

»Jeff − ich meine Mac − was wird wohl geschehen?«

»Ich habe keine Ahnung, George.« Wir setzten uns auf einen umgestürzten Baum. »Wenn ihr − wenn wir − wenn die Ligatruppen gewinnen ... Was wird dann aus mir?«

»Was du willst, George. Du hast Geschick, du hast Talent; es gibt viele Möglichkeiten für dich.«

»Ich war meist mit den amerikanischen Soldaten zusammen. Sie haben mir viel von der Erde erzählt. Glaubst du, ich könnte dorthin gehen?« Er blies eine Atemwolke hervor, und ich sah ihr zu, wie sie sich kurz in der kalten Luft kräuselte. »Ich würde die Erde gerne mal sehen.«

»Das lohnt sich auch.«

»Auf Capital wurde viel über sie gesprochen, aber das hörte sich ganz anders an. Die Amerikaner reden von großen Städten und ganz unterschiedlichen Menschen, die dort zusammen leben, und auf Capital erzählen sie dir von den gemeinen, korrupten Leuten und wie mies alles organisiert ist.«

»Na, ich schätze, beides trifft zu.«

»Glaubst du nicht, ich könnte dort Probleme haben, weil ich von Capital und den Hütern komme?«

»Ja, wahrscheinlich doch.« Ich blickte über das Tal hinweg. Irgendwo da draußen lag Hades. »Du bist ein guter Kerl, George, und ich will ehrlich zu dir sein. Ich weiß nicht, wo es überhaupt leicht für dich sein wird.«

»Kann ich mir denken. Und ich denke mir auch, niemand hat überhaupt die leiseste Idee, was nach den nächsten zwölf Stunden sein wird.«

»Ich werde dir etwas versprechen. Ich bringe dich von diesem Planeten und aus diesem Sternensystem weg. Ich rede mal mit Pete Gesseti, einem Freund von mir. Besorge dir die Staatsbürgerschaft von Kennedy. Wir sind gerade dabei, einen Mond namens Columbia zu terraformen. Vielleicht können sie dort einen guten Techniker gebrauchen.«

»Hmmm. Das wäre nicht schlecht. Vorausgesetzt ich überlebe.«

Darauf wußte ich keine Antwort.

Wir saßen still da und schauten uns das friedliche Tal an.

»Fregattenkapitän, sie sind da!« Goldie kam herbeigelaufen. »Joan hat die Kolonne entdeckt!«

Als wir wieder im Lager eintrafen, war Taylor bereits dort, zusammen mit Oberstleutnant Bayet und einem großen, rothaarigen Offizier in einer britischen Armeeuniform. Hinter ihnen kamen marschierende Soldaten und Fahrzeuge die Straße entlang. Taylor bestätigte meinen Salut mit einem Nicken. »Fregattenkapitän, wie mir Leutnant Chen berichtete, besteht eine Möglichkeit, die *Leviathan* zu besiegen.«

»Ja, das wäre möglich, allerdings nur vom Weltraum aus«, warf Chen ein. »Vom Boden aus ist es hoffnungslos, und unsere Leute im All benötigen die Informationen, die wir haben.«

Der britische Offizier, den ich nicht kannte, meldete sich. »Über Funk können wir sie keinesfalls übermitteln. Die Hüter würden sie bestimmt mithören und wüßten dann genau, wieviel wir über diese Sache wissen.«

»Verfügen wir über Nachrichtenlaser?«

»Keinen, der stark genug wäre, einen guten, präzisen Strahl nach Vapaus zu schicken, ohne dabei entdeckt zu werden. Jedesmal, wenn Vapaus sich meldet, hören wir neue Geschichten über Spione und Schnüffelgeräte, die die Hüter zurückgelassen haben.«

»Dabei haben wir sehr viel zu übermitteln«, fuhr der Britannier fort, »besitzen aber keine Chiffriergeräte und keine Videoausrüstung. Wir müßten ihnen das gesamte Informationsmaterial regelrecht vorlesen und das würde fast einen ganzen Tag in Anspruch nehmen. Dabei sind die Probleme, die sich mit der Ausrichtung ergeben, noch gar nicht berücksichtigt. Die Hüter hätten sich längst in die Übertragung eingeschaltet, bevor wir richtig angefangen hätten. Nein, wir müssen alles mit der Post schicken.«

»Nun gut, Stanley, Sie haben mich überzeugt«, erklärte Taylor unglücklich. »Oh, entschuldigen Sie! Stanley, darf ich Ihnen Fregattenkapitän Terrance MacKenzie Larson von der RK-Marine vorstellen, sowie George Prigot, der in technischen Fragen bereits eine große Hilfe war. Major Sir Stanley Defforest, Befehlshaber einer Abteilung des Königlichen Füsilierregiments.«

»Freut mich, Sie kennenzulernen«, wandte sich Defforest an mich. »Hab' eine Menge von Ihnen gehört, und nur Gutes. Also, wir sind uns einig, daß die Sache per Kurier gehen muß. Das heißt, wir müssen eines der Flugzeuge kapern, die wir eigentlich zerstören wollen.«

»Ganz Ihrer Meinung«, bekräftigte Chen. »Fregattenkapitän Larson und ich sind letzte Nacht zum selben Schluß gelangt.«

»Mmm. Mr. Prigot, welche Flugzeuge stehen auf Hades bereit, die auch den Satelliten erreichen könnten?«

»Nun, ich weiß natürlich nicht, welche Maschinen wo stationiert sind, aber die einzigen Hüterschiffe, mit denen man in den Orbit gelangt, sind die ballistischen Fahrzeuge vom Typ Revenger oder die Angriffsjäger der Nova-Klasse. Die Novas starten mehr oder weniger wie normale Flugzeuge, steigen dann auf die passende Höhe auf und katapultieren sich selbst ins All.«

»Nach Auskunft unserer finnischen Informanten«, warf Chen ein, »stehen auf Hades nur Novas bereit, keine Revenger.«

Dagegen wandte ich ein: »Ich wurde damals an einer ziemlich kurzen Leine geführt, aber ich glaube, es war Hades, wo ich zum ersten Mal gelandet bin. Was ist mit dem ballistischen Shuttle, das mich damals befördert hat? Es war ein umgebautes Zivilfahrzeug.«

»Nein, das muß ein *Kuu*-Raumschiff gewesen sein«, meinte Chen. »Wir wissen, was aus ihnen geworden ist. Ein paar wurden auf Vapaus zurückerbeutet, andere gesprengt oder sabotiert. Auf Hades steht keins davon. Damit bleibt nur eine Nova.«

»Schade! George, Sie sagten, die Nova startet und landet wie ein normales Flugzeug?«

»Ja, sie hebt horizontal ab.«

»Dann müssen wir eine Startbahn so lange besetzen, bis wir eine solche Maschine in die Luft gebracht haben, um ein paar unserer Leute nach Vapaus zu bringen.«

»Inwieweit steigert das unsere sonstigen Probleme?« erkundigte ich mich.

»Nicht viel, glaube ich«, sagte Taylor. Er breitete auf der Fronthaube des Jeeps eine Karte von Hades aus. »Leutnant Chen, sind das unsere aktuellsten Informationen über das Ziel?«

»Ja.«

»Dann stehen die Novas mit ziemlicher Sicherheit in diesen Hangars neben der längeren der beiden Hauptstartbahnen. Die Hangars stehen ziemlich weit auseinander, etwa jeweils einen halben Kilometer vom nächsten entfernt. Damit nicht ein Glückstreffer alle gleichzeitig ausschaltet. Unser Plan sieht zur Zeit so aus, daß wir von Norden aus die ganze Basis durchkämmen und alles hochjagen, was irgendwie lohnend aussieht. Danach setzen wir einfach unseren Weg fort und verschwinden in südlicher Richtung, wobei wir beten können, daß der Feind nicht mehr zur Verfolgung in der Lage sein wird. Ein Blitzangriff also. Dieses Entführungsvorhaben erfordert die Besetzung der Hauptgarnison, damit wir die Startbahn so lange frei halten können, bis die Maschine gestartet ist. Dann verschwinden wir so schnell wie möglich.«

»Wir sitzen also hier herum und zählen unsere Verluste, bis wir ein Signal erhalten, daß die Maschine weggekommen ist?« fragte Bayet.

»Ja, wobei ich ganz Ihrer Meinung bin, daß das bitter ist. Doch wenn wir die Maschine nicht hochkriegen und die Informationen bezüglich der *Leviathan* und der Raketenleitstelle nicht auf Vapaus eintreffen, haben wir den Krieg so gut wie verloren, und die Hüter bringen uns eher früher als später alle um. Es ist unsere einzige Chance, zu gewinnen und wieder nach Hause zu kommen.«

Bayet gefiel die Sache überhaupt nicht. »Wir verfügen gar nicht über Piloten, die die notwendige Erfahrung haben, so eine Kiste zu fliegen.«

»Ganz im Gegenteil, Oberstleutnant«, warf Defforest ein. »Zunächst ist Fregattenkapitän Larson hier ein erfahrener Raumschiffpilot. Mit Mr. Prigot verfügen wir über einen Experten für die Technologie und die Organisationsformen der Hüter.«

»Nicht zu vergessen die dreißig Marineflieger, die wir mitgebracht haben«, erinnerte Chen die Gruppe.

»Was für Marineflieger?« fragte Bayet.

»Dreißig Flieger von der US-Marine, Experten für exotische Flugzeuge. Wir haben sie für Fälle wie diesen mitgenommen, beziehungsweise zur Verstärkung der finnischen Piloten.«

»Richtig, Chen, es fällt mir wieder ein. Finden Sie sie und holen Sie sie her. Oder zumindest so viele von ihnen, wie wir brauchen«, sagte Taylor und wandte sich anschließend mir zu. »Fregattenkapitän Larson, wir müssen die Sache durchziehen, auch wenn sie niemandem von uns gefällt. Ich fürchte, Deforrest hat recht: *Sie* müssen an Bord der Maschine gehen, die wir kapern. Nicht nur als Pilot, sondern gewissermaßen als Eintrittskarte. Die Finnen auf Vapaus kennen Sie. Sie werden Ihnen vertrauen und auf Sie hören. Mr. Prigot, wenn Sie dazu bereit sind, bitte ich auch Sie mitzufliegen. Leutnant Chen, Sie sind der eigentliche Kurier. Sie sind inzwischen unsere hiesige

Expertin für die *Leviathan*, und ich könnte mir vorstellen, daß die Finnen auf Vapaus in den kommenden Tagen mehr Verwendung für eine Nachrichtendienstlerin haben werden als wir.

Sie werden Hilfe benötigen, um an Bord der Maschine zu kommen. Keine allzu große Truppe, denn was wir nicht gebrauchen können, ist übertriebene Aufmerksamkeit für unser Vorhaben. Ich denke, die Scouttruppe, mit der Sie unterwegs sind, hat ihre Tüchtigkeit bereits bewiesen. Fregattenkapitän Larson, ich lege die Sache in Ihre Hände.«

»Ich werde tun, was ich kann, Sir.«

»Ich denke, das wird reichen. Viel Glück. Tun Sie Ihr Bestes, und während Sie das leisten, werde ich mich um alles andere in diesem Krieg kümmern. Stanley, Bayet, wir wollen unseren Fahrer nicht warten lassen.«

Sie überquerten die Lichtung und stiegen in den Wagen des Majors. Sie erwiderten den Gruß unserer kleinen Streitmacht und fuhren los.

Ich fragte mich, ob ich jemals einen von ihnen wiedersehen würde.

Die Armee marschierte an uns vorbei, manchmal in großen Trupps, manchmal in so spärlicher Zahl, als versiegte der Strom der Soldaten zum Nichts. Wir warteten auf das Eintreffen der Piloten.

Zwei Stunden später erschienen vier junge Offiziere in blauen Uniformen auf der Lichtung. Sie schienen sich nicht ganz sicher zu sein, wohin sie eigentlich gehörten. Goldie winkte sie herbei. »Ihr müßt die Fliegerjungs sein«, sagte sie.

Die einzige Frau in der Gruppe lächelte. »Ja, wir sind die Fliegerjungs. Kapitän Eva V. Berman, US-Marine, Weltraum-Sonderabteilung. Dies hier sind Korvettenkapitän Randall Metcalf, Korvettenkapitän Bob Emery und Leutnant Edwarf Talley, US-Marineinfanterie. Oberstleutnant Bayet sagte, Sie hätten einen Job für uns.«

»Nun, für zwei von Ihnen.«

»Bleiben zwei als Reserve. Unsere Crew ist so scharf aufs Fliegen, daß Sie von Glück sagen können, jetzt nicht alle dreißig hier zu sehen. Wir haben gelost. Diese drei haben gewonnen, und ich habe gemogelt.«

»Dachte ich mir gleich«, nuschelte Metcalf vor sich hin. Er war groß, schlaksig und blaß, hatte ein schmales Gesicht, drahtige, schwarze Haare und buschige Brauen, die ihn ständig überrascht aussehen ließen. »Ich habe etwa zwanzig Zettel in dem Hut gefunden, auf denen dein Name stand.«

»Still, Randall«, sagte Berman. Sie überschritt kaum die Mindestgröße für einen Piloten, hatte eine schokoladenbraune Haut, kurzgeschnittene, braune Haare und ein neunmalkluges Glitzern in den honigfarbenen Augen. »Wenn man ihm nur die leiseste Aufmerksamkeit schenkt, ist man schon verloren. Es reicht völlig, ihm als erstem Zutritt zur Kneipe zu gewähren, ihn hin und wieder eine Maschine fliegen zu lassen und ihm immer satt zu essen zu geben. Nun, was haben wir zu tun, und wann?«

Stunden später, ein gutes Stück nach Einbruch der Dunkelheit, hatten wir unseren Startpunkt für den Angriff erreicht, einen halben Kilometer vor dem Rand des Stützpunktes und dreimal so weit vom ersten Hangar entfernt, der George zufolge eine Nova enthalten konnte. Wir waren eine ziemlich bunt gemischte Truppe: Bob, Joan, Krab und Goldie von der US-Armee, Metcalf, Berman und Emery von der US-Marine, Talley vom Marinecorps, Chen von der französischen Armee, ich von der Marine der Republik Kennedy, und George.

Metcalf und Berman bildeten unser Pilotenteam für den Einsatz. Wenn sie es nicht schafften, waren Emery und Talley an der Reihe.

Der Angriff war für drei Stunden vor dem späten Aufgang von Neu-Finnlands großem, natürlichem Mond Kuu angesetzt.

»Fregattenkapitän, es ist gleich soweit«, flüsterte Krab.

»Alles bereit? Sind beide Wagen okay?«

»Genug Saft, um es zu schaffen. Alles bereit. Noch fünf Minuten.«

»Okay.« Das Signal für den Angriff war eine erste Artillerie-salve, auf die der Start von Leuchtgeschossen folgen sollte. Die Ligasoldaten hatten Anweisung wegzusehen. Die Blendgrana-ten dienten dazu, eine möglichst große Zahl von Verteidigern für die ersten paar Minuten der Schlacht außer Gefecht zu set-zen. Dieses Blendfeuer sollte zwei Minuten dauern und dann auf ein geeignetes Maß reduziert werden.

Wir saßen in den beiden Wagen und warteten.

Dann auf einmal krachte es — BLAMM, BLAMM, BLAMM. Wir schlossen die Augen und beugten uns vor. Sekunden später nahmen wir die lautlosen Detonationen von Licht sogar durch die geschlossenen Lider wahr. Selbst wenn man nicht hinsah, war es schrecklich hell.

Die Hüter mußten gewußt haben, daß *irgend jemand* hier draußen lauerte — das Feuer wurde unverzüglich erwidert. Überstürzt allerdings; zum Zielen hatten sie noch keine Zeit gehabt.

Auch Bob hörte genau hin. »Womit, zum Teufel, rechnen die eigentlich — mit Bombern? Ich höre Luftabwehrfeuer!«

»Na ja, sie setzen auch Hochexplosivgranaten ein«, bemerkte Krab.

Eine Granate detonierte mit lautem Krachen hinter uns. »Ja, Krab, aber wozu *blindes* Artilleriefeuer?«

»Wenn's einen trifft, ist man genauso tot.«

Auf einmal wurde es dunkler vor meinen Augen. »Ende des Blendbeschusses! Los geht's!«

Aber da fuhren wir bereits. Krab steuerte den ersten Wagen, in dem auch Goldie, Berman, Talley und ich saßen. Bob fuhr den zweiten Wagen mit den anderen.

Krab schaltete die Scheinwerfer ein, und keine dreißig Meter vor uns erschien die Umzäunung. Er fuhr noch ein wenig dich-ter heran und bremste. Joan und Goldie sprangen nach draußen und liefen mit biegsamen Reihensprengladungen zum Zaun. Sie rollten sie auseinander, schoben sie unter dem Zaun durch, stellten die Zünder ein und rannten zurück.

Sie waren kaum eingestiegen, da schoß der Zaun in die Luft. Er krachte herunter, und der Boden explodierte.

»Verdammt, Minen!« Das Schlachtengetöse ringsherum zwang Krab zu schreien. »Goldie, nimm den Boden vor und hinter der Zaunlinie unter Feuer!«

Goldie jagte aus dem aufmontierten Maschinengewehr einen Kugelhagel vor und hinter der freigesprengten Lücke in die Erde.

Drei weitere Minen gingen hoch, und wir waren schon durch das Loch im Zaun, ehe sich die Erde wieder beruhigt hatte.

Der Hangar, den wir suchten, stand an der entfernteren der beiden parallel verlaufenden Startbahnen. Wir drangen aus dem Nordosten in die Basis ein, und die Startbahnen verliefen von Ost nach West.

Kaum waren wir durch den Zaun, schaltete Krabnowski die Scheinwerfer aus und fuhr direkt nach Süden in die Dunkelheit hinein. Er raste wie ein Wilder durch Schlaglöcher und über Erhebungen hinweg.

Rechts und links von uns entdeckten wir immer wieder andere Kampfgruppen, die sich ins Zentrum der Basis vorarbeiteten.

Mörser und Artillerie der Liga machten sich jetzt richtig bemerkbar. Vor uns flogen Gebäude in die Luft, aber das Krachen einzelner Explosionen ging im Getöse der Schlacht unter.

Krab bretterte auf die geteerte Startbahn, und der Wagen geriet fast außer Kontrolle, als die Reifen zum erstenmal in dieser Nacht richtig griffen. Wir schossen über die Piste hinweg und sausten auf der anderen Seite wieder hinunter. Bob sah das, riß das Lenkrad heftig herum und blieb mit seinem Wagen auf der Bahn. Krab kurbelte jetzt ebenfalls aus Leibeskräften und brachte uns wieder hinauf.

Die Blendgranaten hatten die Umgebung bislang ganz gut ausgeleuchtet, aber sie gerieten jetzt ins Flackern. Im unsteten Halblicht des Kampfes entdeckte ich die Abzweigung zur südlichen Bahn und wies Krab darauf hin. Wir schafften die Kurve auf zwei Rädern und krachten schwer auf alle viere zurück, sobald es wieder geradeaus ging.

»Da!« schrie ich. Der Hangar lag direkt vor uns. Als wir näher kamen, gingen die Lichter aus. Jemand hatte Verstand genug bewiesen, den Strom abzuschalten.

Goldie und Joan deckten uns mit Salven aus den MGs der Jeeps, während wir mit quietschenden Reifen vor dem Hangar anhielten. Ich rannte wie der Teufel und erreichte das Gebäude als erster. Das Rolltor vor uns stand offen. Und da war sie! Nach Georges Auskünften mußte es eine Nova sein! Ein Laserstrahl durchschnitt die Nacht und erinnerte mich daran, daß jetzt keine Zeit zum Anschauen war. Krab streckte den Burschen nieder, ehe ich Gelegenheit fand, selbst zu zielen. Ich entdeckte einen zweiten Hüter auf einem Laufsteg und tötete ihn mit dem Gewehr.

Etwas bewegte sich tief in der dunklen Halle. Krab und ich nahmen die Stelle gemeinsam aufs Korn, und Schreie ertönten dort.

»Feuer einstellen! Vorsicht da hinten!« Schwere Stiefel traten gegen die Blechtür an der Rückseite. Bob bahnte sich dort den Weg frei. »Vor der Rückwand haben wir drei von den Bastarden erledigt.«

Ich lief weiter. Eine steile Freitreppe, beinahe eine Leiter, führte an der linken Seitenwand auf einen Laufsteg. Ich stürmte wild hinauf, bevor ich überhaupt zum Nachdenken kam, und feuerte dabei um mich. Ich hörte etwas und schoß. Ein dumpfer Aufprall sagte mir, daß ich getroffen hatte. Unten schaltete wieder jemand das Licht an, und ich sah, daß der Mann tot war.

Schnell überprüfte ich den Laufsteg auf ganzer Länge. Alles frei.

Die Zeit — wir hatten vor zehn Minuten die Umzäunung durchbrochen.

Ich stieg wieder hinunter und zählte die Köpfe. Emery war nicht da.

»Wo steckt Emery?« wollte ich von Metcalf wissen.

»Als ich mich im Jeep umgeschaut habe, war er nicht mehr da«, antwortete Metcalf. »Muß bei einer größeren Unebenheit einfach rausgefallen sein.«

»Verdammt!« Aus irgendeinem Grund fiel mir plötzlich ein, daß ich mich nicht mehr an seinen Vornamen erinnern konnte. »Jesus, ich hoffe, daß er sich zu unseren Linien durchkämpfen kann! Allerdings ist er da draußen sicherer als wir hier drin.«

»Erinnern Sie mich nicht daran! Sehen wir zu, daß wir so schnell wie möglich wegkommen.«

»George, ist das der richtige Vogel für uns?«

»Das ist er.« In seiner Stimme klang der alte George wieder durch. Er befand sich wieder in der Nähe einer komplizierten Maschine.

»Dann an die Arbeit! George, da oben sind Büros...«

»Die technischen Handbücher!«

»Richtig.«

»Ich sehe mal nach. Ich hoffe, es sind richtige Bücher und nicht irgendwelche verdammten Datenspeicher für einen Computer, den wir nicht dabeihaben.« Er lief die steile Treppe hinauf.

»Fregattenkapitän, macht es Ihnen gar nichts aus, daß wir hier soviel Licht brennen haben?« fragte Goldie.

»Doch, aber wir brauchen es für die Arbeit. Außerdem bin ich mir nicht sicher, ob nun Licht oder Dunkelheit mehr auffällt. Ich möchte, daß Sie vier Wache halten. Bleiben Sie allerdings in der Nähe und in Deckung und unternehmen Sie nichts Aufregendes!«

»Keine Sorge.«

»Chen, Berman, Metcalf, Talley – an die Arbeit!« Wir suchten eine Einstiegsluke an der Maschine und entdeckten sie oberhalb der Steuerbordtragfläche. Die Nova war ein großes, schwarzes, bösartig wirkendes Ungeheuer, ein stromlinienförmiges Ungetüm. Keine Eleganz, nur schiere Kraft. Wir stiegen ein.

Metcalf war als erster drin und schaltete das Licht ein. Er blickte sich mit mißbilligendem Gesichtsausdruck um. »Na ja, sieht alles vertraut aus, aber etwas kärglich.«

»Das Ding muß fliegen wie ein Bleibarren«, meinte Talley.

»Sehen Sie, wenn die Kiste uns in die Luft bringt und auch da oben bleibt, habe ich keine Einwände gegen das Design«, bemerkte ich.

»Was für ein Design? Unbändige Kraft und ein paar Treibstoffschlucker. Man könnte die Triebwerke auch am Hangar befestigen und gleich damit fliegen«, meinte Metcalf. Die drei saßen schon in der Kanzel und begutachteten die Steuerung. Berman hatte den Pilotensitz genommen. Sie legte eine Schalterreihe um, und das Cockpit erwachte summend und klickend zum Leben.

»Hübsche Lichter«, sagte Metcalf. »Hoffe nur, sie sind auch zu etwas nütze.«

»Können Sie die Kiste fliegen?« wollte ich wissen.

»›Kiste‹ trifft es wirklich gut, aber ich glaube schon«, antwortete Metcalf. »Die Steuerung entspricht mehr oder weniger dem Standard. Geben Sie uns noch ein bißchen Zeit, uns alles anzuschauen.«

Auf einmal erzitterten die Maschine und das ganze Gebäude, als die Schlacht näher heranrückte. Sekunden später schlug ein weiteres Geschoß noch dichter bei uns ein. »Nun, nur zu. Ich sehe mal nach, was die da draußen so treiben«, sagte ich.

Talley schüttelte den Kopf, während er ein paar Schalter betätigte. »Hat keinen Sinn, sich Sorgen um sie zu machen, Sir. Wenn sie es nicht schaffen, sind wir als nächstes dran.«

»Okay, haltet mir einen Platz warm. Bin gleich zurück.«

Ich stieg aus und begegnete dabei George, der gerade auf die Tragfläche kletterte. Er schleppte einen ganzen Stoß dicker Bücher mit langweiligen Titeln. Ich gab ihm einen Klaps auf den Rücken und setzte meinen Weg fort.

Ich lief zum Hangartor, das urplötzlich blendend hell erleuchtet war. Eine donnernde Explosion raubte mir für einen Moment das Gehör und schleuderte mich zu Boden.

Als ich mich wieder aufgerappelt hatte, sah ich Krab an der Tür hocken. »Krab!« Ich ging zu ihm, hockte mich neben ihn und blickte in die Nacht hinaus.

»Wird allmählich heiß da draußen«, sagte er.

»Wird auf uns geschossen?«

»Sie schießen auf *jeden*. Verdammt, ist mir kalt! Wir frieren uns hier die Ärsche ab, während wir darauf warten, daß wir lebendig verbrannt werden.«

»Wieviel Zeit haben wir noch?«

»Keine Ahnung. Zehn Minuten, fünfzig Jahre. Hängt davon ab, wie lange unsere Leute die Hüter am anderen Ende der Basis festnageln können. Wenn die Hüter einen Gegenangriff auf die Beine bekommen, erwischen sie uns kalt.«

»Jesus!«

»Also sehen Sie lieber zu, daß Sie das Flugzeug in die *Luft* kriegen! Vielleicht können wir die Kerle nicht schlagen, aber wenigstens können wir uns verdrücken. Unser Gegner ist jetzt die Zeit.«

Zwei Minuten später war ich wieder an Bord und versuchte, aus dem Arbeitsplatz des Navigators schlau zu werden. Konnten wir das Ding fliegen?

Wenn Chen und die Marineflieger herausfanden, wozu all die Schalter dienten. Wenn ich es schaffte, mit dem Navigationscomputer einen Kurs nach Vapaus auszurechnen. Wenn die Anzeigen nicht logen und die Kiste tatsächlich aufgetankt war.

Ich legte los. George und Chen halfen den Piloten dabei, ihre Anlagen mit den Informationen aus den Bedienungshandbüchern zu vergleichen.

Das Navigationssystem unterschied sich nicht sonderlich von Geräten, wie ich sie kannte, und ich brachte es einigermaßen in Gang. Vapaus war ein Standardziel, und so enthielt der Computer eine Menge Daten darüber, mit denen ich herumspielen konnte.

Das Gerät war gar nicht so schlecht, aber die Zahlen . . . Mir gefiel das, was ich zu sehen bekam, immer weniger. Das Fenster — jener Abschnitt in Zeit und Raum, durch den wir schlüpfen mußten, um zum Rendezvous mit Vapaus zu gelangen — war entsetzlich schmal, der Treibstoffverbrauch dagegen maßlos.

Es würde knapper werden, als ich mir je hätte träumen lassen. Ich kämpfte um eine Lösung. Schließlich fand ich eine, aber sie gefiel mir nicht. Nicht angesichts einer Amateurcrew und feindlichen Luftraums auf der ganzen Strecke. Trotzdem wir konnten es schaffen . . .

Krab steckte hinter mir den Kopf durch die Luke. »Fregattenkapitän, wenn Sie nicht in zehn Minuten draußen sind, schaffen Sie es nie mehr! Verdammt, wir waren drei Kilometer entfernt und konnten *sehen*, wie unsere Linien durchbrochen wurden!«

»Der Schleppwagen!« schrie Berman. »Hängt den verdammten Schleppwagen dran, sonst kommen wir gar nicht aus dem Hangar! Talley, du und Larson. Komm schon, Randy, bereiten wir die Kiste zum Start vor. Den Rest tüfteln wir in der Luft aus.«

Krab, Talley und ich stürmten zur Luke hinaus. Wir brauchten drei nervenzermürbende Minuten, um den Schleppwagen zu finden. Wäre er in der Inspektion gewesen, hätten wir uns begraben lassen können. Die Nova konnte sich nur durch Düsen- und Raketenantrieb fortbewegen – und bei Zündung dieses Feuers im Hangar wäre das Gebäude über uns zusammengebrochen wie ein Kartenhaus. Glücklicherweise entdeckte Talley den Wagen direkt vor dem Hangar in einer dunklen Ecke.

Die Schlacht bewegte sich in unsere Richtung, da unsere Leute zum Rückzug gezwungen wurden. Die Kampflinie würde uns bald erreicht haben. Das Aufblitzen und Donnern kam immer näher. »Wirklich ein Mordsschlamassel«, meinte Talley.

»Und er hat uns bald erwischt«, sagte Krab. »Los, Mann, schleppen!«

Wir hatten keine Einwände. Talley fuhr den Wagen vor die Maschine, und wir hakten die Zugleine am vorderen Fahrgestell ein.

Da holte uns der Krieg ein. Talleys Brust verwandelte sich zu rotem Brei, und er fiel aus dem Wagen. Bob tauchte aus dem Nichts auf, setzte sich hinters Steuer und startete den Motor, während er wie wild in die Dunkelheit feuerte. Aber die Uniformen, auf die er schoß . . .

»Ist das unsere Seite?« brüllte ich.

»Spielt keine Rolle, verdammt!« kreischte Krab. *»Bringen Sie die Maschine in die Luft!«*

Eine Kugel, vielleicht verirrt, vielleicht gezielt, durchschlug die Rückwand, und Krab stürzte zu Boden. Bob schrie auf mich ein: »Los, Los! Nichts wie raus hier!« Er beharkte den Boden vor uns mit Salven, während die Nova zur Startbahn hinausrollte. Goldie und Joan lagen schräg vor uns am Boden und erwiderten den Kugelhagel, der uns aus der Dunkelheit entgegenschlug.

Ich sprang auf die Tragfläche und duckte mich durch die Luke, während ringsherum Kugeln abprallten. Ich knallte die Luke zu und verriegelte sie. »Zugleine ab! Gott segne dich, Talley!« rief Berman. »Bahn frei! Haupttriebwerke starten, ein, zwei, alle laufen!«

Die mächtigen Düsentriebwerke erwachten explosionsartig zum Leben. »Volle Kraft erreicht«, sagte Metcalf. »Vorsicht, wenn diese Mühle die Schnauze hebt, Eve.«

Ich blickte zum Fenster am Navigatorplatz hinaus. Drei winzige Figuren, schon hundert Meter hinter uns, feuerten in die Dunkelheit.

Sie alle starben in dieser Nacht. Sie müssen gefallen sein. Gott allein weiß, wie viele von uns es dort erwischt hat.

»Im Namen der Vereinigten Staaten erkläre ich dieses Raumschiff für beschlagnahmt. Ich taufe dich auf den Namen *Bohica*!« schrie Metcalf.

»Vollgas . . .« sang Berman.

». . . und wir sind IN DER LUFT!«

Wir flogen aus den Trümmern von Hades hinaus zur Morgendämmerung am Horizont, aus der brennenden Nacht ins Licht des Tages.

TEIL DREI

KRIEG AM HIMMEL

ZWISCHENSPIEL

Dieser Augenblick veränderte alles, wenn auch nur für einen kurzen Funken der Zeit. So viele Menschen starben in jener Nacht, und ich fand mich so plötzlich an einem neuen Ort und in einem neuen Kampf wieder, daß es mir vorkam, als wären die Menschen, die ich gekannt hatte, gar nicht tot, sondern nur irgendwo anders. Nicht gefallen, sondern nur fortgegangen.

Was für ein Augenblick! Als unsere Maschine auf der Flucht in den Himmel stieg, spürte ich das Feuer wieder. Für einen kurzen Moment kehrte es zurück. Im Innern hatte ich dieses Monster besiegt. Ich wußte, daß es ein launischer und gefährlicher Diener war. In meiner Phantasie verstand ich die Flammen hinter mir und unter mir als Abschiedsgruß.

Der Tod war unwirklich, die flammende Verwüstung mein Sklave. Der wahre Krieger! Dann war dieser Augenblick vorüber, und ich kam wieder zu mir.

Kapitel 13

»Höhe zehntausend Meter, stetig zunehmend. Halte den Kurs, Randall«, sagte Berman, schnallte sich los und erhob sich von ihrem Sitz.

»Alles klar, Boß.« Metcalf steuerte die große Maschine mit Bedacht, denn er vertraute ihr noch lange nicht.

»Fregattenkapitän Larson, könnten Sie für einen Moment nach vorne kommen?« fragte Berman.

»Einen Moment!« Nach der Anzeige meines Pultes zu urteilen, nahm Metcalf genau den richtigen Kurs. Ich brauchte mir also im Moment nicht allzu viele Sorgen zu machen. Immer noch benommen vom Horror dort unten auf dem Boden, bewegte ich mich nur langsam und schwach. Ich verließ meinen Sitz und ging nach vorne zu Berman. Sie kauerte vor der Waffenleitstelle, an der Chen saß. Chen gegenüber an dem schmalen Zwischengang hatte George an der Funkstelle Position bezogen.

»Was ist?« fragte ich.

»Ein Abpraller muß sie erwischt haben. Direkt an der Kopfhaut entlang. Ich glaube nicht, daß sie es schaffen wird.«

Krabnowski hatte es auch nicht geschafft. War einer von denen, die ich vor fünf Minuten verlassen hatte, noch am Leben?

»Fregattenkapitän?«

»Mmm? Tut mir leid. Zeigen Sie mal her.« Berman gab mir den Weg frei, und ich kniete mich vor Chen nieder. Sie war bleich und schlaff. Ein schmales Rinnsal Blut lief ihr aus dem Mundwinkel. Ein abscheulich breiter Riß markierte den Weg der Kugel an ihrer Stirn vorbei. Hatte das Geschoß eine Gehirnerschütterung verursacht? War der Schädel gebrochen? Was war mit dem Blut im Mund? Eine weitere Kugel in der Lunge? Ich öffnete ihr den Mund und tastete mit einem Finger darin umher. Nein, sah so aus, als hätte sie sich innen die Wange aufgebissen. Wahrscheinlich in einem Spasmus, der beim Treffer den ganzen Körper durchzuckt hatte.

Ich wischte mir die blutigen Hände am Overall ab und öffnete Chens linkes Auge. Ich deckte es mit der Hand ab und entfernte sie dann wieder. Versuchte es erneut. Die Pupille reagierte nicht. »Ich glaube, sie hat eine Gehirnerschütterung!«

»Was können wir tun?«

»Woher, zum Teufel, soll ich das wissen? Ich bin kein Arzt!« Was wollten sie alle von mir? Was sollte ich denn noch alles tun? »Um Gottes willen, lassen Sie sie in Ruhe!«

»Aber sie stirbt vielleicht!« »Wenn wir die Wunde säubern und verbinden, drücken wir damit vielleicht einen Knochensplitter nach innen und sehen ihr Gehirn aus den Ohren herausquellen! Wir schnallen sie an und lassen sie in Ruhe, und Sie kümmern sich anschließend darum, diese Mühle zu fliegen, oder wir sind *alle* tot!«

Berman warf mir einen giftigen Blick zu und kümmerte sich um Chen. Ich ging ins Cockpit und setzte mich neben Metcalf. Warum hatte sie mich gefragt? Sie hätte das Kommando führen müssen, denn sie hatte den höheren Rang. Ah! Ich war im Erkundungsdienst! Man ging vermutlich davon aus, daß ich eine umfassende medizinische Ausbildung erhalten hatte. Berman hatte mich um medizinischen Rat gebeten, nicht um Befehle.

»Verdammt!« sagte ich laut. »Ich kann mich nicht erinnern, wann ich zum letztenmal etwas gegessen oder geschlafen habe.«

Metcalf behielt seine Steuerung und den Himmel im Auge und sah mich nicht an, während er sagte: »Was ist da unten passiert?«

»Sie sind alle tot, Randall.«

Es zuckte in seinem Gesicht. »Lob sei Gott in der Höhe, aber manchmal frage ich mich, ob er sich überhaupt um irgend etwas kümmert. Holen Sie lieber Eve wieder her. Wir nähern uns der Küste, und es soll irgendwo da unten einen Fliegerhorst der Hüter geben.«

Sie hatte ihn gehört. »Ich komme, Randall.«

Wir drängten uns im schmalen Zwischengang aneinander vorbei. Ihr hübsches Gesicht und ihre Hände waren blutverschmiert, aber sie schien keine Notiz davon zu nehmen. Sie warf mir einen wütenden, verletzten Blick zu. Keiner von uns sagte etwas.

Sie schnallte sich auf dem Sitz an, von dem ich gerade aufgestanden war, und übernahm die Steuerung. »Wir sind jetzt vierzehn Minuten in der Luft. Passieren die Küstenlinie in etwa neunzig Sekunden.« Ihr Blick war kalt, und die Finger wurden weiß, so heftig umklammerte sie den Steuerknüppel.

Ich seufzte und fühlte mich müder als je zuvor. Ich trottete zum Navigatorpult zurück, schnallte mich an und betrachtete den Radarschirm. Adrenalin schoß in meinen Kreislauf. Drei von ihnen!

Metcalf meldete sich als erster. »Fregattenkapitän! Ortung auf sechs Uhr unter uns, rasch steigend.«

»Ich hab' sie! Es sind Bandits! George, empfängst du irgendwelche Funksprüche von ihnen?«

»Eine Sekunde. Beherrsche die Anlage noch nicht ganz . . .«

Er drückte einen Schalter, und eine harte Stimme plärrte aus dem Dachlautsprecher: ». . . derhole, hier ist Skycoast-Eins an Nova-Jäger, bestätigen Sie! Sie haben keine Durchflugerlaubnis. Keine Durchflugerlaubnis! Antworten Sie, oder wir eröffnen das Feuer!«

»Und jetzt?« fragte George.

»Um Himmels willen, antworten Sie endlich!« schrie Berman zurück. »Täuschen Sie sie, bis wir außer Reichweite sind!«

George fummelte eine Zeitlang auf seiner Schalttafel herum und fand endlich den richtigen Knopf. Er zog einen Kopfhörer hervor und setzte ihn auf. »Rufe — rufe Skycoast-Eins! Skycoast-Eins, bitte melden!«

»Hier Skycoast-Eins! Identifizieren Sie sich!«

George blickte zum Fenster hinaus und las die Nummer auf der Tragfläche ab. »Hier Nova 44-8956NF. Wir fliehen vor einem Angriff auf die Talon-Aerospace-Zentrale. Wir sind beschädigt worden, stark beschädigt.« Talon war die Bezeichnung der Hüter für Hades.

Die Stimme von Skycoast klang immer noch sehr mißtrauisch. »Was für Schäden? Können wir helfen?«

Metcalf drehte sich um und formte mit den Lippen lautlos das Wort *Fahrgestell*. George nickte. »Fahrgestell ist blockiert. Wir wurden beim Start beschossen.«

Die drei Hüterjets waren jetzt auf der Infrarotaufnahme im Heck zu erkennen, drei winzige Punkte, die rasch größer wurden. Ich setzte mir selbst Kopfhörer auf und schaltete den Interkom ein. »Navigator an Pilot. Können wir Tempo zulegen und sie abschütteln?«

»Negativ. Nicht, wenn wir das Rendezvous erreichen wollen. Wir können auf den Treibstoff nicht verzichten. Nebenbei, selbst wenn wir abzuhauen versuchten, könnten wir auf diese Entfernung einer Rakete nicht entkommen.«

George sprach immer noch mit dem feindlichen Piloten. Er schaltete auf den Interkom um und informierte uns: »Sie wollen uns umfliegen, um den Schaden zu überprüfen. Wir sind angewiesen, nicht höher zu gehen und die Geschwindigkeit zu halten.«

Metcalf fluchte unterdrückt. »Nun, Boß?«

»Mach es, Randy«, sagte Berman. »Die haben die Kanonen.«

Kanonen, dachte ich. *Da ist eine Kanone direkt an meiner Seite...* Ich meldete mich wieder über Interkom. »Hat jeder hier eine Seitenwaffe, einen Laser?«

»Jawohl, ja.« Das war Metcalf.

»Ja, und?« fragte Berman.

»Ich habe keinen«, sagte George.

Ich hatte da so eine Idee, aber es war ein verdammt weiter Schuß! »Okay, Metcalf und Berman — wer von Ihnen schießt besser?«

»Ich habe es nur bis zum Schützen gebracht«, sagte Berman.

»Ich bis zum Scharfschützen«, sagte Metcalf.

»Okay, Metcalf. Ziehen Sie die Pistole, stellen Sie sie auf Laser ein, stärkste Energie, schmalster Strahl.« Ich tat das gleiche mit meiner Waffe. »Und wechseln Sie mit Berman den Platz.«

»Was, zum Teufel, haben Sie eigentlich vor, Sir?« wollte er

wissen, als er den Platz wechselte. Die Maschine geriet für einen Moment ins Schlingern und beruhigte sich wieder.

»Wir warten, bis wenigstens zwei der Jäger in Reichweite sind. Dann schießen Sie und ich unsere Laser direkt auf die Gesichter der Piloten ab, um sie zu blenden. Unsere Laser feuern im Bereich des sichtbaren Lichtes, also sollten die Fenster den Strahl nicht aufhalten.«

»Sie machen Witze!«

»Wenn Sie eine bessere Idee haben, hören wir sie uns alle gern an. Eve, bereiten sie sich darauf vor, kräftig Gas zu geben.«

»Sie machen *wirklich* Witze, stimmt's?«

»Nein. Möchten Sie einen Gegenbefehl erteilen?«

»Mir fällt leider auch nichts Besseres ein.«

»George, wird es funktionieren?« fragte ich.

»Es müßte eigentlich klappen«, sagte er nervös. »Jedenfalls dürfte das Glas strenggenommen nicht schmelzen, und wenn doch, sind wir auch nicht schlimmer dran.«

»Das genügt mir. Eve, halten Sie sich für den Durchstart in den Orbit bereit.«

»Fregattenkapitän, unserem ursprünglichen Flugplan zufolge haben wir noch siebzehn Minuten und tausend Kilometer vor uns, ehe wir zünden«, entgegnete Berman.

»Ich weiß, und wir dürfen daran prinzipiell nichts ändern, wenn wir das Rendezvous mit Vapaus erreichen wollen. Aber wenn wir die Kerle nicht abschütteln, kommen wir nirgendwohin. Lösen wir ein Problem nach dem anderen.«

»Sie schließen auf«, meldete George.

Ich blickte auf den Radarschirm. »Zwei jedenfalls.« Eine Maschine, wahrscheinlich der Anführer, blieb zurück und hielt einen Abstand von zwei Kilometern. Die beiden anderen Maschinen holten schnell auf. Sie waren mattschwarz und hatten kantige, nach vorne gebogene Tragflächen und Frontscheiben, die dunklen, schweren Insektenaugen ähnelten. »George, kennst du diesen Schiffstyp?«

»Nicht die Spur. Ist mir ganz neu.«

»Zwei Jäger schließen auf.«

George meldete sich wieder. »Sie fordern uns auf, einen Probelauf mit dem Fahrgestell zu unternehmen.«

»Bei dieser Geschwindigkeit?«

»Wir hatten sowieso nicht vor, es zu benutzten.« Metcalf gab sich hilfreich wie stets.

»Okay, ich präsentiere denen eine Show«, sagte Berman. Sie kippte die Fahrgestellschalter vor und zurück, so daß das Fahrgestell herausklappte und gleich wieder zurückfuhr.

Ich blickte auf den Bildschirm. »Einer von ihnen muß es gesehen haben. Einer ist direkt über uns, der andere unter uns. George, schalte den Funk mit dem Interkom zusammen.«

». . . barer Schaden, Nova-Jäger. Kein erkennbarer Schaden.«

George schluckte. »Wir glauben, daß es an der Hydraulik liegt.«

»Möglich, Nova-Jäger, aber wir können kein Leck erkennen.«

»Boß, duck dich! Wenn die sehen, daß eine Frau die Kiste fliegt . . .« sagte Metcalf.

»Mein Gott, Randy, du hast recht.« Berman wich vom Fenster zurück. Sie versuchte sich klein zu machen und trotzdem weiter die Steuerung zu halten. Auch unsere Uniformen waren nicht gerade vorschriftsmäßig, aber daran konnten wir nun wirklich nichts ändern.

»Fregattenkapitän, mein Vogel ist jetzt direkt in der Schußlinie!« sagte Metcalf.

»Auf meiner Seite ist nichts zu sehen«, antwortete ich. »Jetzt kommt er von oben . . .«

»Meiner schiebt sich vor und fällt jetzt wieder etwas zurück.«

Metcalf und ich beobachteten, wie unsere Ziele beiderseits der *Bohica* immer wieder in Schußposition und hinaus pendelten.

»Er kommt — okay, ich kann schießen«, sagte ich.

»Er fällt zurück. Komm schon, du Bastard, hierherblicken!«

»Kannst du feuern? Dieser Typ hockt da und wartet auf . . .«

»Fast — fast! FEUER!«

Wir schossen im selben Augenblick. Ich sah die dünne, rubinrote Linie durch den Himmel schneiden. Der Strahl fiel ins Gesicht des Piloten. Seine Schutzbrille schmolz sofort. Er griff sich schmerzgepeinigt an die zerstörten Augen, und plötzlich kippte seine Maschine seitlich weg und stürzte ins Meer hinab.

»Eve — Schub!«

Die großen Triebwerke legten sich mächtig ins Zeug, und wir kletterten weiter in den Himmel hinauf. »Metcalf, haben Sie . . .«

»Yeah, ich hab' ihn erwischt.«

Ich behielt den Radar im Auge. »Immer noch einer hinter uns.« Ich warf einen Blick auf die Infrarotaufnahme. Weit hinter uns stürzten zwei Kondensstreifen in verrückten Spiralen ab. Zwischen ihnen wurde ein wütender schwarzer Fleck größer.

Ich schaltete den Funk wieder ein. »Hier Skycoast-Eins. Verfolge abtrünnigen Nova-Jäger. Sanders und Hampton von Nova abgeschossen. Abtrünniger hat Kurs auf . . .« Das Funkgerät gab von da an nur noch bedeutungsloses Pfeifen von sich.

»Er hat den Zerhacker eingeschaltet. Wir werden nichts mehr mitkriegen«, sagte George.

»Wir haben genug gehört«, sagte ich.

»Fregattenkapitän Larson, wir können das Rendezvous mit Vapaus nicht mehr erreichen. Wir schießen über das Startfenster hinweg!«

»Ich weiß, ich weiß.« Das Tageslicht wurde stärker. Wir waren dem Sonnenaufgang entgegengeflogen. Ich schaltete die Infrarotaufnahme ab und widmete mich der normalen Sicht auf den TV-Bildschirmen. Der Himmel war strahlend hell, während das Meer unter uns und das Land dahinter in Dunkelheit lagen. Wir gewannen weiterhin an Höhe und sahen jetzt die Krümmung des Globus am Horizont.

»Wir müssen auf jeden Fall versuchen, eine Umlaufbahn zu erreichen«, meinte Berman. »Die Liga hält sowieso kein einziges Flugfeld, auf dem diese Kiste landen könnte, und wenn wir umkehren würden, hätten sie uns schnell abgeschossen. Der Düsentreibstoff reicht nur noch für den Versuch, eine Umlaufbahn zu erreichen. Wenn wir das nicht schaffen, stürzen wir ins Meer!«

»Keine berauschende Alternative«, warf Metcalf ein.

»So ist es. Randall, achte du jetzt auf den Radar. Larson muß irgendeinen neuen Kurs austüfteln.«

Dafür blieb nicht viel Zeit. Vor Minuten noch hatten wir ein exakt berechnetes, winziges Stück Himmel angesteuert, während wir uns jetzt glücklich schätzen konnten, wenn wir überhaupt eine Umlaufbahn erreichten. Ich machte mich daran, die Zahlen für einen Minimalorbit bei möglichst geringem Treibstoffaufwand auszuhecken . . .

»Rakete abgefeuert! Zwei Raketen!«

Ich wechselte vom Navigationssystem zu meinem Radar. Seit dem Abschuß der beiden Jäger waren vielleicht dreißig Sekunden vergangen. Ich wandte mich wieder der Navigation zu. Der Computer hatte das Problem gelöst. »Pilot! Nichts wie weg hier! Achtundneunzig Grad horizontal, fünfunddreißig Grad vertikal, keine Abweichungen!«

Sie riß die Maschine grob herum und ließ sie kräftig steigen. »Auf Kurs!«

»Auf fünfzigtausend Meter Fusionstriebwerke auf volle Kraft.«

»Orbitaltriebwerke, volle Kraft, fünfzigtausend.«

Ich blickte auf den Radarschirm. »Raketen kommen näher.« Verdammt! Chen saß bewußtlos an der Waffenleitstelle. Eine Radarzielerfassung hatten wir an Bord. Ich verstärkte die Vergrößerung.

»Halte Kurs achtundneunzig, null, fünfunddreißig aufwärts, null. Höhe fünfundzwanzigtausend Meter — jetzt!« Bermans Stimme war hart und kalt, aber nun lauerte Angst hinter dieser Ruhe.

»Raketen kommen näher — Abstand vierzehntausend Meter. Schließen um sechshundertfünfzig Meter pro Sekunde auf.«

Metcalf versagte fast die Stimme. »Höhe dreißigtausend Meter.«

Berman meldete sich wieder. »Larson — rufen Sie laufend die Abstände zu den Raketen aus. Randall — gib mir den Countdown bis zur Orbitalzündung.«

»Zehn Sekunden«, sagte Metcalf.

»O mein Gott!« George, im Eifer des Gefechts fast vergessen, starrte auf den Bildschirm und ballte die Hände sinnlos zu Fäusten.

»Abstand elftausend Meter«, sagte ich.

»Neun Sekunden.«

»Neuntausend Meter.« Im Hintergrund der TV-Aufnahme konnte ich die Raketen jetzt *sehen*, winzige, weiße Feuerkreise mit dunklen Flecken im Zentrum.

»Acht Sekunden.«

»Bereithalten für die Orbitalzündung!« rief Berman. Würde Chen das durchhalten? Welche Beschleunigungswerte konnte sie mit dieser Wunde verkraften?

»Sieben Sekunden.«

»Siebentausend Meter.« Meine Stimme klang schrill und schwach über dem Tosen der Triebwerke.

»Wir schaffen es nicht!«

»Halt die Klappe, Randy! Gib mir die Daten!«

»Viertausendzweihundert«, sagte ich. Er hatte recht. »Lieber Jesus, fünf Sekunden!«

»Raketen auf dreitausend.« Plötzlich wurde eine von ihnen langsamer, fiel zurück und verschwand vom Bildschirm. »Einer ist der Treibstoff ausgegangen.«

»Bitte, lieber Jesus, vier Sekunden!«

»Zweite Rakete kommt rasch näher — eintausendzweihundert Meter!«

»Drei Sekunden!«

»Fünfhundert Meter.«

»AUSWEICHMANÖVER!« schrie Berman und drückte die Maschine in einer Kurve nach unten, die mir den Kiefer zusammenpreßte. Ich schmeckte Blut. Eine Detonation krachte hinter uns und erschütterte die Maschine. Metallstücke lösten sich kreischend. Berman riß den Bug hoch und ging erneut in Steigflug über.

»Wir sind getroffen worden. Haben etwas Rudergenauigkeit verloren, und irgendwo leckt es«, sagte sie.

»Ja, aber mein Gott, wir leben! Zum Glück war das kein Nuklearsprengsatz.«

»Schaffen wir es auf die Umlaufbahn?«

»Rakete auf dem Bildschirm!« Sie kam einfach aus dem Nichts, in dem Augenblick, als ich wieder auf geringere Vergrößerung zurückschaltete.

»Randy, die Höhe!«

»Fünfundvierzigtausend!«

»Raketentreffer in drei Sekunden!«

Berman riß den Steuerknüppel zurück und brachte uns damit auf eine gefährlich steile Bahn. Tief im Innern erbebte die Maschine, und es gab einen dumpfen Schlag.

»Höhe achtundvierzigtausend Meter!«

»Treffer in zwei Sekunden!«

»Fünfzigtausend Meter . . .«

»ZÜNDUNG!«

Die gewaltigen Orbitaltriebwerke erwachten explosionsartig zum Leben. Auf dem Bildschirm sah ich, wie das geisterhafte Bild einer Flamme nach der Rakete griff, die einfach verdampfte.

Der Lärm war schier unglaublich. Die Maschine bebte. George sagte etwas vor sich hin, aber niemand konnte es verstehen. Er schien noch heftiger zu zittern als das Flugzeug. Selbst im Kopfhörer verstand ich kaum die Worte, die Berman und Metcalf wechselten.

»Rotes Licht am Treibstofffleck, Boß.«

»Ich habe verstanden, Randy. Wir müssen unsere Masse reduzieren.«

»Überschreiten Mach Eins.« Die Vibrationen blieben, aber das Triebwerksgetöse ließ nach. Als wir dann die Atmosphäre hinter uns ließen, verschwanden auch die Vibrationen.

»Okay, pumpen wir Treibstoff aus den Tragflächen in den Haupttank.«

»Brennphase dauert jetzt achtzehn Sekunden.«

Die Spannung war gebrochen, hatte sich völlig gelegt. Wir waren immer noch am Leben.

»Treibstofffleck sieht schlimmer aus, als ich dachte. Es könnte schwierig werden, auch nur den niedrigsten Orbit zu erreichen«, sagte Metcalf.

»Wie schlimm ist es?« fragte ich.

»Sehen Sie nur zum Fenster hinaus.«

Hier in den äußersten Randschichten der Atmosphäre verdampfte der Wasserstoff aus dem Tragflächentank sofort. Aus einem daumengroßen Loch am Ansatz der Tragfläche zogen wir eine Schnur aus dichtem Dampf hinter uns her.

»Jesus!« murmelte ich.

»Sie sagen es«, pflichtete mir Metcalf bei. »Ich bin dabei, so schnell es geht Treibstoff aus den Tragflächen in die Rumpftanks zu pumpen, aber ich muß es gleichzeitig aus beiden Tragflächen tun, damit wir das Gleichgewicht halten.«

»Schaffen wir es?«

»Bei Lecks riskiere ich grundsätzlich keine Vorhersagen.«

»Danke, das ist sehr hilfreich.«

Für einen Moment war es still in der Kabine. Dann hörten wir ein leises Ächzen von Chen. Noch war sie also am Leben, aber wie lange hielt sie eine Beschleunigung von drei g durch?

Jetzt stieg der Andruck gar auf dreieinhalb g. Je mehr Treibstoff verbrannt wurde, desto weniger Masse hatten die Raketentriebwerke zu schieben. Wir näherten uns dem Spitzenbeschleunigungswert von etwa vier g.

»Brennphase dauert jetzt sechzig Sekunden. Fregattenkapitän, was halten Sie davon, die Tragflächen abzustoßen?« fragte Metcalf. »Sobald die Tragflächentanks leergepumpt sind, wäre es gut, wenn wir das tote Gewicht loswerden könnten. Kommen wir damit durch, oder verpfuschen wir uns unsere Flugbahn?«

»Was für eine Flugbahn?« fragte ich. »Wir haben den richtigen Kurs anvisiert, aber nicht beibehalten können. Wir versuchen irgendeine Umlaufbahn zu erreichen, aber ich weiß nicht, welche. Warten wir mal ab. Wieso lassen Sie nicht einfach die Pumpen noch zehn Sekunden weiterlaufen, sobald die Tanks trocken sind, nur um sicherzugehen, schalten sie dann ab, tun dasselbe für zwei Sekunden mit dem Haupttriebwerk, blasen die Tragflächen weg und geben dann wieder Gas?«

»Ja, wieso eigentlich nicht?« versetzte Metcalf. »Wir bewerben uns ja nicht um eine Auszeichnung im Präzisionsflug, das ist mal sicher. Eve, kommst du damit klar?«

»Tue ich«, sagte sie, »aber ich weiß nicht, ob dieser Schrotthaufen zusammenhält.«

»Wenn nicht, dürfen wir bald alle einen tiefen Schluck Salzwasser nehmen«, meinte Metcalf. »Angesichts dieses Lecks haben wir definitiv nicht genug Treibstoff, um mit der Masse der Tragflächen auf eine Umlaufbahn zu kommen.«

»Ist bislang nicht einer unserer besten Flüge, wie?« fragte Berman unglücklich.

»Nein, Ladyboß, eindeutig nicht«, antwortete Metcalf. »Die Tragflächentanks dürften übrigens leer sein, sobald wir hundertzwanzig Sekunden lang in der Brennphase sind.«

»Okay, halte dich für den zweisekündigen Triebwerkstop bei hundertdreißig bereit. Randy, ich fliege und du schnappst dir die Tragflächenverankerung. Puste sie sauber ab.«

»Ich habe die Sicherung bereits gelöst. Ein Knopfdruck, und sie sind weg.«

Ein surrendes Geräusch breitete sich plötzlich aus — es waren die Pumpen, die keinen Sprit mehr finden konnten. Im selben Moment riß der Dampfstrahl aus dem Leck ab.

»Soviel zu den Tragflächentanks bei einhundertfünf Sekunden Brennphase«, verkündete Metcalf.

»Okay, halt dich bereit für den Abwurf von Tragflächen und Heckleitfläche«, warnte ihn Berman.

»Alles klar, Eve. Die Sprengbolzen sind scharf. Sieh zu, daß du die Karre im Griff behältst, wenn ich Tragflächen und Seitenruder wegpuste. Sie wird sich in zehn verschiedene Richtungen davonmachen wollen.

»Sehen wir zu, daß wir die Sache über die Bühne kriegen.«

»George, Sie und der Fregattenkapitän geben durch, sobald die Tragflächen ein gutes Stück weg sind. Ich behalte das Seitenruder über unser Heck-TV im Auge«, sagte Metcalf.

»Vorsicht!« rief Berman. »Hundertfünfundzwanzig Sekunden, hundertsechsundzwanzig, hundertsiebenundzwanzig, hunderachtundzwanzig, hundertneunundzwanzig, TRIEBWERK AUS!«

Schlagartig setzte der Beschleunigungsdruck aus. Durch mein Fenster konnte ich etwas aufblitzen sehen. Metall scharrte an Metall, und dann glitt die Tragfläche geräuschlos davon.

»Backbordtragfläche klar!«

»Meine auch«, bestätigte George.

»Schwanz auf und davon. Die Kiste funktioniert wenigstens dann richtig, wenn man sie hochjagen will. Gib Saft, Professor!«

»Triebwerkstart!« Wir wurden wieder in unsere Sitze gehämmert, fester denn je. Wir überschritten viereinhalb g. Hielt Chen das durch?

»Mac, hast du irgendeine Idee, wohin uns unsere Umlaufbahn führt?« wollte George wissen.

»Welche Umlaufbahn? Die ursprünglich geplante, diejenige, die wir zu erreichen versucht haben, oder die, die wir *tatsächlich* erreichen werden? Eve hat die Orbitaltriebwerke mitten in einem Ausweichmanöver gezündet. Ich weiß nicht einmal, wohin unser Bug in dem Moment zeigte! Sie hat den Kurs anschließend korrigiert, aber ich habe keine Möglichkeit, die Auswirkungen der ersten paar Sekunden oder des Tragflächenabwurfs zu berechnen. Wir sollten eigentlich höherkommen, aber ich weiß nicht, um wieviel.«

»Ganz schön harte Nuß, diese Rechnung«, kommentierte Metcalf.

»Aber wir schaffen es doch auf eine Umlaufbahn, oder?« fragte George.

»Oh, wahrscheinlich schon«, antwortete ich, »aber nicht für lange. Nach zwei oder drei Umkreisungen sind wir wieder so tief in den Außenschichten der Atmosphäre, daß sogar die Tragflächen wieder etwas Wirkung gezeigt hätten. Aber nicht genug, als daß es sich gelohnt hätte, sie zu behalten.«

Berman und Metcalf waren Piloten. Sie waren längst von selbst darauf gekommen. George jedoch fühlte sich entschieden unbehaglich. »Wir sind also nur soweit gekommen, um jetzt darauf zu warten, daß wir wieder hinunterfallen?«

»Wir hoffen einfach, daß da oben jemand bereit ist, Anhalter mitzunehmen«, beruhigte ihn Metcalf. »Dem Rendezvouspunkt mit Vapaus kommen wir nicht näher als auf zweitausend Kilometer.«

»Oh.« George saß bestürzt da. »Warum sind dann alle hier so ruhig?«

»Wenn wir tapferen Flieger erst *richtig* ruhig werden, wird es allmählich Zeit, sich Sorgen zu machen«, erklärte ihm Metcalf. »Ich persönlich hab' mir die Hose naßgemacht, als die erste Rakete uns auf die Pelle gerückt ist.«

»Komm schon, so dicht war es nun auch wieder nicht«, bemerkte Berman heiter.

»Und warum ist dann meine Hose naß? Brennphase dauert jetzt zweihundertfünfundvierzig Sekunden.«

Ein paar Sekunden später ertönte ein Summton. »Verdammt! Die Zehnsekundenwarnung für den Treibstoff! Brennphase zweihundertfünfzig, zweihunderteinundfünfzig, zweihundertzweiundfünfzig, zweihundertdreiundfünfzig, zweihundertvierundfünfzig, zweihundertfünfundfünfzig – alles weitere ist Bonuszeit – zweihundertsiebenundfünfzig, zweihundertachtundfünfzig, zweihundertneunundfünfzig . . .«

Die Maschine bockte einmal, zweimal, die Triebwerke knurrten ungleichmäßig und erstarben. Wir waren gewichtslos.

»Triebwerkstop bei zweihundertneunundfünfzig Sekunden. Vielleicht eine Idee mehr mit dem letzten Rumpeln. Fregattenkapitän, werden wir hier oben bleiben?«

»Moment.« Die einzigen Geräte, mit denen ich umgehen kann, ohne zwei Stunden lang im Handbuch zu blättern, sind Sextant und Höhenradar. Mit dem Sextanten konnte ich die Bodengeschwindigkeit grob abschätzen, und mit dem Radar schickte ich eine Folge von Impulsen zur Planetenoberfläche. Der Rest war Rechenarbeit. »Wenn ich es richtig sehe, legen wir auf einhundertzweiundsechzig Kilometern Höhe um die siebentausendvierhundert Meter pro Sekunde zurück, und die Flugbahn wirkt kreisförmig. Wir haben es um Haaresbreite geschafft.«

Damit rief ich einen lauten Jubelsturm hervor.

»George«, fuhr ich fort, »schick mal eine Nachricht nach Vapaus runter. Wenn du die Umstellung von den Hüterfrequenzen schaffst – sie müßten auf UHF-Kanal zwei zu erreichen sein.«

»Kleinigkeit. Ah, Leutnant Metcalf, wie haben Sie diese Maschine genannt?«

»Beschlagnahmtes Raumschiff der Vereinigten Staaten Bohica. Eine lange Geschichte.«

»Sei vorsichtig, oder er sendet das glatt«, warnte ihn Berman. »Fregattenkapitän, kümmern wir uns mal um unsere Patientin.«

Ich schnallte mich los und hangelte mich zusammen mit Berman zu Chen hinüber.

Chen war nach wie vor ohne Bewußtsein. In der Schwerelosigkeit schien die Wunde an ihrer Stirn kaum noch zu bluten. Die Blutstropfen bildeten eine Blase vor ihrem Gesicht, die im Rhythmus des Atems zitterte. Eve Berman stieß sich mit den Füßen zum Heck der Maschine ab und kehrte mit einem Erste-Hilfe-Kasten zurück.

»Hier ist Raumschiff *Bohica*, beschlagnahmt im Namen der Vereinigten Staaten. *Bohica* ruft Basisstation Vapaus. Bitte melden! Wir sind manövrierunfähig und haben eine Verletzte an Bord. Vapaus, bitte kommen! Hier spricht *Bohica*...«

Georges dünne Stimme leierte im Hintergrund weiter, während Berman und ich Chen versorgten. Vorsichtig wischte ich ihr mit einem Schwamm das Blut von der Stirn und säuberte die Wunde anschließend behutsam. Sie schien gar nicht so tief und schlimm zu sein.

Der Kasten enthielt auch eine kleine Lampe, mit der ich erneut die Pupillen kontrollierte. Diesmal reagierten sie leicht. Chen hustete, und ein paar Blutstropfen flossen aus dem Mund hervor und schwebten durch die Kabine. Berman fing sie mit Hand und Schwamm auf. Der Schnitt im Mund war heikel. In der Schwerelosigkeit konnte sich das Blut aufstauen und die Lunge blockieren — Chen konnte regelrecht darin ertrinken.

»Mac, wir brauchen im Moment keine zwei Piloten, und Sie müssen inzwischen ziemlich erschöpft sein«, sagte Berman. »Ich tue für Chen, was ich kann, während sie sich ausruhen. Wenn wir Verbindung mit Vapaus haben, müssen Sie fit sein.« Sie fing an, Chens Stirn zu verbinden.

»Fregattenkapitän, wenn Sie mich für eine Minute vertreten könnten — ich würde gerne mal wohin«, sagte Metcalf. Die *Bohica* war eine Langstreckenmaschine und verfügte über einen kleinen Waschraum.

»Okay.« Ich kletterte auf den Sitz des Copiloten, und Metcalf schwebte zum Heck. Seine Hosenbeine waren naß und hinterließen einen beißenden Geruch.

George legte mit seinem Funkgerät eine Pause ein. »Ich dachte, er hätte einen Witz gemacht, was die nasse Hose angeht.«

»Gibt nirgendwo einen Spitzenpiloten, der nicht hin und wieder eine Windel gebrauchen könnte«, sagte ich. »Auf manchen Etappen meiner Ausbildung gab es auch die eine oder andere Bescherung.«

Metcalf kam nach wenigen Minuten zurück, und seine Hose war jetzt nasser, aber sauberer.

»Randall, vielleicht kümmern Sie sich lieber darum, den Bug in Flugrichtung zu halten.« Die *Bohica* geriet bereits ins Trudeln. So dünn die Atmosphäre hier draußen auch war, sie begleitete uns weiterhin, und wenn wir den Luftwiderstand gering halten konnten, würden wir entschieden länger auf unserer Umlaufbahn bleiben.

Metcalf brauchte ich das nicht zu sagen. Er warf einen Blick zum Fenster hinaus, sah die Planetenoberfläche vorbeirollen und pfiff. »Bin schon dabei!«

»Hier spricht die *Bohica*! Wir rufen Basisstation Vapaus! Wir sind manövrierunfähig und haben eine Verletzte an Bord. Wir bitten um Hilfe. Verdammt! Hier spricht die *Bohica*! Wenn uns irgend jemand hört, helft uns! Over!«

George wiederholte das in einem fort. Ich versuchte zu schlafen. Während der zurückliegenden zweiundfünfzig Stunden hatte ich etwa vier Stunden geschlafen. Ich döste eine Stunde lang vor mich hin, aber mir fehlte die innere Ruhe. Ich gab es auf und sah nach, was Metcalf tat.

»Wie sieht es aus?« fragte ich, während ich auf dem Sitz des Copiloten Platz nahm.

»Nicht sehr gut. Unsere Stabilisatoren stammen wohl aus einem Sonderangebot. Die Aussteuerung ist okay, aber die Gierung taugt nicht viel. Der Beinahetreffer muß der Sache dann den Rest gegeben haben.«

»Und was machen Sie jetzt?«

»Ich setze die Fluglagedüsen ein und winke unserem letzten

Treibstoff hinterher. Gott sei Dank haben die Holzköpfe, die diese Kiste zusammengehämmert haben, den Fluglagedüsen eine separate Treibstoffversorgung gegönnt, sonst hätten wir sie auch noch abschreiben können, als den Haupttriebwerken der Saft ausging.«

»Was ist mit dem Jettreibstoff?«

»Was soll damit sein? Hier oben können wir ihn nicht verbrennen. Nicht ausreichend Luft vorhanden.«

»Nein, aber es müßte möglich sein, ihn rauszublasen.«

»Wozu?«

»Wenn wir ihn rausblasen, senken wir die Masse der Maschine, und . . .«

»Bei weniger Masse kommen die Fluglagedüsen länger mit ihrem Treibstoff hin. Na, schauen wir mal.« Er holte das Pilotenhandbuch hervor, das George aus dem Hangar gerettet hatte. »Ventile, Luft − Treibstoff, Seite vierhundertsechsundfünfzig. Finger rein, Diagramm auf Seite vierhundertvierundvierzig. Hmmm, das wäre vielleicht was. Vorausgesetzt, sie sind inzwischen nicht total deformiert − normalerweise sind die Ventile so angeordnet, daß Druck, der aus einem herauskommt, dem Schubeffekt des anderen entgegenwirkt. Wahrscheinlich geraten wir dadurch trotzdem *etwas* ins Trudeln, aber was soll's!« Er schlug im Handbuch die passenden Schalter nach und drückte sie dann. Ein fernes Zischen ertönte, dann war die *Bohica* von einer Wolke aus weißem Dampf umgeben, die sich gleich wieder auflöste. Die Maschine geriet in eine Drehung um die Längsachse, aber Metcalf ließ sie gewähren. »Allmählich mache ich mir Sorgen um unseren Luftwiderstand. Eine Rolle ist dagegen harmlos. Danke für die Idee.«

»Noch irgendwelche Probleme?«

»Ja, ich glaube, wir haben Schwierigkeiten mit der Batterie. Die Energie scheint uns ziemlich rasch flötenzugehen. Sobald wir zurück sind, muß ich darüber ein paar Takte mit dem Bodenpersonal reden. Vielleicht könnten Sie allerdings bis dahin ein paar Anlagen, die wir nicht benötigen, abschalten.«

»Ich tue, was ich kann.« Das war nicht viel. Ich schaltete Lampen ab und legte Pulte still, die wir nicht mehr brauchen würden – zunächst mal meins und Chens. Doch das waren nur unbedeutende Stromverbraucher. Was uns wirklich die Energie auffraß, waren Einrichtungen, auf die wir nicht verzichten konnten, wie der Funk, das Lebenserhaltungssystem, die Fluglagensteuerung. Ich drehte die Heizung etwas herunter, aber selbst, wenn wir jetzt ein bißchen froren, half uns das nicht sonderlich.

Es war eine dunkle, kalte und stille Maschine, die ihre Bahn über den Himmel des hell leuchtenden Planeten zog, des Kriegsplaneten, der sich lautlos vor unseren Fenstern drehte. Wenig später traten wir wieder in den Schatten der Welt ein.

»Hier *Bohica*! Wir rufen irgend jemanden, irgend jemanden! Wir sind manövrierunfähig und haben eine Verletzte an Bord. Hier spricht die *Bohica* . . .«

Wir trieben weiter durchs All. Georges Stimme versagte, und ich vertrat ihn eine Zeitlang. Wir kamen aus dem Planetenschatten hervor, und direkt vor uns stieg Vapaus wie ein strahlender Stern über die gekrümmte Grenze des Sonnenaufgangs von Neu-Finnland. Wir waren vorher schon an Vapaus vorbeigekommen, aber nicht bei Sonnenaufgang. Es war wunderschön. Als das Licht in unsere kalte Kabine fiel, empfanden wir es wie neue Wärme und neue Hoffnung.

Ich schaltete von Rundfunk auf einen gerichteten Strahl um und zielte diesen direkt auf Vapaus. »Hier spricht das Raumschiff *Bohica*, beschlagnahmt im Namen der Vereinigten Staaten! Wir rufen Basisstation Vapaus. Vapaus-Basis, bitte melden. Wir sind manövrierunfähig und haben eine Verletzte an Bord. Vapaus-Basis, bitte melden!«

Endlich erhielten wir Antwort. Ich verstand die Worte zunächst nicht, bis ich erkannte, daß es Finnisch war.

Erwartungsvolle Gesichter wandten sich mir zu.

»Na, was haben sie gesagt?« wollte George wissen.

»Sie haben uns aufgefordert, uns zu ergeben, andernfalls wollen sie das Feuer eröffnen.«

»O mein Gott!«

Schnell wandte ich mich wieder dem Mikro zu. »Hier *Bohica*! Wir sind eine Maschine der Liga! Wir sind auf Ihrer Seite!« sagte ich in schlechtem Finnisch.

»Ergeben Sie sich, oder wir eröffnen das Feuer!«

Plötzlich leuchteten seitlich von uns feuriggelbe Explosionen auf. Sprengköpfe waren detoniert, und kleine Bruchstücke prasselten auf den Rumpf.

»Das war ein kalkulierter Fehlschuß«, sagte Metcalf.

»Ja, ein Schuß vor den Bug, aber sie müssen die Dinger abgefeuert haben, ehe ihre Funkmeldung kam«, meinte Berman.

»Hier spricht die *Bohica*! Vapaus-Basis, bitte stellen Sie das Feuer ein! Wir sind unbewaffnet! Wir haben eine Verletzte an Bord!«

Die Ränder von Vapaus flackerten wieder auf. »Sie schießen erneut«, stellte Metcalf fest.

Sekunden später blitzte es wieder, heller und näher diesmal, und wir hörten, wie stählerne Partikel unsere Hülle durchschlugen. Die Maschine geriet ins Trudeln. Eine Alarmsirene heulte los.

»Wir verlieren Luft!« schrie George und schaltete den Alarm ab.

»Vapaus, Ihr Feuer hat unsere Hülle beschädigt! Bitte stellen Sie das Feuer ein! Wir ergeben uns, um Gottes willen!« Der Satellit wurde beträchtlich größer, während wir aufholten. Es erfolgte keine Antwort, aber es wurde auch nicht mehr geschossen.

George hangelte sich hastig zu einem Schott und zog eine rote Schachtel aus einem Fach. Ein Klebesatz. Er holte die Spraydose daraus hervor und sprühte grauen Rauch in die Kabine. Der Rauch blieb zunächst in der Luft hängen und schwebte dann langsam Richtung Ventilator. George schüttelte den Kopf. »Wenn das Leck in der Kabine wäre, würde das Zeug in gerader Linie dorthingezogen. Aber das Loch ist irgendwo im Luftsystem, wo wir nicht drankommen.«

Berman betrachtete den größer werdenden Satelliten. Wir waren jetzt dicht genug dran, um zu sehen, wie er sich drehte. »Warum erledigen sie uns nicht? Was machen sie? Die Schüsse saßen präzise. Wenn sie uns vernichten wollten, könnten sie das mit einem Schuß tun.«

»Ich verstehe es auch nicht.« Ich schwieg für einen Moment und meldete mich wieder auf finnisch über das Funkgerät. »*Bohica* an Vapaus. Wir sind manövrierunfähig und haben eine Verletzte an Bord. Wir sind Ihre Freunde. Wir haben diese Maschine gestohlen, um dem Feind zu entkommen. Bitte nicht schießen. Bitte antworten.«

Der Lautsprecher blieb ruhig.

Langsam kroch der Satellit über den Himmel, während wir ihn auf unserer niedrigeren, schnelleren Umlaufbahn überholten. Schließlich versank er hinter dem Horizont von Neu-Finnland.

Wir waren noch eine Stunde lang in Sichtweite von Vapaus gewesen, ohne daß weitere Worte gewechselt oder Schüsse abgefeuert worden wären.

Auf einmal fiel mir etwas ein, etwas, das tief im Gedächtnis blockiert gewesen war. Ich untersuchte den Frequenzbereich des Funkgerätes und stellte es auf eine neue Welle ein. Dann sendete ich wieder, obwohl ich mich aus irgendeinem Grund zunächst davor scheute, vielleicht aus Angst.

Tief im Innern fürchtete ich, die Finnen auf dem Satelliten wären erneut vom Feind bezwungen worden. Die Hüter hatten zwar erst angegriffen, dann aber unsere Umlaufbahn analysiert und festgestellt, daß wir in ein paar Stunden ohnehin abstürzen würden und es sich demzufolge nicht lohnte, Munition auf uns zu verschwenden.

In diesem Fall, vorausgesetzt, sie hatte bislang überlebt, gab es noch eine Person, ein Schiff, das uns vielleicht retten konnte.

»Hier spricht Fregattenkapitän Terrance MacKenzie Larson an Bord der *Bohica*. Ich rufe das Planetenliga-Erkundungs- schiff *Joslyn Marie*. Wir sind manövrierunfähig, haben eine Verletzte an Bord und werden von Vapaus aus beschossen. Wenn du ungefährdet antworten kannst, melde dich bitte, *Jos- lyn Marie*.« Ich biß mir auf die Lippe. »Hier ist Mac. Joz, bist du da draußen? Bitte, Joslyn, bist du irgendwo da draußen?«

Aber es blieb alles still. Vapaus versank hinter unserem Horizont.

Wir versuchten es weiter. Viel blieb uns nicht zu tun, es sei denn, uns zusammenzurollen und zu sterben. Marie-Françoise Chen schien ohnehin nicht mehr weit davon entfernt zu sein. Eve Berman hatte schon lange nichts mehr, um den Schnitt in ihrem Mund am Bluten zu hindern, und benutzte jetzt einen kleinen Schwamm, um das Blut immer wieder abzutupfen und in einer Plastiktüte auszuwringen, damit es nicht die ganze Kabine verspritzte. Sie hatte nur wenig Erfolg damit — die Umgebung von Marie-Françoise war von Flecken übersät, manche trocken, manche noch feucht schimmernd und klebrig schwarz. Eve schien gar nicht zu bemerken, daß ihr eigenes Gesicht stärker mit Blut verschmiert war als das ihrer Patientin.

Der Schnitt auf Marie-Françoises Stirn hatte aufgehört zu bluten, aber Eve war gezwungen, die Gerinnung im Mund zu verhindern, damit sie die Wunde weiter abtupfen konnte. Trotzdem schien der Schnitt sich allmählich zu schließen.

Unser Start lag jetzt ungefähr drei Stunden zurück.

Wir sendeten immer wieder, sowohl an den Satelliten als auch an die *Joslyn Marie*. Viel Hoffnung hatten wir dabei nicht, aber sonst gab es keine.

»Hier spricht Terrance MacKenzie Larson an Bord der *Bohica*. Ich rufe Erkundungsschiff *Joslyn Marie*. Um Gottes willen, Joz — antworte doch! Mac an Joz, melde dich doch bitte . . .«

Randall starrte verdrossen ins Leere. Die *Bohica* trudelte wenigstens nicht mehr, und er hatte nichts mehr zu tun, als den Batterien dabei zuzusehen, wie sie sich leerten, am Luftdruckmesser zu verfolgen, wie sich unsere Luft allmählich durch ein dünnes Loch verflüchtigte, und den Himmel anzustarren.

»Hier ist Mac Larson; ich rufe die PLES *Joslyn Marie*. Joz, hörst du mich? Bitte melden! Ich rufe . . .«

»Radar!« schrie Metcalf plötzlich. »Irgendwas schließt rückläufig zu uns auf, und zwar schnell!« Ich schaltete sofort den eigenen Radarschirm ein und sah zwei winzige Punkte aus dem Osten herangleiten, wo sie gerade über der Krümmung Neu-Finnlands zum Vorschein kamen.

Sie waren schnell, verdammt schnell, und bewegten sich auf einer rückläufigen Kreisbahn. Man braucht enorm viel Energie, um eine solche Bahn zu erreichen, nämlich Beschleunigungswerte von mindestens zehn Kilometern pro Sekunde.

»Die müssen unter acht g stehen«, meinte Randall.

»Raketen, gottverdammte Raketen«, sagte Berman mit hohler Stimme.

Das war einfach zuviel. Es bis hierhin zu schaffen und dann von den eigenen Leuten abgeschossen zu werden . . . »Sie halten uns für eine Bombe, eine Atombombe«, sagte ich. »Sie glauben, die Maschine wäre eine Bombenfalle, und haben nur gewartet, bis wir auf der ihnen gegenüberliegenden Seite des Planeten waren, um uns abzuschießen.« Die beiden heftig lodernden Lichtspeere näherten sich uns weiter und wurden zu runden Flecken, als die Raketen auf uns einschwenkten.

»Zwei Signale, die mit zehn Kilometern pro Sekunde näherkommen und weiter beschleunigen.«

»George, Eve, Randall, ich danke Ihnen. Sie haben alle Ihr Bestes getan, wie Marie-Françoise«, sagte ich ganz ruhig.

Berman musterte mich traurig und ernst, das Gesicht voller Blutspritzer. »Auf Wiedersehen, Fregattenkapitän.«

Einen Augenblick lang war alles still.

»Die Punkte beschleunigen weiter und zielen genau auf uns. Dreißig Sekunden bis zum Einschlag«, sagte Randall. »Wir werden sterben.«

Wir konnten die Raketen jetzt mit bloßem Auge sehen. Es gab kein Entkommen.

Und dann zuckte ein Lichtbalken über den Himmel und schimmerte matt in der dünnen Luft hier am Rande des Weltalls. Er traf eine der Raketen, und sie detonierte in einer weißglühenden Blüte. Dann tastete sich der Laser zur zweiten Rakete vor und verdampfte auch sie. Die beiden Lichtkleckse breiteten sich aus, rauschten an uns vorbei und hinterließen nur eine unheimliche Stille und die Schwärze des Alls.

Ein dritter Radarpunkt eilte aus derselben Richtung heran, die auch die Raketen genommen hatten.

Das Funkgerät erwachte zum Leben. »Mac, bist du da? Um Gottes willen, bist du da, Mac?«

Ich fing an zu lachen und zu weinen, und alle Muskeln begannen zu zittern. Die anderen waren wie erstarrt und begriffen immer noch nicht, was geschah. Ich schaltete das Mikro ein.

»Joslyn, ich habe schon immer deinen Sinn für das richtige Timing bewundert.«

»O Mac! Gott sei Dank!«

Kapitel 14

Im Moment konnte Joslyn nicht mehr für uns tun. Sie hatte über den Kleinempfänger, den sie bei sich trug, wenn sie nicht an Bord war, ein paar Sekunden von einem meiner Funksprüche an die *Joslyn Marie* mitbekommen. Gott sei Dank hatte das ausgereicht, sie zu überzeugen.

Die *J. M.* lag jetzt schon seit einigen Wochen im Dock von Vapaus.

Die Finnen hatten tatsächlich geglaubt, wir wären eine Bombe. Der große Satellit, von dem wir angenommen hatten, er hätte uns nicht bemerkt, war im Alarmzustand gewesen, alle Bewohner hatten in ihren Druckanzügen gesteckt. Joslyn hatte in einer halben Sekunde entschieden, was sie tun wollte, und dann alle Rekorde gebrochen, um durch die Luftschleuse von Vapaus an Bord der *J. M.* zu gelangen. Sie legte gerade rechtzeitig mit unserem Frachtlandungsboot, der *Uncle Sam*, ab, um zu sehen, wie die Raketen auf ihren rückläufigen Orbit starteten.

Sie folgte ihnen, ohne auch nur einen Blick auf die eigene Treibstoffanzeige zu werfen. Um die Raketen einzuholen, mußte sie auf vierundzwanzigtausend Stundenkilometer beschleunigen, was fünf Minuten unter acht g bedeutete. Es war eine mörderische Fahrt, aber schließlich tauchten die Raketen wieder über ihrem Horizont auf, und das war's dann.

Jetzt waren *ihre* Tanks leer.

Die Befehlsstelle von Vapaus, der die ganze Sache äußerst peinlich war, schickte einen Schlepper zu jedem der beiden Fahrzeuge.

Der Haken war nur der, daß der Schlepper für die *Uncle Sam* zurückzukehren gedachte. Statt der brutalen Krafttour, die Joslyn hingelegt hatte, startete er auf eine Umlaufbahn, die fünfzehn Stunden Fahrzeit für eine Strecke bedeutete. Im Moment gab es also noch keine Wiedervereinigung.

Wir konnten nicht mal richtig miteinander reden. Joslyns Umlaufbahn hielt sie für vier Minuten pro Stunde über unserem Funkhorizont, und ein offener Kanal, den ich mit drei weiteren Leuten in der Kabine teilte, entsprach nicht gerade meiner Vorstellung von Privatsphäre.

Unser Schlepper tauchte nach weniger als vier Stunden auf. Mit den letzten Treibstoffresten in der Fluglagenkorrektur stoppte Metcalf unser Trudeln. Die Finnen dockten an unserer Bauchluftschleuse an, holten Chen mit einer Druckliege für schwerelose Verhältnisse heraus, drängten auch uns andere auf ihr Schiff und schlossen die Luken wieder, und das alles innerhalb von zehn Minuten. Dann ging der Schlepper auf etwa dreißig Kilometer Abstand und feuerte eine Rakete auf die glücklose *Bohica* ab. Wirklich eine vom Pech verfolgte Maschine. Diesmal erfolgte meine Einreise auf Vapaus auf dem üblichen Weg, im Gegensatz zum ersten Mal. Der Schlepper legte im Zentraldock an der Achse des Satelliten an. Dort packten mechanische Arme das Schiff und zogen es über eine Gleisanlage, die sich über ein Drittel der Achslänge erstreckte, in eine riesige Luftschleuse. Statt die Schleuse unter Druck zu setzen, fuhr das Bodenpersonal einen wie ein Akkordeon gefalteten, vier Meter durchmessenden Tunnel heran. Er wurde an der Seitenluke des Schleppers befestigt und unter Druck gesetzt. Wir stiegen aus und gingen unbeholfen durch die Niedrigschwerkraftbereiche der Docks. Ein Arzt und Pflegekräfte standen bereit und brachten Marie-Françoise ins Hospital.

Dr. Tempkin war persönlich erschienen, um uns andere zu begrüßen. Er verschwendete nicht viel Zeit auf Floskeln, sondern führte uns rasch durch einen Irrgarten von Korridoren zu einem Fahrstuhl, der uns hinunter auf die zentrale Zylinderebene von Vapaus brachte.

Der Fahrstuhl hatte eine Glaswand, und früher einmal mußte die Aussicht auf die Innenwelt von Vapaus schön und großartig gewesen sein. Jetzt bot sich uns eine Szenerie der Verwüstung dar.

Das weite Grün war zu düsterem Braun verbrannt. Die Wiesen, die Bäume und die Parks waren fast vollständig zerstört.

Hier und dort erblickte man Flecken von neuem, frischem Grün, als wären die Pflanzen schon im mühsamen Prozeß der Wiedergeburt begriffen. Trotzdem sah der Satellit eher tot als lebendig aus. Der vorher funkelnd blaue Zentralsee war jetzt ein dunkler, trüber, grünlich brauner Ring. Nirgendwo sah man ein Ausflugsschiff. Nur einige wenige hartnäckige, dunkle Trawler durchpflügten das Gewässer.

Von Punkten in neunzig Grad Abstand voneinander erhob sich eine riesige, symmetrische Konstruktion über dem Zentralsee. Vier umgedrehte Ypsilons standen breitbeinig über dem Gewässer an beiden Ufern, und ihre Enden begegneten sich genau im Mittelpunkt der Welt, am Mittelpunkt der Längsachse. Im Zentrum dieser Anlage sahen wir etwas, das uns an große, kardanisch aufgehängte Turbinen erinnerte.

»Was, in Gottes Namen, ist *das*?« fragte George.

»Das«, erklärte Tempkin, »ist ›Hydra‹. Die Anlage dient dazu, die Gyroskope, die Sie sehen, präzise im Mittelpunkt der Welt zu halten. Wir brauchten fünf Tage, um sie aufzubauen, wobei jeder Mann, jede Frau und jedes Kind mithalf, alle, die wir nicht anderswo brauchten.«

»*Das* wurde in fünf Tagen aufgebaut?«

»Es wurde schon vor langer Zeit entworfen und gebaut, dann demontiert und für einen Notfall wie den gegenwärtigen verstaut. Es war also für raschen Zusammenbau gedacht. Und vergessen Sie nicht, wir sind eine bedeutende Werft mit vielen automatischen Baumaschinen.«

»Was ist das für ein Notfall?«

»Die Hüter haben vor einer Woche eine Bombe auf uns abgefeuert. Sie konnte zwar die Station nicht zerstören, hat aber doch beinahe die Schale des Satelliten geknackt. Als wir die Bombe entdeckten, zündete sie sich vorzeitig, um uns an einer Deaktivierung zu hindern, aber die Detonation reichte selbst auf Distanz aus, die Rotation von Vapaus zu beeinträchtigen. Der ganze Satellit wackelt seitdem. Gleichzeitig trafen uns Bombensplitter mit enormer Geschwindigkeit − es war wie ein Erdbeben.

Als Vapaus ins Trudeln geriet, fiel ein Großteil unserer Energieversorgung aus, und die Temperatursteuerung spielte verrückt. Es kam zu starken, plötzlichen Regenfällen, die einen Großteil unserer Ackerkrume in den Zentralsee spülten. Unsere Pflanzen starben. Und die Pflanzen benötigen wir natürlich für den Austausch von Kohlendioxyd und Sauerstoff.

Wir haben unser Bestes getan, um den Sauerstoff zu erneuern, aber die Reserven sind fast aufgebraucht. Wir haben Algen im Zentralsee ausgesät, um Sauerstoff zu produzieren, bis alles wiederhergestellt ist. Die Trawler sind damit beschäftigt, die Ackerkrume aus dem Wasser zu bergen.«

Er schwieg für einen Moment. »Und es ist zu Kämpfen gekommen, zu Brandschatzungen und Sabotage, als wir die Hütertruppen niederwarfen. Auch dadurch wurde die Luft verpestet und wurden Reparaturmaschinen schwer beschädigt.

Höchstwahrscheinlich werden wir überleben, aber diese Welt wiederherzustellen, ist keine Kleinigkeit.«

Schweigend fuhren wir weiter nach unten.

Als wir aus der Fahrstuhlkabine traten, hörte ich ein tiefes, intensives Brummen, das alles zu durchdringen schien. Es waren die Stabilisatoren, die hoch über uns surrten und summten in dem Bemühen, den Satelliten wieder in die richtige Rotation zu versetzen.

Die Luft roch nach Rauch und Ruß, sie war abgestanden und stickig.

Die Leute entlang unseres Weges betrachteten uns mit einem Anflug von Neugier, aber ihre Gesichter verrieten Benommenheit, Schrecken und Ermüdung. Auf unserem Weg zum Verwaltungszentrum kamen wir an ausgebrannten Häusern und verkohlten Feldern vorbei.

Als in Tempkins Büro die Abschlußbesprechung begann, konnten wir von der *Bohica* allesamt kaum noch die Augen offenhalten und sehnten uns nach sauberer Kleidung. Ein Recorder wurde aufgestellt, und wir umrissen die Geschichte des Bodenkrieges. Ich strich Georges Anteil an den Geschehnissen heraus. Tempkin empfand trotzdem äußersten Argwohn ihm gegenüber und pochte freundlich, aber bestimmt darauf, daß seine Fingerabdrücke und sein Foto sofort ›hinuntergeschickt‹ wurden. Im Verlauf des Gesprächs kam später ein Bursche mit einer dünnen Aktenmappe herein. Tempkin las den Inhalt, nickte George zu und sagte: »Nun, Sie stehen anscheinend auf keiner unserer Listen, und der Fregattenkapitän ist bereit, sich für Sie zu verbürgen. Willkommen.« Er schien nicht sehr glücklich darüber zu sein.

Ich erzählte von der Entdeckung des Postsacks und erläuterte unsere Schlußfolgerungen über Existenz und Ort der Raketenleitstelle. Ich berichtete von unserem Entschluß, die Informationen nach Vapaus zu bringen, und von unserer Flucht in den Orbit. Tempkin unterbrach mich hin und wieder mit einer Frage, aber größtenteils hörte er schweigend zu.

Endlich war die Geschichte zu Ende. Tempkin dachte eine Zeitlang nach. »Ich bin wie betäubt«, sagte er. »Aus dem Orbit beobachteten wir die Zerstörung des Aerospace-Feldes, das Sie Hades nennen, und glaubten, jetzt hätten wir gewonnen. Nach dem Verlust von Hades hätten die Hüter ausgehungert werden können. Wir dachten, jetzt bliebe nur noch das abschließende Reinemachen. Dann tauchte das auf, was wir für die zweite Bombe hielten, was aber, wie sich herausstellte, Ihre Maschine war. Wir glaubten, diesmal wollten sie es besonders schlau anstellen und uns dazu bringen, daß wir die Bombe selbst zu uns hereinholen.

Wir haben bereits Techniker damit beauftragt, Möglichkeiten zu entwickeln, wie wir Lücken in das Raketensystem schlagen können. Wir sind davon ausgegangen, daß das Jahre in Anspruch nehmen würde, aber wir sind geduldig und können uns ausreichend selbst versorgen.

Und jetzt müssen wir mit diesem gewaltigen Schiff rechnen, der *Leviathan*.« Er brach ab und schüttelte den Kopf.

»Fregattenkapitän Larson, Leutnant Metcalf, Kapitän Berman, Mr. Prigot, für den Moment haben Sie das Ihre getan. Uns bleibt zunächst nichts weiter übrig, als Ihre Informationen zu studieren. Nutzen Sie die Zeit und schlafen Sie sich aus.« Er stand auf und führte uns aus dem Büro.

Vapaus war ein Garten gewesen und würde das vielleicht eines Tages auch wieder sein. Im Moment zeigte es sich jedoch als graue, schmutzige Ruine. Für mich, der diese Welt früher gesehen hatte, war es um so schlimmer, aber ich wußte, daß auch meinen Gefährten der Anblick des verwüsteten Satelliten zu schaffen machte. Ich lud sie alle ein, der traurigen Landschaft den Rücken zu kehren und an Bord der *Joslyn Marie* zu kommen. Dort war Platz genug. Das Schiff war für eine Besatzung von neun Mann gedacht.

Es war schön, wieder dorthinzukommen. Das Schiff war mein Zuhause.

Wir vier verspeisten schweigend ein Mahl, machten uns frisch und gingen zu Bett. George, Randall und Eve suchten sich für die Nacht eine Kabine. Ich betrat die Kapitänskabine, die ich mit Joz teilte, legte mich ins Bett und sah mich in dem friedlichen Raum um. Mein Zuhause. Ich genoß die saubere Haut, den vollen Magen und die Schwerelosigkeit als Schlafunterlage.

Die Kabine war warm, freundlich und behaglich. Ich sah Joslyns Kleider und ihre Haarbürste und roch ihren Duft. Nicht nur den ihres Parfüms, sondern ihren ganz eigenen, persönlichen Geruch, der mich an einen klaren, blauen Himmel und Liebe im friedlichen Frühling erinnerte.

Tausendmal hatte ich mir unsere Wiedervereinigung vorgestellt und mir ausgemalt, wie wir uns auf den Trümmern eines Schlachtfeldes wiedersahen oder in der tiefgrünen Kühle eines geheimen Winkels auf Vapaus oder irgendwo in der Tiefe des Alls. Niemals jedoch so, wie es jetzt gekommen war. Wieder vereint mit einer Joslyn, die noch gar nicht da war, in der Begegnung mit dem, das mir ihr Geist zu sein schien, umgeben von den Spuren ihrer Existenz.

Eine Schreckensvorstellung, die ich während der ganzen Zeit unserer Trennung von mir gewiesen hatte, schlich sich jetzt in mein Bewußtsein — die Vorstellung, daß Joz tot war. Niemals hatte ich gewagt, mir selbst diese Angst einzugestehen, wider alle Gefahren und Feuer des Krieges, die Angst, daß meine Frau in irgendeiner Schlacht hier im Weltraum getötet worden war. Ich war erschöpft, unfähig zu Gefühlen, angesichts einer schrecklichen Zukunft, die von der Ankunft der *Leviathan* überschattet wurde. Dort, in der Dunkelheit überkam mich die kalte Gewißheit, daß Joslyn tot war, daß sie sich für die Rettung der *Bohica* geopfert hatte, daß der Schlepper sie nicht hatte bergen können, daß ihr Boot abgestürzt war, daß sie im vielschichtigen Tanz der Umlaufbahnen von der Katastrophe eingeholt worden war.

Es ist schwer, in Schwerelosigkeit zu weinen. Die Tränen fließen nicht ab, sie treten einem einfach in die Augen und verschleiern das Blickfeld. Ich schüttelte den Kopf und schleuderte die törichten Tränen fort.

Zu viele Gefahren, zu viele Ängste hatte ich erlebt, zu oft war ich dem Tod nur knapp entronnen, nun kam die Reaktion darauf. Jetzt, wo ich zum erstenmal seit unzähligen Tagen wieder in Sicherheit war, gab ich Furcht und Sorge nach und zitterte fürchterlich, gefangen zwischen Wachheit und Alptraum.

Mir schwand das Bewußtsein. Langsam stieg ich in meine Alpträume hinab, meine Erinnerungen — an meinen Geist und meinen Körper in Flammen, an kalte Nächte der Furcht, an zerschmetterte, blutige Leichen, an Freunde, die vor meinen Augen unsichtbaren Mördern zum Opfer fielen, an das ständige Fortlaufen und das Gefühl, nur knapp der Falle zu entgehen. Immer waren da die Bilder von Bob, Julie, Goldie und Krab, wie ich sie zum letztenmal gesehen hatte, bevor Krieg und Dunkelheit sie verschlangen.

So fand mich Joslyn spät in der Nacht, sie kam zu mir und begriff sofort.

»Mac, was haben sie mit dir gemacht?« In der Dunkelheit hielt sie mich, umschlang mich mit den Armen und drückte mich noch fester. Sie sah, daß Wolken und Feuer und das Grauen des Krieges immer noch zwischen uns waren. »Grimmig, verängstigt und wild — o Mac, ich liebe dich so sehr!«

Ich schüttelte den Kopf und küßte sie. Ich konnte kaum sprechen. »Joslyn, ich danke Gott für dich!«

»Und ich für dich!« Im matten Licht der Kabine konnte ich ihr Gesicht kaum erkennen, doch sein Ausdruck war klar und unbeschreiblich. Liebe, Leidenschaft und Begehren, Erleichterung, Verwirrung und Vertrauen rangen darin miteinander.

Endlich schliefen wir. Ich wußte, daß Joslyn mir oftmals das Leben gerettet hatte, noch ehe die *Bohica* den Raketen entging. Ich blieb letztlich heil, weil ich wußte, daß sie mich liebte.

»Willkommen zum Frühstück, Sie phantastischer Fregattenkapitän«, begrüßte mich Randall.

Ich schwebte in die Offiziersmesse und lächelte reuevoll. »Hallo Leute.« Joz spielte die Gastgeberin und servierte Eve, Randall und George ein englisches Frühstück. »Man hat mich wirklich ausschlafen lassen.« Meiner Uhr zufolge etwa dreizehn Stunden lang.

»Du hattest es nötig, Mac. Hungrig?«

»Du solltest Hunger haben«, meinte George. »Mrs. Larson, ah, Leutnant Larson, ich meine . . .«

»Nennen Sie mich Joslyn.«

»Danke. Joslyn wechselt sich beim Kochen doch sicher nicht regelmäßig mit dir ab?«

»O doch, das tut sie. Morgen bin ich dran.«

»Und übermorgen, und tags darauf, und noch viele weitere Tage«, sagte Joslyn.

»Was?!«

»Ich habe auf diesem Schiff gekocht, seit du mit der *Stripes* über Bord gegangen bist. Du hast viel aufzuholen.«

Ich lachte und gab ein unanständiges Geräusch von mir. Dann meldete sich mein Magen, und ich stellte fest, daß ich wahrhaftig hungrig war. Joslyns Frühstück ist etwas gewöhnungsbedürftig, aber ich kannte es ja seit langem. Meine Frau hatte offensichtlich mit einer der verbliebenen Farmen von Vapaus um frische Vorräte gefeilscht. Vor mir sah ich ein ›gutes britisches Frühstück‹ mit Speck, Würstchen, gebackenen Bohnen, Spiegeleiern, starkem schwarzen Tee, Orangensaft und dicken Schinkenscheiben. Zu Joslyns erkennbarer Freude verschwand es im Nu.

Während ich noch aß, hielten die anderen ein Schwätzchen.

Randall fummelte an den Monitoren der Außenbordkameras herum und brachte nach einer Weile das Bild aus unserer Heckkamera, die zwischen den Haupttriebwerken der *Joslyn Marie* montiert war, auf den Bildschirm. Das Schiff war über eine Seitenschleuse mit dem Satelliten verbunden, so daß die Heckkamera freies Blickfeld hatte. Im Hintergrund sah man deutlich die Krümmung des Planeten, und hier und dort glitten winzige Schiffe durch das Sternenmeer. »Nette Aussicht«, meinte Randall, »aber wo steckt die *Leviathan*?«

Mit dieser Frage lebten wir zwei Monate lang. Wir hatten nicht den geringsten Hinweis darauf, wann die *Leviathan* eintreffen würde. Es konnte heute sein, vielleicht morgen oder übermorgen. In der Zwischenzeit versuchten wir uns vorzubereiten. Es gab reichlich Arbeit. Jetzt, da Hades nicht mehr im Spiel war, konnten wir mit den ballistischen Transportern der *Kuu*-Klasse, wie die Finnen sie benutzten, mit vertretbarem Risiko Fahrten zum Planeten unternehmen. Diese Schiffe fuhren hinunter, nahmen Personal oder Vorräte an Bord und flüchteten dann auf Teufel komm raus damit. Die Hüter waren nach wie vor ein ernst zu nehmender Feind mit einer Luftwaffe und uns an Soldaten zahlenmäßig überlegen. Die *Kuu*-Missionen waren gefährlich, und ein paar endeten tödlich. Wir konnten jedoch nicht darauf verzichten. So kamen auch die Überlebenden von Eves und Randalls Gruppe nach Vapaus. Ihr Befehlshaber schaffte es nicht, so daß Eve an seine Stelle treten mußte.

Die *Kuus* beförderten auch dringend benötigte Reparaturausrüstung sowie Techniker und Spione. Sie erwiesen sich als unschätzbar darin, unsere Leute auf den Planeten hinunterzubringen, und zwar immer dorthin, wo sie benötigt wurden. Vapaus entwickelte sich zum anerkannten Hauptquartier sowohl der Finnen als auch der Ligastreitkräfte. Jetzt, wo wir jeden Punkt der Planetenoberfläche im Auge hatten, wußten wir immer, wann wir zuschlagen und kämpfen und wann wir unsere verbliebenen Einheiten schützen mußten.

Die Verluste der Truppen, die am Angriff auf Hades teilgenommen hatten, beliefen sich auf dreißig Prozent. Wir hatten wirklich geblutet.

Die Reparaturen an Vapaus schritten voran, und der Satellit erholte sich allmählich. Als die Eigenrotation wiederhergestellt war und Hydra abgestellt werden konnte, wurde einen halben Tag lang gefeiert.

Vorrang vor allem anderen hatten jedoch die Vorbereitungen auf das Zusammentreffen mit der *Leviathan*. Marie-Françoise erholte sich schnell und arbeitete unermüdlich mit den Finnen daran, aus den erbeuteten Dokumenten auch noch den letzten Rest Informationen herauszulesen. Unsere Marineflieger und die finnischen Piloten übten gemeinsam und nahmen häufig Kurs auf den Brocken, wo sich die großen Werften befanden. Dort bemühte man sich mit äußerstem Einsatz darum, Orbital-jäger in großer Zahl herzustellen.

Eine Unmenge von Plänen für Weltraumwaffen wurden aus-geheckt: exotische Säuren, intelligente Haftminen, Robotermi-nen im Orbit, Drohnen und anderes mehr, allerdings reichte die Zeit einfach nicht, alle diese Pläne zu realisieren. Die Ingeni-eure setzten klare Prioritäten, um die verbliebene Zeit optimal zu nutzen.

George und ich tüftelten Schlachttaktiken aus, vor allem des-halb, denke ich, weil die Finnen nichts anderes für uns zu tun hatten. Man ließ uns weitgehend freie Hand und stellte uns ein großes Auditorium mit einem großen Hologrammtank zur Ver-fügung, womit wir herumspielen konnten. Ich glaube, wir überraschten unsere Leute damit, daß wir tatsächlich etwas erreichten.

Eine Zeitlang steckten wir so übel fest, daß wir selbst über unseren Erfolg überrascht waren. Zunächst programmierten wir das Hologrammdisplay so, daß es den Globus von Neu-Finnland, Vapaus, den Brocken, den natürlichen Mond *Kuu* (was auf finnisch einfach ›Mond‹ bedeutet) und so weiter darstellte. Dann speisten wir den Computer mit den Daten zum Leistungsvermögen unserer Jagdmaschinen sowie deren der *Leviathan* und mit Schätzwerten zum Leistungsvermögen der darauf mitgeführten Jäger.

George übernahm bei unserem Planspiel das Kommando über die Ligastreitkräfte und ich das über die Hüterschiffe. Welche Umlaufbahn war für welches Schiff vorteilhaft? Welche Fallen und Lockvögel konnten wir installieren, und mit welchen Tricks der Gegenseite mußten wir rechnen und wie ihnen begegnen?

All das war natürlich nützlich, und wir gaben eine Menge Informationen an die Leute weiter, die etwas damit anzufangen wußten.

Ein Problem stellte sich jedoch, daß niemand vorab kalkulieren konnte: der Eintritt der *Leviathan*. Offensichtlich sollte der Gigant in die Atmosphäre eindringen und dort als gepanzertes Luftschiff agieren. Doch es gab im Grunde keine Möglichkeit, vorzusehen wie das große Schiff das Eindringen in die Lufthülle von Neu-Finnland überstehen sollte.

Es mußte einen Weg geben, sonst wäre das Schiff nutzlos gewesen. Der Eintritt in die Atmosphäre mit Orbitalgeschwindigkeit wäre für die *Leviathan* gleichbedeutend gewesen mit dem Versuch einer Seifenblase, einen Wirbelsturm zu überstehen. Kein Schiff, das aufgrund seiner Bauweise leichter als Luft ausgelegt war, konnte mit acht Kilometern pro Sekunde in eine Atmosphäre vorstoßen.

»Verdammt, George, sie müssen irgendein Kunststück draufhaben, einen phantastischen Trick, der sie in die Lufthülle bringt! Wenn wir das rauskriegen, haben wir Oberwasser, falls sie es versuchen.«

Wir saßen im Auditorium, und jeder von uns hielt ein tragbares Computerterminal auf dem Schoß. Die Darstellung des Planeten, der Monde und Schiffe im Holotank war erstarrt. Wir hatten die Weltraumspiele inzwischen satt und widmeten uns jetzt wieder dem Hauptproblem.

Angesichts einer ganzen Palette neuer technischer Spielzeuge war George fast wieder der alte. Sein lebhaftes Interesse an der bevorstehenden Schlacht galt nicht dem Ereignis, das über das Schicksal der Welt entschied, sondern dem Rätsel, dessen Lösung ihn faszinierte.

Gerade brütete er wieder über dem *Leviathan*-Problem.

»Okay, sie müssen in die Atmosphäre. Mit Orbitalgeschwindigkeit schaffen sie das nicht, also können sie auch nicht aus dem Orbit eindringen.«

»Perfekt, George! Aber was bedeutet das?«

»Weiß der Teufel«, versetzte er heiter. »Weiter bin ich noch nicht gekommen.«

»Phantastisch.« Ich überlegte eine Zeitlang. »Vielleicht ist die *Leviathan* nicht mehr als eine ausgeklügelte Falschmeldung. Vielleicht wurde uns der Postsack tatsächlich untergeschoben.«

»Klingt plausibel. Sämtliche Hütergeneräle haben sich also zusammengesetzt und sich eine Phantasiewaffe ausgedacht, um den Feind so in Panik zu versetzen, daß er neue Rekorde bei der Produktion von Jagdmaschinen und Waffen aufstellt.«

»Ich verstehe, worauf du hinauswillst. Betrachten wir mal das, was du gesagt hast, von der anderen Seite. Wenn sie versuchen in die Atmosphäre einzudringen, werden sie in Stücke gerissen. Welches wäre die maximale Geschwindigkeit, bei der sie intakt blieben?«

George machte sich an seinem Terminal zu schaffen und sagte dann: »Wenn du ein vernünftiges Ergebnis möchtest, darfst du weiter warten. Mit den besten verfügbaren Materialien, vorsichtiger Fahrt, wirklicher Präzision und außergewöhnlich viel Glück könnten sie es knapp mit Mach Zwei schaffen, ohne die senkrechte Höhenflosse und die Tragflächen zu verlieren. Und das ist noch eine sehr optimistische Obergrenze.«

»Es *muß* ein Schwindel sein!«

»Aber auch als Schwindel ergibt die Sache keinen Sinn.«

»Legen wir eine Pause ein«, seufzte ich.

»Gemacht.« George drückte ein paar Tasten, und die Darstellung Neu-Finnlands und seiner Umgebung verschwand, während die Beleuchtung wieder anging.

Wir verließen das Theater und kehrten an Bord der *Joslyn Marie* zurück. In der Offiziersmesse fanden wir eine Nachricht von Joz: *Besuche gerade Marie-Françoise. Bin bald zurück.* George zuckte die Achseln. »Bedeutet das, daß wir wieder in den Genuß deiner Kochkünste kommen?«

»Heute abend bin ich ohnehin an der Reihe.«

»Aber diesmal etwas weniger Knoblauch, okay?«

»Spielverderber.« Ich machte mich daran, die Töpfe hervorzuholen und auf dem Herd zu befestigen. Das Kochen in der Schwerelosigkeit ist gar nicht schwierig, wenn man sich erst mal daran gewöhnt hat, sondern nur anders. »Also, womit haben wir es hier zu tun?«

»Mit einem Schiff, das weder landen noch in die Atmosphäre eindringen kann, wohl aber dort erscheinen und herumschweben muß.«

»*Geht* das überhaupt? Eine Art Materietransmitter ohne Empfänger?«

»Ja, richtig«, meinte George. »Wenn sie dazu in der Lage wären, warum sollten sie sich dann die Mühe machen und das Schiff bauen? Sie bräuchten wohl nicht einmal mehr Flugzeuge, geschweige denn einen Träger.«

»Okay, war nur so ein Gedanke. Wo ist die Sojasauce?«

»In allem, was *du* kochst«, sagte eine fröhliche Stimme über uns. Joz kam mit dem Kopf voran vom Oberdeck aus in die Messe geschwebt. »Wie bringst du es nur fertig, dieses Zeug auf jedes Nahrungsmittel zu tun, das du in die Finger bekommst?«

»Genauso, wie du drei Sorten Schweinefleisch zum Frühstück servierst.« Sie drehte sich um, und ich gab ihr einen Kuß. »Wie geht es Marie-Françoise?«

»Ganz gut. Sie wollen sie noch für eine Woche im Krankenhaus behalten, aber sie hat ihr Zimmer schon in ein Büro verwandelt. Alles voller Papiere und Computer. Und die Aussicht von dort! Obwohl in Vapaus das meiste kaputt ist, kann man vom Fenster aus . . .«

». . . den ganzen Satelliten sehen. Erinnerst du dich noch daran, wie ich das erste Mal hierhergekommen bin?«

»Es ist vergebene Liebesmüh, *dir* irgendwas zu erzählen. Ich werde mich also mit George unterhalten müssen. George, was habt ihr schlauen Burschen heute so alles ausgetüftelt?«

»Na ja, wir haben die Ligaschiffe in Blau dargestellt und die Hüterschiffe in Rot, fanden dann aber, daß es andersherum schöner war, und wechselten wieder. Dann schaffte Mac es schließlich, das Punktesystem richtig hinzukriegen. In unserer

Mittagspause habe ich mir kräftig Gin genehmigt, und anschließend beschlossen wir, die Ligaschiffe gelb zu machen und die antriebslosen Einrichtungen wie Vapaus und die Relais-satelliten blau. In Windeseile war es Zeit zum Mittagessen.«

Joz sah uns beide merkwürdig an. »Das ist doch wohl nicht alles, was ihr in die Kriegsanstrengungen investiert?«

Ich befestigte den Deckel auf der Pfanne voller Erbsen und seufzte. »George will sagen, wir stecken fest. Das Displaysystem ist zwar inzwischen perfekt . . .«

»Na ja . . .«

»Okay, beinahe schon perfekt. Die Einsatzleitung auf dem Brocken bekommt ein Duplikat des Programms, um die tatsächlichen Abläufe zu verfolgen, wenn es soweit ist. Jetzt haben w ir zwar das System, aber wir können immer noch keine realistische Simulation durchführen, weil wir nicht wissen, wie sich die *Leviathan* dem Planeten nähern wird.«

»Allmählich glaube ich, daß wir es auch nicht herausfinden, bis das Ding wirklich auftaucht.«

»Du hast recht, bei unserem Tempo! Abendessen in zwanzig Minuten.«

Ich kümmerte mich weiter um das Essen, während meine Gedanken um unser Problem kreisten. Es war ein Rätsel — wie konnte etwas neben einem Planeten im Raum hängen, ohne sich auf einer Umlaufbahn zu befinden, und doch in bezug auf den Planeten praktisch bewegungslos sein? Anders ausgedrückt — was hat exakt dieselben Umlaufeigenschaften wie ein bestimmter Planet auf einer bestimmten Umlaufbahn . . .

»Heiliges Kanonenrohr! Ich habe es! Joslyn, macht es dir etwas aus, wenn ich das Abendessen eine Zeitlang hinausschiebe, vielleicht die ganze Nacht lang?«

»Wozu?«

»Ich weiß, von welchem Ausgangspunkt sich dieses verdammte Schiff nähern wird! Zumindest glaube ich es zu wissen. Ich möchte gleich ins Auditorium zurück und mich davon überzeugen, ob es klappt.«

In fünfzehn Minuten waren wir dort, und ich setzte mich sofort an die Computertastatur.

Ein Diagramm der inneren Planeten des Sternensystems von Neu-Finnland erschien auf dem Bildschirm, wobei die Planeten übertrieben groß dargestellt waren, damit man sie überhaupt sehen konnte. »Okay, soweit alles bestens«, sagte ich. »Nun, das ist eine dynamische Darstellung. Ich beschleunige jetzt mal den Zeitablauf.« Die winzigen Flecken der Welten begannen, um den hellen Punkt herumzusausen, der die Sonne von Neu-Finnland darstellte.

»*Jetzt* werde ich dem Computer sagen, daß Neu-Finnland nicht mehr existiert. Achtet mal darauf, was aus dem Mond Kuu wird.«

Abrupt verschwand das blauweiße Muster von Neu-Finnland. Der graue Punkt Kuu zitterte kurz und folgte dann weiter der Kreisbahn um die Sonne, der der Planet gefolgt war.

»Und was bedeutet das?« fragte George.

»Wir hatten ganz vergessen, daß sich Neu-Finnland seinerseits auf einer Umlaufbahn um die Sonne bewegt!«

»Wir haben die Solargravitation in unseren Programmen berücksichtigt.«

»Ich meine das große Bild. Sieh dir mal Kuu an! Dem ist es piepegal, ob Neu-Finnland noch da ist oder nicht. Auf die *Umlaufbahn* selbst kommt es an, nicht darauf, was sich *auf ihr* bewegt!«

Joslyn musterte das Display. »Das bedeutet, daß die *Leviathan* auf derselben Sonnenumlaufbahn wie Neu-Finnland eintrifft und dort die Schwerkraft des Planeten präzise ausgleichen muß, um schließlich dieselbe Umlaufgeschwindigkeit zu erreichen . . .«

»Wonach sie einfach in die Atmosphäre hineinschwebt.«

»Das ist verrückt!« protestierte George. »Kein Parkorbit, keine Fehlertoleranz. Wenn sie bei ihren Manövern auch nur ein Zehntelprozent Abweichung hat, wird sie entweder direkt in den Planeten hineinsegeln oder wieder ins All hinaustrudeln.«

»Ich möchte nicht der Pilot sein«, pflichtete ich ihm bei, »aber es müßte eigentlich gehen. Das Schiff hat schließlich ein paar ganz schön starke Triebwerke.«

»Jesus!« sagte George und starrte auf das Display. »Okay«,

sagte ich. »Berechnen wir mal die Einzelheiten.« Das war es. Das mußte es einfach sein! Es klang vernünftig, wenn es auch eine ziemlich verzweifelte Art von Vernunft war. Ich hatte einfach das Gefühl, daß es *richtig* war.

»Es ist ein Instrument des Terrors. Was die meisten Einsatzmöglichkeiten eines Raumschiffs betrifft, ist die *Leviathan* ziemlich ineffektiv, aber sie ist verdammt furchteinflößend. Stellt sie euch einmal fest über der Hauptstadt stationiert vor, wo sie die Sonne aussperrt und jeden Luftverkehr oder überhaupt jeden Verkehr verhindert, von Sondergenehmigungen mal abgesehen«, sagte George einige Stunden später, tief in der Nacht.

»Ja, aber es ist mehr als das. Sie ist der verlängerte Arm der Macht. Sie kann jedes Gebiet zu Lande, zu Wasser oder in der Luft beherrschen. Sie gehört zu einem gigantischen Plan. Eine *Leviathan* pro Welt, und du hast diese Welt vollkommen unter Kontrolle. Es gibt keinen Aufstand mehr, dessen Schauplatz nicht in Schutt und Asche versinken würde. Nach dem, was Marie-Françoise herausgefunden hat, besteht sie zur Hälfte aus Büros. Ein fliegendes Verwaltungszentrum.«

»Die Soldaten erobern Gebiete und ziehen weiter. Dann kommt die *Leviathan* und übernimmt die Kontrolle«, meinte Joslyn.

Ich ließ den Holotank wieder die von uns vermutete Anflugsmethode des Giganten darstellen, und auf dem Display erschien ein Gewirr aus Ellipsen, Hyperbeln und Parabeln. Es kam für die *Leviathan* vor allem darauf an, die *präzise* Umlaufgeschwindigkeit von Neu-Finnland zu erreichen, und das *exakt* am Rand der Atmosphäre. Damit blieben immer noch mehr Möglichkeiten, als man vielleicht im ersten Moment glaubte. Wir schränkten sie auf vier grundlegende Varianten des Anflugs ein, doch jede dieser Varianten umfaßte mindestens zwanzig Untergruppierungen mit einer Unzahl von Detailvariationen. Es war jetzt eine Frage der Taktik. Welches war vom militärischen Gesichtspunkt aus die beste Methode?

Zwölf Stunden nachdem ich das Abendessen verschoben

hatte, verließen wir das Auditorium wieder. Wir hatten gewaltige Fortschritte gemacht und hielten es jetzt für möglich, daß sich die *Leviathan* ohne Vorwarnung an den Planeten heranpirschen wollte. Das hieß, sie mußte buchstäblich aus der Sonne kommen, also eine scharfe Kurve auf einem Hyperbel- oder Parabelkurs fliegen, dicht an der Sonne vorbei, so daß sich das Schiff in den Licht- und Radiowellen des Sterns verstecken konnte. Auf diese Weise war es kaum zu entdecken. Wenn die Finnen allerdings darüber Bescheid wußten, sah die Sache schon ganz anders aus.

Tag für Tag ackerten wir jetzt am Simulator, George und ich praktisch in einem fort, während Joz ihre Zeit auf das Auditorium und die Zusammenarbeit mit Marie-Françoise aufteilte. Marie-Françoise war mehr oder weniger wiederhergestellt, litt allerdings zeitweise an Benommenheit. Sie kümmerte sich nicht darum und verwandte jede freie Minute auf immer präzisere Einschätzungen der *Leviathan*. Joslyn pendelte teilweise auch zwischen Vapaus und dem Brocken hin und her, wo mit fieberhafter Eile Kampfschiffe gebaut wurden. Sie sprach mit Eve, Randall und den übrigen Piloten. Welche Taktiken waren sinnvoll? Die Abfangjäger der *Leviathan* hatten ein bestimmtes Leistungsprofil. Wies es einen Schwachpunkt auf? Konnte man diesen ausnutzen? Die Antwort der Piloten lautete in der Regel: Nun, vielleicht; könnten Sie dazu eine Simulation durchführen? Und damit kehrte Joslyn zu uns zurück.

Die Jäger aus der Massenproduktion des Brocken waren häßliche Blechzylinder. Dem Standardmodell war von offizieller finnischer Seite die Bezeichnung Hülle Drei verliehen worden, während die Flieger vom ›Basic Fighter Vehicle‹ sprachen. Aus dem Kürzel BFV wurde rasch ›Beefie‹, während andere Piloten fanden, man sollte die Dinger eher nach ihrer Form benennen, und sich auf ›Bleirohre‹ einigen. Daraus entwickelten sich einige merkwürdige Namen für einzelne Maschinen, wie *Rohrzange*, *Keine Beweglichen Teile* oder *Der Blick in die Röhre*. Manche Beefies bekamen sogar Namen, die niemand aufzuschreiben wagte.

Es gab einige Sondermodelle, von denen zwei bedeutsam

waren. Das BFV/ST (Modell mit vergrößertem Tank), genannt das ›Biest‹, war eine Langstreckenmaschine mit mehr Treibstoff, mehr Luft und mehr Vorräten bei etwas reduzierter taktischer Leistungsfähigkeit. Das Kommunikationsschiff, Auge und Ohr der Einsatzleitung, wurde mit AT/RIC bezeichnet, kurz ›Hatrack‹ genannt, ein Spitzname, den es seinen Antennen zu verdanken hatte, die sich in alle Richtungen reckten. Wir besaßen zwei Hatrack, und sie waren, was Radar, Funk und Computer betraf, besser als das Grundmodell ausgerüstet. Ein Hatrack sollte den Kampf sowohl leiten als auch unterstützend darin eingreifen. Um die Masse der zusätzlichen Ausrüstung auszugleichen, verfügten sie über zwei Sätze des modularen Hauptantriebs sowie über einen Satz gestreckter Tanks, wie ihn die Biester besaßen.

Gott, waren diese Kisten häßlich!

Alle waren mit starken Lasern und Raketen ausgerüstet, und ein paar erhielten zusätzlich zu allen anderen Abänderungen noch weitere, spezielle Waffen aufmontiert.

Gleichzeitig wurde Neu-Finnlands alte Flotte kriegstauglich gemacht. Einige der *Kuu*-Schiffe, die bereits heroische Dienste geleistet hatten, erhielten eine stärkere Bewaffnung. Die Raumschlepper wurden mit Lasern ausgestattet und Drohnen in Robotkamikazes verwandelt.

Alle Fahrzeuge, die wir nicht für den Fährbetrieb und den Reparaturdienst benötigten, wurden auf dem Brocken stationiert. Wenn möglich, sollte von Vapaus aus kein einziger Schuß abgefeuert werden. Der Brocken war eine feste Gesteinsmasse, besser gepanzert als Vapaus mit seiner zerbrechlichen, rotierenden Schale.

Wir konnten es uns keinesfalls leisten, auch nur einen der beiden Satelliten zu verlieren. Wenn wir siegten, waren sie lebenswichtige Knotenpunkte, die Neu-Finnland mit der übrigen Menschheit verbanden. Sollte es uns nicht gelingen, die *Leviathan* zu vernichten, waren die Satelliten womöglich die letzten Bastionen freier Menschen in diesem Sternensystem. Gegebenenfalls bildeten sie auch die Startplattformen für einen erzwungenen Rückzug in die dunklen Gefilde der äußeren Planeten.

Aber wir alle, sowohl diejenigen, die genau wußten, was der Feind noch aufzubieten hatte, als auch diejenigen, die nur von einer heranrückenden Gefahr wußten, taten immer wieder eines: Wir blickten zum Himmel hinauf – mit Augen, Sichtschirmen, Radar, Teleskopen – und fragten uns: *Wann kommen sie?*

Zwei Monate nach meiner Rückkehr nach Vapaus wurde die Gesellschaft auf der *Joslyn Marie* plötzlich mitten in der Nacht geweckt.

Praktisch seit dem Augenblick, in dem die Crew der *Bohica* in Vapaus eintraf, hatte die Suche nach der Raketenleitstelle begonnen. Überall im Satelliten waren Teams unterwegs. Sie suchten mit Hilfe von Sonar und Radar und mit scharfen Augen, prüften Aufzeichnungen und gingen Ahnungen nach.

Wir hatten gewaltige Anstrengungen unternommen, um uns auf die Schlacht vorzubereiten, seit Dr. Tempkin von den Nachrichten über das Riesenschiff so entmutigt worden war. Unsere Schiffe waren einsatzbereit und die Besatzungen begierig zu kämpfen. Tief in den schützenden Felsmassen des Brocken wartete die Einsatzleitung auf den Ernstfall, die Computer summten vor sich hin. Die Schäden an Vapaus waren zum größten Teil beseitigt, und man hatte Vorkehrungen gegen die Gefahren des Krieges getroffen. Hydra war nicht demontiert worden – vielleicht brauchte man sie bald wieder.

Es hatte den Anschein, als tauchten jeden Tag neue Waffen auf. Möglicherweise hatten wir tatsächlich eine Chance gegen die *Leviathan*.

Auf der *J. M.* wurde es allmählich eng – Marie-Françoise Chen hatte unsere Einladung, sich zu uns zu gesellen, angenommen. Randall Metcalf und Eve Borman schliefen hier, wenn sie auf Vapaus waren. George Prigot, Joslyn und ich wohnten ständig an Bord. Wir hatten eine Alltagsroutine entwickelt, bei der wir uns trotz der drängenden Arbeit, die uns alle beschäftigt hielt, glücklich und zufrieden fühlten.

Wir waren alle sechs an Bord in der Nacht, als der Interkom neben Joslyn und mir lossummte.

»Hallo?«

»Fregattenkapitän Larson!« Es war Tempkin, und er klang sehr aufgeregt. »Wir haben sie gefunden!«

»Was haben Sie gefunden?«

»Die Raketenleitstelle! Bringen Sie diesen Prigot und den französischen Offizier mit! Haltestelle Raumann Park, an der roten Transitstrecke! Und ziehen Sie alle Ihre Druckanzüge an.« Er schaltete ab.

»Druckanzüge?« fragte Joslyn verschlafen.

»Frag mich nicht. Ich habe die Nachricht nur entgegengenommen. Sehen wir lieber zu, daß wir unsere Truppe in Marsch setzen.«

Natürlich luden sich Eve und Randall selbst zur Teilnahme ein. Fünfzehn Minuten später saßen wir in einem der Transitwagen und fuhren durch die seltsame Dunkelheit von Vapaus. Hier waren die Lichter am Himmel keine Sterne, sondern Straßen, Häuser und Leute mit Taschenlampen. Es wirkte irgendwie unheimlich, wenn ein Licht, das man unwillkürlich als Stern einstufen wollte, auf einmal im lockeren Rhythmus eines nächtlichen Spaziergängers zu schwanken begann.

Außer uns waren nur wenige Fahrgäste im Wagen, und vielleicht war das gut so. Im allgemeinen gilt es als unfein, in bewohnten Gegenden Druckanzüge zu tragen — man zieht damit nicht nur Blicke auf sich und nimmt viel Platz weg, weil die Dinger ziemlich sperrig sind, sondern wird auch leicht zur Quelle von Gerüchten über Lecks . . .

An unserer Haltestelle wartete ein Auto auf uns. Der Fahrer drängte uns einzusteigen und fuhr gleich mit hoher Geschwindigkeit los. Auf großen Ballonreifen ging es abseits der Straßen durchs Gelände. Nach einigen Minuten erblickte ich die matten Umrisse eines von innen beleuchteten Zeltes. Wir hielten davor, und der Fahrer führte uns hinein.

Dr. Tempkin war da und trug selbst einen Druckanzug direkt über dem Pyjama. »Guten Abend, alle zusammen. Wir haben tatsächlich gefunden, wonach wir alle gesucht haben.« Er deutete auf eine Gruppe Männer, die sich im Mittelpunkt des Zeltes zusammendrängten. »Dort befindet sich eine clever getarnte Luke. Sie arbeiten daran, das Ding aufzubekommen. Darunter verläuft ein Tunnel senkrecht in die Tiefe, quer durch das Grundgestein von Vapaus. Wir haben einen Schlepper losgeschickt, um sich die Stelle von außen anzusehen. Am Ende des Tunnels befindet sich eine Luftschleuse, die zu einer gut getarnten, zum Weltraum hin offenen Plattform führt, die nur so von Geräten und Funkantennen strotzt. Sie *muß* einfach für die Lenkung dieser verfluchten Raketen gedacht sein. Wir fanden die Anlage, als sich jemand, der in der Nähe wohnt, daran erinnerte, hier Hüter an der Arbeit gesehen zu haben. Mit Hilfe des Sonars konnten wir die Lage des Tunnels präzise ermitteln.«

Eine leise Unterhaltung der Männer endete in Applaus. Die Luke stand offen.

Tempkin setzte sich den Helm auf, und wir hörten danach seine Stimme im Helmfunk. »Sehen wir uns die Geschichte mal an.«

Scheinwerfer wurden so aufgestellt, daß sie geradlinig in den Tunnel hineinleuchteten. Er hatte einen quadratischen Querschnitt mit einem Meter Kantenlänge. An einer Seite waren Metallsprossen im Fels befestigt. Tempkin stieg als erster hinunter, gefolgt von mir.

»Die Luftschleuse ist wirklich winzig. Am besten gehen wir jeweils zu zweit hindurch«, schlug ich vor.

Tempkin und ich drängten uns als erste hinein.

Wir öffneten die Außenluke und betraten die Plattform. Wir standen auf . . . ja, worauf?

Füße, Gleichgewichtssinn und die völlige Stille sagten uns, daß wir auf festem, ruhendem Grund standen. Dieser Grund war jedoch ein weitmaschiges Gitter. Unter uns erblickten wir die Sterne, die Sonne und den Planeten, und der Himmel drehte sich.

Die Plattform war an ihren vier Ecken mit schweren Trägern verschweißt, die ihrerseits im Gestein ruhten Die gesamte Anlage war in demselben schmutzigen Grau gestrichen, das für die Außenseite von Vapaus typisch war.

Ich stellte mir vor, wie sie vom Weltraum aus wirken mußte — ein winziger, rechteckiger Fleck, der von der Rotation des Satelliten in Windeseile durch jedes Blickfeld geführt wurde. Kein Wunder, daß sie so schwer zu entdecken war.

Genau im Mittelpunkt der Plattform befand sich ein kompliziertes Steuersystem, das von zwei Personen bedient werden mußte, in einem Drahtkäfig. Neben der Käfigtür erblickten wir einen quaderförmigen Klotz in Größe und Form eines Sarges.

»Ah! Die Antennen hängen durch das Gitter«, sagte Tempkin und kniete sich hin, um besser hindurchblicken zu können. »Wir können eine Luftblase rings um die Plattform aufbauen und dann leichter hier arbeiten.«

George und Marie-Françoise kamen aus der Schleuse. George blieb abrupt stehen und musterte den sargförmigen Kasten. »Mmmpf«, sagte er. »Ich kenne das Gerät, den großen Kasten vor dem Käfig. Ich war an der Entwicklung beteiligt. Es handelt sich um eine Schirmbox, eine Zutrittskontrolle, ein Standardgerät für wertvolle Einrichtungen, die ohne Aufsicht bleiben müssen.«

Er ging hinüber und drückte auf eine Stelle, die von der Umgebung nicht zu unterscheiden war. Die Frontplatte schwenkte auf. Im Inneren erblickten wir eine Ansammlung von Schaltern, jeder unter einer Sicherheitsabdeckung. Oberhalb der Schalterreihe befand sich ein einzelner Kippschalter. George deutete auf die untere Reihe. »Einhundert Schalter. Wenn sie in der richtigen Kombination von An und Aus eingestellt sind, braucht man nur noch den oberen Schalter zu drücken, und die Käfigtür öffnet sich.«

»Wenn die Einstellung falsch ist oder wenn man die Käfigtür aufbrechen möchte, was passiert dann?« fragte ich.

»Keine Ahnung. Hängt davon ab, was für eine Bombe sie eingebaut haben. Vielleicht schmilzt nur die Anlage, vielleicht wird die Satellitenschale aufgebrochen. Ich kann das Ding allerdings entschärfen, wenn ich die nötigen Werkzeuge bekomme. Hochempfindliche Induktionsmesser, Geigerzähler, um vielleicht etwas über die Bombe herauszufinden, dazu Schraubenzieher, Schraubenschlüssel, Beleuchtung, Mikrowerkzeuge, Klebeetiketten, Notizblock . . .«

Die verlangten Werkzeuge trafen ein, und George machte sich an die Arbeit. Die Atmosphärentechniker tauchten mit ihrem Gerät auf und kletterten an der Satellitenschale herum, um die Blase aufzubauen. Tempkin und ich kehrten auf die Innenseite zurück, und Randall und Eve stiegen nun hinunter, um sich die Sache einmal anzuschauen. Joslyn und ich spazierten davon, um irgendwo eine Tasse Tee abzustauben, und kehrten anschließend zum Zelt zurück. Wenig später traf dort die Nachricht ein, daß George mit mir sprechen wollte. Ich zog den Druckanzug an und stieg wieder zur Plattform hinunter. »Wie sieht es aus, George?«

»Nicht gut. Ich finde die Sache gar nicht witzig.« Während er redete, überprüfte er mit peinlicher Genauigkeit eine Schaltung. »Kennst du die alte Geschichte von dem Kampfhund, der darauf abgerichtet wurde, sich auf jeden zu stürzen, der sich dem Haus seines Herrn näherte? Nun, der Kerl spaziert davon und kehrt zurück, und da lauerte ihm der eigene Hund auf. Ich habe vor etwa fünf Jahren an diesem Projekt gearbeitet. Meine Auftraggeber wollten eine *wirkliche* Sicherung, die niemand knacken konnte. Wir heckten alle möglichen verrückten und komplizierten Ideen aus. So kompliziert, daß sie nicht ausgetrickst, nicht zerstört und nicht umgangen werden konnte. Was ich hier benutzt habe, ist ein gottverdammtes schwaches Induktionsfeld. Ein paar Gauß weniger, und es wirkt überhaupt nicht mehr. Ein paar mehr, und es geht hoch.«

Die Lufttechniker wurden fertig, und ich scheuchte sie von der Plattform zurück ins Innere von Vapaus. Ich schloß beide Luken hinter ihnen. George hatte nicht genau gesagt, warum er mich bei sich haben wollte. Vielleicht brauchte er einfach Gesellschaft, um mit der nötigen Ruhe arbeiten zu können, vielleicht auch nur einen lebendigen Talisman. Was auch immer der Grund war, es war eine Ehre, die ich nur zu gern jemand anderem überlassen hätte.

Ich öffnete einen Lufttank, und die schlaffe Plastikplane der Blase wölbte sich über der Plattform. Ich klappte meine Helmfront auf. George nahm Helm und Handschuhe ganz ab.

Schließlich setzte er sich zurück und seufzte. »Das war es.

Alle Schaltungen überprüft. Die Einstellungen sind korrekt. Es sei denn, wir haben es hier mit einer Bombenfalle zu tun, oder jemand treibt irgendwelche Spielchen mit uns. Auf geht's,«

Er drückte den oberen Kippschalter. Die Käfigtür öffnete sich mühelos. »Sehr hübsch«, sagte ich.

George grinste fröhlich. »Schieres Glück.« Er stapfte zu seinem Werkzeughaufen. »Der nächste Punkt.« Vorsichtig durchtrennte er zwei Drähte, die in einen dicken Zylinder gleich hinter der Käfigtür mündeten. »Das ist die Selbstzerstörungsanlage, die Bombe, die vom Sicherungskasten aus gesteuert wurde. Ist wahrscheinlich noch auf andere Art verdrahtet, jetzt aber harmlos.«

Ein dicker Funken sprang zwischen den beiden Kabeln über, die er gerade durchgeschnitten hatte. »Jesus, das hätte eigentlich nicht passieren dürfen! Es gibt hier keine Zeitschaltung. Es muß ein Signal von außen sein!«

»George, hinter dir!« Die Steuerungsantennen schwenkten langsam in eine neue Richtung.

»Die *Leviathan* muß das Selbstzerstörungssignal gesendet haben! Sie ist da! Nichts wie runter von der Plattform!« schrie George. Wir stürmten zur Luke, und ich stieß sie heftig auf, während ich mit der anderen Hand den Helm wieder schloß.

Ein tiefes, rumpelndes Dröhnen erschütterte das Gestein über uns. Ich duckte mich durch die Luftschleuse und drückte auf das Überdruckventil. Der höhere Luftdruck aus dem Inneren von Vapaus drang wie eine Sturmböe durch die offene Schleuse in die Plastikblase.

Die Felsen über uns rumpelten wieder, und Feuerlohen züngelten von den Trägern herunter, die die Plattform mit dem Satelliten verbanden. Unglaublicherweise brach die Plattform selbst von den Trägern ab und trudelte ins Weltall davon, wobei sie die Plastikblase wie nichts wegriß. Unsere Luft entwich explosionsartig ins Vakuum, und der Luftdruck aus dem Inneren führte zu einem regelrechten Hurrikan. Wir wurden wieder halb zur Schleuse hinausgeweht. George war bewußtlos, wurde aber von der Schleusenwand aufrecht gehalten. Der Druckabfall mußte ihm die Sinne geraubt haben, und sein Helm und seine Handschuhe segelten mit der Plattform zusammen davon. Der Hurrikan tobte weiter.

Und legte sich. Die Luke auf der Innenseite von Vapaus mußte sich geschlossen haben.

George sackte in sich zusammen und fiel aus der Schleuse. Ich griff nach ihm und hakte mich gleichzeitig mit dem anderen Unterarm hinter der Lukenkante fest. Ich erwischte George am Kragen, stützte mich mit den Füßen in der Schleuse ab, packte mit der anderen Hand seinen Arm und zerrte ihn in die Kammer.

Ich knallte die Außenluke zu, verriegelte sie und öffnete den Helm. Es war die einzige Luft, zu der ich George verhelfen konnte. In der Schleuse herrschte Vakuum, und die Luft aus meinem Druckanzug zischte hinein und füllte sie. Die Anzugpumpe surrte wie verrückt und pumpte alle Reserven aus meinem Tornistertank hinterher.

Dadurch entstand auch kein nennenswerter Luftdruck, aber doch gerade ausreichend — etwa eine Viertelatmosphäre. George gluckste und fing wieder an zu atmen. Seine Nase blutete.

»Mac!« ertönte Joslyns Stimme in meinem Helmempfänger.

»Wir sind beide mehr oder weniger okay«, sagte ich. »Wir stecken in der Schleuse. Öffnet die obere Luke, dann kommen wir hinauf.«

»Fregattenkapitän, hier ist Tempkin. Unsere Ortung meldet . . .«

». . . ein riesiges Raumschiff, das aus Richtung Sonne zum Vorschein kommt. Das wissen wir bereits.« Ich schwieg für einen Moment. Ich war benommen und außer Atem, und der Arm tat mir weh. »Die *Leviathan* hat schon in der Sekunde ein Signal an die Leitstelle geschickt, als sie hinter der Sonne hervorkam. George hat die Kabel der Bombe zerschnitten, die sonst die Plattform geschmolzen hätte, aber auch in den Trägern steckten Ladungen. Sie sind hochgegangen und haben die ganze Anlage weggepustet. Die Plattform ist komplett weggetrieben. Der Kommandant der *Leviathan* hat die Raketenleitstelle bei der ersten, sich bietenden Gelegenheit übernommen. Wieso, zum Teufel, sind wir *darauf* eigentlich nicht gekommen? Sie sind jedenfalls hier.«

TEIL VIER

LEVIATHAN

4 — Deine Widersacher brüllen in deinem Hause und stellen ihre Zeichen darin auf.

7 — Sie verbrennen dein Heiligtum, bis auf den Grund entweihen sie die Wohnung deines Namens.

8 — Sie sprechen in ihrem Herzem: Laßt sie uns alle vernichten! Sie verbrennen alle Gotteshäuser im Lande.

13 — Du hast das Meer gespalten durch deine Kraft, zerschmettert die Köpfe der Drachen im Meer.

14 — Du hast dem Leviathan die Köpfe zerschlagen und ihn zum Fraß gegeben dem wilden Getier.

18 — So gedenke doch, Herr, wie der Feind dich schmäht und ein törichtes Volk deinen Namen lästert.

20 — Gedenke des Bundes; denn die dunklen Winkel des Landes sind voll Frevel.

23 — Vergiß nicht das Geschrei deiner Feinde; das Toben deiner Widersacher nimmt mehr und mehr zu.

74. Psalm

Kapitel 15

Vier Stunden später hatte sich die Gruppe vom Tunnelschacht zerstreut. Marie-Françoise hatte Joslyn um Hilfe gebeten, sie wollte durch direkte Beobachtung zusätzliche Informationen über die *Leviathan* gewinnen. Das Schiff war bislang nicht mehr als ein Punkt auf dem Radarschirm, aber zum erstenmal hatten die Nachrichtendienstler überhaupt etwas Greifbares, mit dem sie arbeiten konnten.

George und ich wurden ins Krankenhaus gebracht. Mein Arm hatte einen Grünholzbruch, und George litt an einem leichten Vakuumschock. Wir waren beide nicht ernsthaft verletzt, aber die Ärzte wollten uns über Nacht unter Beobachtung dabehalten, nicht aus Sorge um unsere Gesundung, sondern um kein Risiko mit Leuten einzugehen, die noch wichtig für den Krieg waren.

Ich sträubte mich nicht dagegen. In letzter Zeit hatte ich wenig geschlafen und bekam hier sogar ein eigenes Zimmer.

Kaum ließen mich die Ärzte und Schwestern endlich in Ruhe, da klopfte jemand leise an die Tür. »Herein!« rief ich.

Eve trat ein und setzte sich zögernd auf einen Stuhl neben dem Bett. »Hallo. Wie werden Sie hier behandelt?«

»Hallo. Ich bin okay. Morgen früh komme ich schon wieder raus. Was ist los?«

»Man hat mir das Kommando für die Jäger übertragen.«

»Oh.« Viel mehr wußte ich dazu nicht zu sagen. Eve und ich hatten einander an Bord der *Bohica* auf dem falschen Fuß erwischt, und unsere Beziehung hatte sich nach diesem hitzigen Stadium nicht wesentlich gebessert.

»Von den ranghohen, finnischen Marineoffizieren lebt niemand mehr. Sie sind entweder gefallen oder wurden von den Hütern hingerichtet. Das Oberkommando beschloß, jemanden mit Kommandoerfahrung zu nehmen«, erklärte sie.

»Wieso erzählen Sie mir das?« wollte ich wissen.

Sie errötete leicht, wodurch ihre braune Haut sich verdunkelte, und wandte den Blick ab. »Ich dachte, Sie wären vielleicht der Meinung, Sie hätten den Befehl selbst verdient.«

»Ach was. Und wie Sie schon mal andeuteten, haben Sie selbst den höheren Rang.«

»Ich habe so das Gefühl, die Finnen könnten aufgrund irgendeiner Ligabestimmung ein Brevetkommando zurechtbasteln, wenn sie wollten.«

War sie nur gekommen, um darauf herumzureiten? Nein, sie kam mir eher verlegen vor. »Eve, ich bin nicht scharf darauf. Ich wollte nie den Befehl.«

»Verdammt, Larson, ich auch nicht!«

»Bingo! Ich verstehe.«

»Ich bin Jagdfliegerin, keine Strategin. Ich könnte die nächsten zehn Jahre bei der Einsatzleitung verbringen und wäre trotzdem immer noch in erster Linie Jagdpilotin.«

»Sie haben mein Mitgefühl, aber ich frage Sie noch mal, warum Sie mir das erzählen?«

»Weil Sie der einzige andere Offizier sind, der auch nur entfernt für den Job qualifiziert ist. Joslyn ist zwar gut, steht aber einen Rang unter Ihnen und hat obendrein dasselbe Problem wie ich — sie sieht die Dinge aus der Sicht eines Piloten, nicht aus der eines gottverdammten Schachspielers. Wenn ich zu Ihren Gunsten auf die Ernennung verzichten könnte, würde ich es sofort machen.«

»Nein.« Da war ich mir ganz sicher.

»Warum nicht?«

»Ich könnte Ihnen dieselbe Frage stellen. Eve, ich habe jede Aufgabe in diesem Krieg übernommen, die man mir übertragen hat. Ich habe Ideen entwickelt und improvisiert. Ich habe alles gemacht, weil ich als einziger zur Verfügung stand, aber ich kann Ihnen nicht Ihren Kampf abnehmen. *Sie* verfügen über die entsprechende Ausbildung, den Rang und die Flieger, die Sie kennen. Es ist Ihr Job, nicht meiner.«

»Verdammt, Larson! Mac, verstehen Sie denn nicht? *Ich kann meine Jungs nicht einfach in den Tod schicken!*«

»Nein? Ich auch nicht. Aber Sie müssen es tun, also werden Sie auch. Wenn ich glaubte, ich wäre ein besserer Jägerkommandant und könnte mehr von ihnen heil durchbringen, wäre ich vielleicht versucht. Aber ich glaube das eben nicht. Und ich kann es nicht nur deshalb übernehmen, damit Sie nachts besser schlafen. Ich habe meine eigenen Alpträume.«

Sie sagte nichts mehr, stand auf, drehte sich um und ging steif hinaus.

Ich schaltete das Licht aus. In *dieser* Nacht schlief ich nicht gut.

Die Finnen schickten der Raketenleitstelle einen Raumschlepper hinterher und bargen sie. Eine Untersuchung ergab, daß die Thermitladung alles auf der Plattform zerstört hätte, wenn George nicht die beiden Kabel durchgeschnitten hätte. So fiel uns die gesamte Anlage nun praktisch intakt in die Hand. Die Steuersoftware war vollkommen gelöscht, und so bestand keine Hoffnung, der *Leviathan* die Raketenkontrolle wieder zu entreißen. Da wir jedoch die Hardware in bestem Zustand erhalten hatten, machten sich die Finnen gleich daran, ihre Funktionsweise zu analysieren. Innerhalb eines Tages wußten wir, welcher Schalter welche Funktion steuerte, auch wenn die Schalter nicht mehr funktionierten.

Das war schon eine wertvolle Information.

Wir mußten uns einer schrecklichen Erkenntnis stellen: Wir konnten die *Leviathan* nicht mehr von außen besiegen, sondern mußten sie entern. Sie steuerte jetzt das Raketensystem. Hätten wir die alte Leitstelle auf Vapaus nur einen Tag früher entdeckt, wäre es möglich gewesen, den Selbstzerstörungscode der Schiffsabwehrraketen herauszufinden. Was wir aus der Untersuchung der geborgenen Leitstelle erfuhren, war jedoch die Bestätigung unserer alten Vermutung, daß die Raketen tatsächlich bis ins Unendliche weiter patrouillieren und alles attackieren würden, was sich bewegte, selbst wenn ihre Besitzer sie schon längst nicht mehr steuerten.

Die Finnen traf noch ein weiterer häßlicher Schock. Es wurde rasch klar, daß die Raketen weit raffinierter konstruiert waren als bislang vermutet. Es konnte glatt fünfzig Jahre dauern, sie außer Funktion zu setzen. Wenn die Finnen nicht so lange in ihrem Sternensystem festsitzen wollten, mußten wir die Raketen zerstören.

Und das konnten wir nur tun, indem wir an Bord der *Leviathan* gingen, dort die Leitstelle in Besitz nahmen und die Geschosse anwiesen, sich selbst zu vernichten.

Das würde nicht leicht werden, denn wir mußten in kurzer Frist alle unsere Pläne revidieren. Jetzt, da wir den Feind geortet hatten, konnten wir seinen Kurs mit hoher Genauigkeit vorausberechnen. Es gab nur noch einen einzigen Weg für die *Leviathan* zu einem sicheren Eintritt in die Atmosphäre von Neu-Finnland. In dreihundertsechzig Stunden würde sie in die Reichweite unserer Jäger geraten und in fünfhundert den Planeten erreichen.

Ein Trost blieb uns. George war sich absolut sicher, daß die Leitstelle an Bord des Giganten vollständig identisch mit der war, die wir erbeutet hatten. Die Hüter versuchten sogar, Menschen zu standardisieren; sicherlich waren sie auch bei Geräten keine Freunde von Spezialanfertigungen. Die schnell und entschlossen arbeitenden Finnen schlossen die erbeutete Leitstelle an einen Simulator an und begannen mit der Ausbildung von Zweierteams daran. Die Steuerelemente waren auf zwei vier Meter voneinander entfernten Pulten angebracht und so angeordnet, daß das Bedienungspersonal Rücken an Rücken stand. So konnte auf keinen Fall eine Person allein daran arbeiten.

Joslyn und ich bildeten eines dieser Teams. Falls wir es schafften, die *Leviathan* zu entern, sollten sich diese Teams über das Schiff verteilen, denn es gab dort etwa sechs Bereiche, in denen sich, nach Auffassung des Nachrichtendienstes (mit anderen Worten: Marie-Françoise, unterstützt von Joslyn) die Leitstelle befinden konnte. Auf jede dieser Stellen wurden zwei unserer Teams angesetzt. Wenn wir Glück hatten, würde eines durchkommen. Zeit für die Ausbildung von jeweils drei Teams blieb nicht mehr, denn die *Leviathan* war im Anmarsch.

Nach langen, ermüdenden Stunden des Drills durch die finnische Simulatorcrew waren Joslyn und ich so weit, daß wir die Station im Schlaf hätten bedienen können. Manchmal tat ich das sogar.

Noch Tage, nachdem Eve mir das Kommando angeboten hatte, machte ich mir Sorgen darüber und besprach die Geschichte mit Joslyn.

»Mac, mir scheint, dir wurde die Chance geboten, eine schlimme Situation noch weiter zu verschlechtern. Eves Angebot hat sich nicht herumgesprochen, aber wenn das passiert wäre, hätte es sich schlimm auf die Moral ausgewirkt, und noch schlimmer wäre es gewesen, wenn du angenommen hättest. Ich jedenfalls würde nicht gerne für einen unentschlossenen Kommandanten starten.«

»Aber hätte ich annehmen können? Hätte ich annehmen sollen?«

»Ich wüßte nicht wie. Auf keinen Fall hätte die Übernahme des Kommandos durch dich irgendwas verbessert. Mich beunruhigt, daß sie dir das Angebot überhaupt unterbreitet hat. Sie scheint sich wirklich zu fürchten, und da kann man von ihr keine brillanten Entscheidungen erwarten. Die Moral ihrer Piloten würde enorm Schaden nehmen, wenn sie wüßten, daß sie die Verantwortung ablehnt . . . Du müßtest ziemlich gut sein, um das zu überwinden. Mac, das schaffst du nicht. Keinesfalls. Andernfalls wärst du dreißig Jahre älter und ein Admiral, kein Forschungsreisender mehr.«

»Ich weiß. Ich schätze, das Angebot hat auch mich beunruhigt.«

»Da ist noch etwas, mein Lieber. Vergiß nicht — selbst wenn unser Schiff zunächst in Reserve gehalten wird, gehören auch wir zu den ›Jungs‹, die sie in den Tod schicken muß.«

Die Wartezeit war hart, doch dann war sie endlich vorüber. Die *Leviathan* kam in Reichweite.

Joslyn und ich beaufsichtigten gerade eine finnische Crew, die die J. M. für den Einsatz vorbereitete. George war auf dem Brocken und arbeitete in der Einsatzleitung mit. Mitten in unsere Arbeit hinein platzte seine Funkbotschaft vom ersten Angriff.

Nur schwer konnten wir uns auf die Arbeit konzentrieren, während wir akustische Zeugen der Schlacht wurden.

Als die Jäger sich dem Feind näherten, empfingen wir die ersten Funksprüche.

».. . Herrgott, ist das Schiff groß!«

»O mein Gott! Es ist zu groß! Dagegen können wir nicht antreten!«

»Wir tun es längst. Hier ist *Able Archer*. Ich werde mit Lasern beschossen. Auf diese Entfernung wirkungslos.«

»Hier *Able Baker*. Mich haben sie auch aufs Korn genommen.«

Eves Stimme meldete sich. »Jesus, die sind aber von der schnellen Truppe. Archer, Baker feuern Sie jeder eine Redeye-Rakete ab. Hatrack, geben Sie ihnen die Vektoren für Fehlschüsse. Die anderen sollen glauben, daß wir pfuschen. Dann sehen wir mal, wie sie darauf reagieren. Hatrack, setzen Sie ihnen Spürsonden ins Kielwasser.«

»Hier Hatrack. Raketen und Sonden gestartet. Beschleunigen in Richtung Ziel.«

»Bandits! Bandits starten von ihrer Backbordseite!«

»Wie viele?«

»Schwer zu erkennen, der Radar ist total überfüttert. Visuell auf die Entfernung auch ziemlich schwierig, vor allem, da sie die Sonne im Rücken haben. Ich zähle eine, zwei, drei Maschinen.«

»Hier Hatrack. Habe Bandits in der Ortung. Sie kümmern sich nicht um die Raketen und nehmen Kurs auf unsere Jäger.«

»Hier Einsatzleitung. Geschwader Eins und Vier, Flankenmanöver bis einhundert Kilometer auf der Ekliptik.«

»*Able Baker*. Sie schießen auf die Redeyes. Es sind Laser auf dem Hauptdeck. *Archers* Rakete ist auf Kurs, meine weicht seitlich ab. Sieht aus, als hättest du nicht genügend Abweichung reingebracht, Randall.«

»Was soll damit sein?« meldete sich Randall von der Führungsmaschine.

»Hier Einsatzleitung. Wir erhalten Daten von fünf Sonden, aber nicht mehr lange. Vier ist schon überhitzt — Laserschaden. Vier ist erledigt.«

»Hier Hatrack. Ein Jäger hat weiter Kurs auf uns. Die anderen schwenken zu den Sonden ab.«

»Hier *Able Archer*. Sieht aus, als würde meine Rakete direkt ihre Hauptlaserstellung aufs Korn nehmen. Die Abschirmung der Redeye hat gehalten, vermute ich. Und: Wamm! Das hat dem Lasergeschütz aber gar nicht gutgetan!«

»Hatrack. Jäger gleich in Reichweite. Erlaubnis zum Angriff?«

»Hier Einsatzleitung. Negativ! Wir müssen mehr als drei lausige Maschinen herauslocken.«

»Hier Hatrack. Da habt ihr sie! Da kommen — oh, oh, glatt achtzehn Radarpunkte, die Hälfte in einer Abwehrformation, die anderen mit Kurs auf uns.«

»Hier *Baker*. Ich sehe gerade, wie die Abwehrmaschinen die Sonden und die andere Redeye erledigen. Weg sind sie.«

»Hatrack, weiteres Geschwader gestartet. Ich zähle mindestens zehn Punkte.«

»Verdammt. Hier Einsatzleitung! Rückzug. Wenn sie euch nachjagen, laßt sie. Greift ihre Jäger nicht so dicht an ihrem Mutterschiff an.«

»Na, das war ganz schön aufregend.«

»Hören Sie auf, Lambert! Ist alles planmäßig, das wissen Sie genau.«

»O Jesus, vielleicht auch nicht! Fünf von den Arschlöchern versuchen mich abzufangen! Eve, ich muß die Sache auskämpfen. Gehe auf Schußposition, und da . . .«

Für einen Moment wurde es still im Funk, dann tönte es: »Hatrack, hier Einsatzleitung! Was, zum Teufel, geht da vor?«

»Jetzt nichts mehr, Zentrale, aber Lambert hat vorher zwei von ihnen erwischt. Alle anderen Jäger konnten sich zurückziehen.«

Die Hüter jagten unserer ersten Welle nach, die sich zurückzog. Unsere zweite Welle erhielt das Einsatzsignal, und als die Hüter hinter den ersten heranbrausten, kam die zweite um den Planeten herum und attackierte sie von hinten. Der Feind war von seinem Mutterschiff abgeschnitten, das zu weit entfernt war, um ihm in irgendeiner Form helfen zu können.

Keiner der Hüter entkam. Vier unserer Jäger wurden vernichtet. Und das war das letzte, was richtig lief, das letzte Stück taktische Planung, das wir wirklich konsequent zu Ende führten.

Dies war eine Schlacht, die ohne Augenzeugen stattfand. Es war schierer Zufall, wenn ein Kämpfer jemals seinen Gegner zu Gesicht bekam, und dann auch nur für Sekundenbruchteile, während die beiden feindlichen Maschinen aneinander vorbeibrausten. Es war eine Distanzschlacht, bei der Geschwindigkeit alles bedeutete, die endlose Stunden Langeweile mit sich brachte, ehe es zu kurzen Augenblicken nervenzermürbender Aktion kam, Stunden, die sporadisch mit Gefahrenmomenten durchsetzt waren.

Die Anführer der Schlacht betrachteten Symbole und Zahlen und Umlaufbahnprojektionen, übersetzt in holographische Darstellungen. Joslyn und ich sahen, wann immer wir konnten, auf dem Monitor zu, der mit der Einsatzleitung zusammengeschaltet war. Die ganze Geschichte wirkte wie ein großes, kunstvolles Spiel. Im Zentrum des Hologramms befand sich der Planet, dargestellt als Ball ohne jedes Kennzeichen, genauer gesagt, zwei Bälle mit demselben Mittelpunkt — wobei der innere für den Planetenkörper stand, während der äußere die tatsächlichen Grenzen der Atmosphäre kennzeichnete. Das Abbild des Planeten war durchsichtig. Man konnte die winzigen Lichtflecke sehen, die die Jäger darstellten, auch wenn ihre Flugbahnen sie hinter die Welt führten.

Eine große, blutrote Pfeilspitze näherte sich langsam und bedächtig dem Planeten — die *Leviathan*. Zwei blaue Ovoide tanzten um den Planeten, Vapaus und der Brocken, wobei Vapaus jeweils drei Umläufe, der Brocken dagegen nur zwei absolvierte.

Die Lichtpunkte, die die Jagdmaschinen darstellten, waren in der Farbe ihres jeweiligen Stützpunktes gehalten, und jeder bewegte sich auf einem dünnen Faden, der seine gegenwärtige Umlaufbahn anzeigte.

Hin und wieder startete ein blitzender Punkt, der eine Rakete darstellte, von einem Schiff und näherte sich einem anderen, und manchmal verschwand das zweite Schiff dann vom Bildschirm. Eine Stimme rief dann: »Ich habe den Bastard erwischt!« oder »Jesus, sie haben Edmonds abgefackelt!«

Was mich schockierte, waren die *Entfernungen*. Es war verrückt – ich hatte Dutzende von Lichtjahren hinter mich gebracht, um hierherzukommen, und diese kleinen Schiffchen legten immer nur ein paar hunderttausend Kilometer zurück. Aber trotz ständiger Beschleunigung mit einem g und der entsprechend hohen Geschwindigkeiten brauchten sie lange Stunden, um einander zu erreichen.

Die Hüter schickten eine zweite Welle ihrer Jäger los. Unsere Angriffe waren seit langem sorgfältig vorbereitet, aber früher oder später mußte trotzdem etwas schiefgehen. Und tatsächlich knackten die Hüter unsere Formationen. Wir schlugen uns zwar weiterhin gut, aber nicht mehr so gut wie vorher. Wir zerstörten noch mal acht Jäger von ihnen, verloren aber selbst vier weitere.

Eve schien Angst davor zu haben, die für die jeweiligen Herausforderungen benötigten Kräfte aufs Spiel zu setzen. Sie schickte zwei Maschinen dorthin, wo fünf gebraucht wurden, oder eine anstelle von zweien. Aus lauter Furcht führte sie uns in die Niederlage und brachte uns dem Tod immer ein Stückchen näher. Die Schlacht verkam zu Duellen zwischen einzelnen Schiffen oder Kämpfen von dreien gegen zwei, sie wurde zu einem reinen Katz-und-Maus-Spiel. Allmählich entwickelten sich bestimmte Muster. Jede Seite lernte von der anderen und bezahlte für neu erworbenes Wissen mit dem Leben ihrer Piloten. Die Maschinen des Feindes waren leichter und kleiner und für kürzere Einsätze ausgelegt als die Beefies. Ihr geringes Gewicht brachte ihnen einen Beschleunigungsvorteil, der die begrenzte Einsatzdauer wettmachte. Kurz gesagt packten die Hüter stärkere Triebwerke in kleinere und zerbrechlichere Maschinen.

Diese leichten Maschinen verloren in der Regel Lasergefechte, aber sie hatten bessere Chancen, Raketen zu entwischen. Die Beefies und die Biester hatten dagegen viel mehr Treibstoff und Atemluft an Bord.

Ich sah per Display zu, wie ein Biest einen Bandit aus dem Orbit heraus verfolgte. Inzwischen wußten wir ganz präzise, über wieviel Treibstoff die Bandits verfügten und wie lange sie insgesamt ihre Triebwerke damit befeuern konnten.

Der Pilot des Biestes konnte sich das im Kopf ausrechnen. Er setzte dem Bandit mit seiner Höchstbeschleunigung von zwei Komma sechs g nach. Der Bandit brachte es auf drei Komma eins g und hatte zu Beginn eintausend Kilometer Vorsprung, den er allmählich vergrößerte. Aber selbst wenn er gewollt hätte, er durfte auf keinen Fall umdrehen — das Biest hätte ihn gleich erwischt.

Nach einer Dreiviertelstunde mit drei Komma eins g hatte der Bandit ein Vielfaches der Fluchtgeschwindigkeit für den Planeten erreicht. Das Biest drehte um und nahm lässig mit ein g Kurs auf die Heimatbasis. Der Bandit war so gut wie tot. Er hatte nicht mehr genug Treibstoff, um nach Hause zu kommen.

Er versuchte es. Er mußte nicht nur Tempo zurücknehmen, sondern dies auch schnell genug tun, um wieder den Planeten zu erreichen, wo er auf Rettung hoffen konnte. Vielleicht schmolzen ihm schließlich die Triebwerke durch, oder seine Tanks leerten sich zu schnell. Jedenfalls schaffte er es nicht. Er ist immer noch irgendwo dort draußen.

Ein Bandit und ein Beefie jagten sich gegenseitig auf gegenläufige Orbits, das Beefie fünfzig Kilometer unterhalb des Bandits. Einer flog von Osten nach Westen, der andere von Westen nach Osten. Das Tempo ihrer Annäherung betrug fast sechzigtausend Stundenkilometer. Zunächst wurden sie ihre Raketen los, deren winzige bordeigene Computer bei einer solchen Geschwindigkeit nicht mehr schnell oder präzise genug reagieren konnten, um einen Treffer zu erzielen.

Dann kamen die Laser an die Reihe.

Die beiden Maschinen hatten sich pro halbe Umlaufbahn, alle zweiundvierzig Minuten, für zehn Minuten gegenseitig im Blickfeld. Die Laserstrahlen zuckten zum Feind hinüber und erhitzten und überhitzten ihn, während sie ihm folgten, solange er im Blickfeld war. Dann hatten beide etwa eine halbe Stunde Zeit, um abzukühlen, den Schaden zu kontrollieren und zu beheben und die Ladungsanzeige der Batterien abzulesen.

Dann ein erneuter Vorbeiflug, eine halbe Stunde Erholung und so weiter, ein langsamer Prozeß gegenseitiger Zerstörung. Zunächst gerieten die Schiffe ins Trudeln, als die Farbe abblätterte, die Sicherheitsventile durchschmorten und dadurch winzige Seitenschübe eintraten. Mangels Treibstoff ignorierten die Piloten diesen Effekt. Die Laser waren mit Zielsuchern ausgestattet und konnten treffen, egal, wie die Fluglage der Maschine war.

Die Batterien erschöpften sich, die Laser wurden schwächer.

Auf halbem Weg eines Vorbeifluges schmorte der Laser des Beefie durch und explodierte. Die Maschine selbst hielt noch stand, blieb für den nächsten Vorbeiflug intakt.

Der Bandit ging wohl davon aus, daß er seinen Gegner erwischt hatte. Die beiden Maschinen näherten sich einander wieder. Mit seinem letzten Treibstoff ging der Beefie-Pilot auf eine etwas höhere Umlaufbahn und feuerte dann sein Triebwerk- und der Bandit flog mitten durch die Fusionsflamme und kam als Schlackenhaufen wieder zum Vorschein. Die Umlaufbahn des Beefie wurde instabil. Die Maschine sank zur Atmosphäre hinunter.

Es traf sie über der Nachtseite des Planeten, zufällig genau in dem Moment, als die an Vapaus angedockte J. M. direkt über ihr war. Eine dunkle Fläche lag unter uns. Plötzlich flammte ein Lichtpunkt auf, und ein langer Feuerschweif zog sich durch die Nacht. Danach war wieder alles dunkel.

Tod und Todesgefahr lauerten überall. Ich sah den winzigen Funken dabei zu, wie sie über den Gefechtsmonitor kreisten, der von den Kameras an Bord der Jäger, von Vapaus und von denen des Brocken gespeist wurde.

Ein Jäger ohne Treibstoff, ohne Munition, der Pilot nur noch in der Lage, der Annäherung der feindlichen Rakete zuzusehen, wie sie auf einer Umlaufbahn kam, nur unwesentlich schneller und niedriger als seine eigene. Die Rakete schien lange Stunden nur zu warten, bis sie endlich näher heranschwebte. Der Pilot konnte sie fünfzehn Minuten vor dem Ende mit eigenen Augen sehen. Er richtete die Kamera darauf, auf einen winzigen Punkt, der auf dem Bildschirm immer größer wurde, bis das Bild ausfiel.

Das Energiesystem eines Banditen mußte plötzlich versagt haben. Mit hoher Geschwindigkeit war er auf dem Rückweg zur *Leviathan*. Er erreichte den Punkt, an dem er hätte abbremsen müssen, um sicher anzudocken, flog aber weiter, stürzte dem Schiff wie ein Stein entgegen. Die *Leviathan* feuerte eine Raketensalve auf den eigenen Jäger ab und verwandelte ihn in eine Staubwolke, die an ihr vorbeizog.

Der Weltraum war durchsetzt mit zerstörten Maschinen, Wracks von Schiffen und Raketen, Trümmerstücken, Dampfwolken aus zerstörten Treibstofftanks, die sich im Vakuum verflüchtigten, und den verstümmelten Leichen der Gefallenen. Ein paar gerieten in die Atmosphäre, und Neu-Finnland bot sich für viele Tage das Schauspiel von hübschen Funken und mehr Sternschnuppen als gewöhnlich. Manche trieben auch auf eine fernere Umlaufbahn um die Sonne oder verschwanden ganz aus dem System und gingen in der Unendlichkeit verloren.

Es war ein Blutbad in Zeitlupe, bei dem die Parteien für Stunden oder Tage um irgendeinen Vorteil kämpften und das in Todesfällen gipfelte, die im Zeitraum eines Wimpernschlages eintraten.

Und wir standen im Begriff zu verlieren.

Das erkannte ich, wenn ich mich von dem kleinen Bildausschnitt losreißen konnte, den ich gerade mit fasziniertem Entsetzen verfolgte, und mir ein Gesamtbild von der Schlacht verschaffte.

Wer noch Schiffe übrig hatte, wenn die andere Seite ihr letztes verlor, hatte gesiegt. Auf jeden Verlust eines unserer Schiffe kamen zwei der Hüter, aber dafür verfügten sie über eine größere Anzahl, und ihr Befehlshaber war vorsichtig. Er hielt seine Maschinen in der *Leviathan* zurück, während sich das große Schiff unerbittlich der Atmosphäre näherte.

Eve war ihrer Aufgabe nicht gewachsen. Vielleicht war die Situation an sich hoffnungslos, vielleicht aber hätte ein klügerer oder älterer Befehlshaber uns retten können.

Sie gab sich Mühe, aber es gelang ihr trotz aller Intrigen und Provokationen nicht, die Jägerdecks der *Leviathan* zu leeren.

Also spielte sie ihren größten Trumpf aus.

Uns.

»Berman an *Joslyn Marie*. Bitte melden. Over.«

»Hier *Joslyn Marie*. Bitte melden, Einsatzleitung. Was haben Sie für uns, Eve?«

»Halten Sie sich bereit, Mac. Wir füttern Ihren Computer mit ein paar Zahlen. Okay, rufen Sie jetzt die Datei *Guerilla* auf und schalten Sie Ihren Monitor mit meinem Computer zusammen.«

Ich tippte die entsprechenden Befehle ein, und das Modell der Schlacht verschwand aus dem Holodisplay. Die *Leviathan* tauchte dort auf.

»Okay, Mac, Joslyn, hier ist alles, was wir über die *Leviathan* wissen — das, was Marie-Françoise und Joslyn zusammengeschustert haben, plus Beobachtungen durch die Teleskope, plus Spekulationen. Ihr müßt sie angreifen«, schloß sie.

»Ich habe geahnt, daß Sie damit kommen würden.«

»Tut mir leid, Mac. Aber hören Sie gut zu. Wir können ihre Jäger nicht aus den Hangardecks locken und abschießen, also müssen wir sie dort blockieren. Und hier sind die entsprechenden Ziele.« Vier Punkte auf dem Hologramm blinkten rot. »Das sind die Startschächte für die Jäger. Ein Doppelschacht am Bug, einer am Heck und je einer an Back- und Steuerbord.«

»Keiner auf dem Hauptdeck?«

»Keiner. Wir vermuten, daß das Hauptdeck für Einsätze in der Atmosphäre gedacht ist. Was man dort sieht, scheinen ballistische Startgerüste für den Einsatz unter Schwerkraft zu sein. Okay, in Ihrem Bordcomputer finden Sie jetzt folgenden Kurs.« Das Bild der *Leviathan* schrumpfte auf einen winzigen Fleck zusammen. Der Planet erschien wieder, und die *Leviathan* wandte ihm das Heck zu, um mit Hilfe des Triebwerks zu bremsen. Eine rote Linie, die in Schleifen verlief, tauchte auf und verband die gegenwärtige Position der *J. M.* mit der *Leviathan*. Sie führte an deren Heck und Backbordseite vorbei und verlief anschließend im Nichts.

»Das ist aber verdammt haarig, Eve. Welcher Schub?«

»Sechs g auf der ganzen Strecke. Deshalb ist das auch Ihr Job. Keines unserer übrigen Fahrzeuge kann diesen Schub so lange durchhalten. Sie haben als einzige überhaupt eine Chance, schnell genug heranzukommen und heil wieder zu entwischen.«

Joslyn musterte das Display nachdenklich. »Kapitän Berman, könnten Sie bitte die Schubflamme der *Leviathan* ins Bild aufnehmen?«

Ein rosa Flammenstrahl von einhundert Kilometern Länge erschien. Er durchschnitt direkt unseren Kurs.

»Mein Gott!« rief ich. »Eve, Sie schicken uns mitten durch eine Fusionsflamme!«

»Verdammt, das weiß ich! Ich weiß es, aber es gibt verdammt noch mal keine Alternative! Die Fusionsflamme erzeugt gleichzeitig einen riesigen Plasmaschatten, den der Feind mit seinen Ortungsanlagen nicht durchdringen kann. Das bietet Ihnen Deckung, unter deren Schutz Sie nahe genug herankommen, um sie zu treffen.«

»Wie lange stecken wir da drin? Und mit welchen Temperaturen müssen wir rechnen?«

»Nach unseren Berechnungen zwischen vier und zehn Sekunden. Wir versuchen, Sie möglichst am Rand zu halten, wo es ein bißchen kühler zugeht. Die Temperatur dürfte dort nicht über sechstausend Kelvin steigen. Auch die Dichte des Plasmas ist dort geringer.«

Joslyns Stimme klang flach und hart. »Das überstehen wir nie!«

»Doch, wenn die *Uncle Sam* angedockt ist und ihr Hitzeschild den Bug der *J. M.* schützt . . .«

Ich pfiff leise. Das war verrückt. »Es wird zwar helfen, aber nicht genug. Die Hitze ist viel zu stark, als daß man damit fertig werden könnte.«

»Es ist nicht nur die Hitze. Das Unternehmen gleicht einer Fahrt direkt in eine gerade detonierende Atombombe hinein«, meinte Joslyn.

»Lassen Sie mich ausreden. Wir werden das Schiff entsprechend isolieren. Wahrscheinlich kommen Sie durch. Wir *müssen* die Startschächte einfach blockieren! Die *Leviathan* erreicht den Rand der Atmosphäre in achtundfünfzig Stunden. Meine Flieger sind in Bedrängnis. Bis dahin habe ich keinen mehr übrig, und die *Leviathan* wird den Himmel beherrschen und sich nach eigenem Belieben irgendwann um Vapaus kümmern können. Sie wird siegen. Sie hat sogar dann noch eine Chance, wenn wir ihre Startschächte erledigen. Und Sie sind das einzige Schiff, das wenigstens eine kleine Chance hat, das zu erreichen.«

»Eve, es ist einfach unmöglich! Warum fahren wir nicht gleich quer durch die Sonne?«

»Mac – Fregattenkapitän Larson, Leutnant Cooper, Sie kennen jetzt Ihre Befehle. Die Isoliermannschaft macht sich gleich an die Arbeit. Ich schlage vor, daß Sie Ihr Schiff so schnell wie möglich herunterkühlen. Sie starten in drei Stunden. Berman, Ende.«

Ich zeigte auf die dünne, rote Linie, die unseren Kurs zeigte. »Fällt dir was auf, Joslyn? Sie haben sich nicht mal die Mühe gemacht, unseren Rückweg zu planen.«

»Ich weiß, Mac, aber um den Teil kümmere ich mich sofort. Verdammt! Jetzt wünschte ich mir, wir wären uns nicht so einig, was Pflichterfüllung angeht.«

»Hier spricht der Schlepperkapitän. Legen Sie jetzt bitte ab und beziehen mit Ihrem Schiff eine feste Position einhundert Meter vom Satelliten entfernt.«

Joslyn tat wie geheißen. Dann warteten wir. Von der Außenhülle hörten wir scharrende Geräusche und dumpfe Schläge, dann trat wieder Stille ein.

»Hier spricht der Schlepperkapitän. Ihr Schiff hängt jetzt am Rand der Isolierfolie. Versetzen Sie es ausschließlich mit Hilfe der Stabilisatoren — keinesfalls irgendwelcher Düsen — in eine Rotation von einer halben Umdrehung pro Minute.«

Wir folgten seinen Anweisungen und betrachteten dabei die Bildschirmanzeige einer Kamera auf Vapaus. Neben unserem Schiff befand sich ein Stummelzylinder, der Schlepper. Zwischen seinen Greifarmen hielt er etwas, das wie eine riesige Rolle Alufolie aussah. Während die J. M. rotierte, wurde die Folie abgespult und um unser Schiff gewickelt. Eine Folie dieser Art wird normalerweise bei Raumfahrzeugen benutzt, die in Sonnennähe eingesetzt werden. Jetzt blieb für sorgfältige Arbeit allerdings keine Zeit, und die Folie wurde über die Düsen gezogen, mit denen wir die Lage des Schiffes kontrollieren konnten. Wenn wir sie einsetzen mußten, würden sie das Isoliermaterial in den Weltraum davonpusten.

Endlich war das ganze Schiff abgedeckt. Eine winzige Gestalt im Raumanzug, die dem Vorgang in aller Ruhe von einem der Greifarme aus zugesehen hatte, schnitt jetzt mit einem machetenähnlichen Messer die Folie durch, während sie weiter abgespult wurde. Der Schnitt war nicht gleichmäßig, aber die Gestalt schaffte es, die Bahn auf ganzer Breite zu durchtrennen. Sie hielt sich dann am Ende der Folienbahn fest und zog sie mit Hilfe unserer Eigenrotatin fest um das Schiff. Sie sprühte einen Klebstoff der Länge nach auf den Folienrand, preßte sich mit Hilfe ihres Tornisterantriebes an den Schiffsrumpf und zog die Folie dort fest. Als sie endlich richtig saß, stieß sich die Gestalt vom Schiff ab.

»Erinnere mich notfalls daran, das nie selbst zu probieren«, sagte ich.

»Ich bezweifle, daß du es vergessen wirst«, antwortete Joslyn.

»Jetzt zum nächsten Schritt.« Der Schlepperkapitän fuhr vorsichtig an uns entlang und versprühte dabei aus einem

Schlauch, der von einem weiteren Greifarm gehalten wurde, einen dicken Strahl schmieriger Masse. Die Schmiere sprudelte und warf Blasen im Vakuum. Sie prasselte auf die Folie und verfestigte sich dort zu einer Schaumhülle rings um das Schiff. Es handelte sich um einen Stoff, der zur Verstärkung von Hitzeschirmen diente. Die Hitze würde ihn zwar auflösen, aber dabei gleichzeitig von den Resten des Stoffes abgeführt werden.

Es war eine verrückte Lösung angesichts einer Fusionsflamme, wirkte aber trotzdem beruhigend. Die Abschirmung war häßlich, doch sie stufte unsere Mission von ›selbstmörderisch‹ zu ›riskant‹ ab.

Von einer einzelnen Funkantenne und den Haupttriebwerken abgesehen, war das Schiff völlig abgedeckt. Auf die Antenne konnten wir prinzipiell auch verzichten — in der Fusionsflamme würde sie ohnehin verdampfen. Alle übrigen Kommunikations- und Ortungseinrichtungen waren sicher verstaut.

»Die Kühlanlage ist auf die Triebwerksmündungen geschaltet und in Betrieb«, meldete Joslyn. Wir mußten kalt starten. Es wäre sogar dann nötig gewesen, wenn wir nicht die Fusionsflamme hätten durchqueren müssen. Ein in Betrieb befindliches Raumschiff erzeugt fortlaufend Wärme, die in unserem Fall von der Abschirmung ausgezeichnet isoliert wurde. Wir pumpten also extrem kalten Flüssigwasserstoff aus den Treibstofftanks in die Kühlleitungen des Schiffes und dann durch die Triebwerksmündungen. Die Trichter waren jetzt kalt und bildeten gute Strahlungsoberflächen. Wenn der Fusionsantrieb erst gestartet war, bestand keine Möglichkeit mehr, Wärme abzuleiten, bis die Abschirmung verdampfte.

Vorausgesetzt, wir lebten überhaupt lange genug, um uns darüber Gedanken zu machen.

Kapitel 16

Die Uhr erreichte null, und die *J. M.* setzte sich gemächlich mit einem g in Fahrt. Innerhalb von drei Minuten beschleunigten wir auf sechs g. Der Schiffskörper ächzte und knarrte unter dieser Belastung.

Immer rascher fiel Vapaus hinter uns zurück. Joslyn und ich versanken tiefer und tiefer in unseren Beschleunigungsliegen. Letztere waren spezielle für hohe Beschleunigungswerte ausgelegt. Es handelte sich um Säcke aus dünnen, sehr flexiblen Membranen, die einen zähflüssigen Gelee enthielten. Der Gelee war irgendeine exotische, organische Verbindung, und die Membranen waren ein klein wenig durchlässig, was bedeutete, daß es in der Kabine bald zum Himmel stank. Trotzdem stellte ich das Ventilationssystem noch nicht auf volle Leistung ein – ihm stand ohnehin noch einiges bevor. Tatsächlich stieg die Temperatur bereits. Vor dem Start hatten wir das ganze Schiff auf vier Grad Celsius abgekühlt. Die Triebwerke waren gut isoliert, um möglichst wenig Hitze abzugeben, doch durch die übrigen Funktionen des Schiffsbetriebes wurde sehr viel Wärme erzeugt, und wir hatten keine Möglichkeit, sie wieder loszuwerden. Es wurde warm. Langsam nur, aber wir mußten aufpassen.

Unsere Geschwindigkeit nahm erschreckend zu. In weniger als drei Minuten, nachdem wir das Niveau von sechs g erreicht hatten, überschritten wir die Fluchtgeschwindigkeit von Neu-Finnland. Wäre die Triebwerksflamme hinter uns erloschen oder hätte das Navigationssystem versagt – nun, wir wären nie mehr zurückgekehrt, sondern in die Sonne gestürzt.

Wir verfügten zwar nicht über eine Kamera außerhalb der Abschirmung, aber wir wußten, daß sich zwischen uns und der Sonne ein weiterer leuchtender Punkt bewegte, kleiner, kompakter – und viel heller. Es war nicht mehr weit bis zum Rachen des Ungeheuers, der *Leviathan*.

Sechs g waren ganz schön strapaziös, um es einmal vorsichtig auszudrücken. Am Ende dieses Tages würden Joz und ich trotz aller Schutzvorkehrungen und Polsterungen blaue Flecken und geplatzte Blutgefäße haben. Wir beide waren mit diversen Medikamenten und Vitaminen vollgepumpt, damit unsere Körper dem mörderischen Druck besser standhielten. Dieser Druck konnte tödlich sein. Sollte es dazu kommen, würde die *Joslyn Marie* ihren Weg als Roboter fortsetzen und die Mission selbsttätig auszuführen versuchen, mit zwei Leichen als Fahrgästen.

Ich *fühlte* mich bereits wie eine Leiche. Ich konnte zwar nicht den Kopf wenden, um Joslyn anzuschauen, aber wir hatten über die bordeigenen Kameras Blickkontakt. Joslyn sah aus wie jemand, dem man eine Tonne Ziegelsteine ins Gesicht geworfen hatte, und dieses Bild war nicht sehr weit von der Wahrheit entfernt. Ihr Blick schweifte zur Kamera, und ein Mundwinkel zuckte in dem Versuch, ein Lächeln zu produzieren. Mit tosendem Triebwerk ging es weiter in die Tiefen der Nacht. Wir bewegten uns nicht auf einer engen, sicheren Umlaufbahn. Wir waren unterwegs in die große Leere.

Nach fünfhundert Sekunden: siebentausenddreihundertfünfzig Kilometer vom Startpunkt entfernt. Geschwindigkeit neunundzwanzig Kilometer pro Sekunde.

Nach siebenhundert Sekunden: vierzehntausendvierhundertundsechs Kilometer weit draußen — einundvierzig Sekundenkilometer schnell.

Nach neunhundert Sekunden, auf halbem Weg durch die Initialbrennphase: vierundzwanzigtausend Kilometer vom Startpunkt entfernt, zweiundfünfzig Sekundenkilometer schnell — das entspricht einhundertneunzigtausend Stundenkilometern.

Nun stiegen die Beschleunigungskräfte noch merklich an, da wir die Masse des Treibstoffs loswurden. Die Programmierung des Schiffes kalkulierte das ein, und so nahm das Triebwerk bei eintausend Fahrtsekunden zum erstenmal etwas Schub weg.

Immer schneller donnerten wir auf unserer Fusionsflamme in den Himmel, und Atome starben unter der Urgewalt unserer Fahrt. Mein Körper war bereits erschöpft von der Anstrengung, ein Eigengewicht von sechshundert Kilogramm zu überleben, aber meine Seele sonnte sich unter der ehrfurchtgebietenden Kraft dieses Himmelsgeschosses, das wir fuhren, dieser flammenden Fackel in der schwarzen Leere. Die Kraft, die Macht, die unglaublichen Geschwindigkeiten wirkten nicht länger furchterregend, sondern begeisternd und belebend auf mich. Meine Frau und ich brausten auf einem mächtigen Streitwagen durchs Firmament, um Rache zu üben an unseren Feinden und Peinigern.

Dieser Gedanke mußte teilweise durch Sauerstoffmangel bedingt gewesen sein — die Masse der *Leviathan* überstieg die der *Joslyn Marie* um etwa das Tausendfache.

Aber verdammt noch mal, wir hatten wirklich ein gutes Schiff! Seine Triebwerke arbeiteten gleichmäßig, und es blieb genau auf Kurs.

Nach eintausendzweihundert Sekunden: zweiundvierzigtausend Kilometer geschafft, siebzig Sekundenkilometer schnell — über zweihundertfünfzigtausend Stundenkilometer. Allein die Geschwindigkeit war schon so gut wie ein Abwehrschirm. Wir waren so schnell, daß nur ein hochsensibler Radar uns hätte orten können.

Im Blindflug stürmten wir durchs All.

Tausendfünfhundert Sekunden, fünfundzwanzig Minuten nach dem Start: über sechsundsechzigtausend Kilometer geschafft und noch etwa dreißigtausend vor uns. Die Geschwindigkeit betrug achtundachtzig Kilometer pro Sekunde.

Bei tausendsechshundert Sekunden verloren die Zahlen jede Bedeutung. Es wurde Zeit, daß wir uns auf den Kampf vorbereiteten. Die Kameras blieben noch innerhalb ihrer Schutzkörbe, wurden jedoch unter Strom gesetzt. Auch der Radar war einsatzbereit und nur noch nicht eingeschaltet, denn unter der Folie wäre sein Computergehirn durchgeschmort.

Joslyn und ich arbeiteten vorsichtig an der Steuerung, sprachen dabei kaum und bewegten uns so wenig wie möglich. Jedesmal, wenn man unter sechs g einen Arm hebt, leistet man dieselbe Arbeit, als würde man auf der Erde einen Klimmzug machen.

Tausendachthundert Sekunden. Genau auf Kurs. Eine halbe

Stunde nach dem Start. Relative Geschwindigkeit zum Zielobjekt: einhunderteinundzwanzig Komma einundzwanzig Kilometer pro Sekunde, Kurs null zwo null.

Die Triebwerke schalteten ab. Null g. Kamera Drei ein, Korb auf, aber nach wie vor unter der Abschirmung.

Wir schwebten schwerelos im Raum, während unsere Herzen noch wie wild gegen den nicht mehr vorhandenen Druck anklopften. Unsere Mägen drehten sich um, als die Stabilisatoren anliefen und die *Joslyn Marie* in die sicherste Fahrtstellung kippten, den Bug direkt voraus.

So stürzten wir ins Feuer.

Kamera Drei zeigte uns die Dunkelheit unter den Schaum- und Folienschichten. Dann war die Dunkelheit auf einmal nicht mehr schwarz, sondern nahm ein mattes, düsteres Rot an, dessen Stärke und Leuchtkraft wuchsen, bis es schließlich explodierte, als zuerst die Abschirmung und dann die Kamera verdampfte.

Eine Alarmsirene heulte schrill.

»Außentemperatur fünfhundert Grad ansteigend!« rief Joslyn.

»Notfallkühlsystem läuft mit voller Kraft.«

»Außentemperatur sechshundert.«

»Okay, gleich erfolgt Geschützstart!« rief ich.

»Angriffscomputer startet Geschütze, lädt Torpedos ein, startet Torpedo eins, zwei, drei, vier, fünf, sechs — Torpedos unterwegs!«

»Joz, soweit ich sehe, ist die Thermoschicht weggeschmolzen — keine Anzeige mehr.«

»Korrekt. Schirm aufgelöst. Heiße Stellen an den Heckschotts. Kühlung läuft mit fünfundneunzig Prozent Kapazität.«

»Temperatur steigt. Wir bekommen Probleme.«

»Außentemperatur jetzt eintausendzweihundert. Schadensmelder leuchten auf, weitere folgen.«

»Kühlsystem überlastet!«

»Sind jetzt sieben Sekunden in den Flammen.«

»Kühlung überlastet, alle Systeme über Höchstwerten!«

Aber dann waren wir wieder draußen.

Der Computer drehte das Schiff diesmal mit Hilfe der Schubdüsen, um die megatonnenschwere Masse in einer halben Sekunde um einhundert Grad zu schwenken.

Durch das Innere der J. M. tobte ein feuriger Hurrikan, während das Kühlsystem die überhitzte Luft wieder abführte. Es stank nach verschmorten Isolierungen, verbranntem Plastik und Schweiß. Die Lufttemperatur erreichte kurz den Siedepunkt des Wassers und fiel dann rasch wieder, als die Wärmewelle auf ihrem Weg durch das Schiff an uns vorbei war. Das Kühlsystem pumpte Flüssigwasserstoff aus den Treibstofftanks durch die Notkühlrippen. Es wurde schnell kälter.

Wir achteten gar nicht darauf. Die Kameras wurden ausgefahren, und in diesem Augenblick sahen wir die *Leviathan*.

Riesig, gewaltig, monströs! Keine Maschine, kein Menschenwerk konnte so ungeheuer sein, so ehrfurchtgebietend. Es mußte sich um ein Monster handeln, das die Natur hervorgebracht hatte, die alptraumhafte Ausgeburt einer Dunkelsonne, ein Ungeheuer von der Gestalt eines jagenden Teufelsrochens.

Es war eine drückende Masse Metall, die noch *größer* wurde, während wir schockiert ihre klotzigen, grotesken Dimensionen bestaunten.

Als wir weiter heranschossen, verschwand das häßliche Monstrum zunächst und tauchte dann auf dem Heckbildschirm wieder auf. Nach den Zahlen zu urteilen, waren wir in weniger als einer Sekunde an ihm vorbeigebraust, doch es schien viel länger gedauert zu haben.

Aber wir waren vorbei, und während wir uns schon wieder von der *Leviathan* entfernten, mit einem gemächlichen g im Neunzig-Grad-Winkel zu unserem bisherigen Kurs, zoomten die Kameras näher heran. Lichtblitze zuckten aus der Flanke des Riesenschiffes — einer, zwei, drei ...

»Ich zähle fünf Treffer«, sagte Joslyn.

»Wir nähern uns der Abschußposition für die zweite Salve.«

»Ladezyklus für Rohr eins, zwei, drei, vier, fünf, sechs — eins feuert, zwei und drei auch, vier nicht, fünf nicht, sechs feuert.«

»Für vier und fünf sind Fehlzündungen gemeldet.«

»Entschärfe Blindgänger und werfe sie raus.«

Auf dem Bildschirm erschienen Lichtbahnen und schrumpften wieder zu nichts zusammen, als die Torpedos davonbrausten und die *Leviathan* aufs Korn nahmen.

Die Lasergeschütze des Giganten nahmen sie unter Feuer, aber wir zählten trotzdem drei weitere Treffer.

»Sind irgendwelche Abfangjäger gegen uns gestartet?«

»Moment, ich sehe nach . . . O Mac, mein Liebling, wir sind davongekommen!«

»Ich will verdammt sein! Erwischen wir deinen Fluchtkurs nach Hause?«

»Ganz bestimmt, Schatz. Wir werden auf Kuu stürzen.«

»Ich wage kaum zu fragen, ob du Witze machst.« Ich sah sie an. Ihr Lächeln war allzu selbstgefällig. »Nein, du machst keine Witze. Okay, bereithalten zum Absturz auf Neu-Finnlands Mond.«

Auf dem neuen Kurs erwachten die Triebwerke wieder tosend zum Leben und beschleunigten mit sechs g. Wir wurden erneut auf die Druckliegen gepreßt. Nach der kurzen Erholungsphase war die Qual dieses Drucks noch schlimmer als vorher.

Bei ihrer Kursberechnung für die Rückkehr von der *Leviathan* war Joslyn davon ausgegangen, daß derselbe Weg, den wir für den Anflug genommen hatten, nicht in Frage kam. Wir konnten den Gegner nicht ein zweites Mal überraschen und befanden uns jetzt ohnehin nicht mehr in seinem toten Winkel. Zunächst mußten wir auf Distanz zu dem Giganten gehen, der sich zwischen uns und Neu-Finnland befand. Wir mußten auch unsere enorm hohe Geschwindigkeit wieder reduzieren. Joslyn feuerte die Triebwerke zunächst, um im rechten Winkel zu unserem Anflugkurs davonzukommen. Wir waren nach wie vor auf dem Weg nach draußen, jetzt aber in seitlicher Richtung. Sobald wir ein gutes Stück von der *Leviathan* entfernt waren, konnten wir auf die Bremse treten.

Das hieß, daß wir in einer Richtung bremsen und gleichzeitig in eine andere Richtung beschleunigen mußten.

Da wir jedoch zu schnell und unsere Tanks fast leer waren, benötigten wir zum Abbremsen Hilfe.

An diesem Punkt kam Kuu ins Spiel. Wir hatten vor, den Mond in einer engen Kurve zu umfahren und mit Hilfe seiner Schwerkraft zu bremsen, präziser ausgedrückt, mit derselben Geschwindigkeit in die Gegenrichtung zu wechseln.

Derartige Manöver waren seit einem Jahrhundert üblich, aber der Haken bestand für uns darin, daß wir, um den Richtungswechsel zu schaffen, erschreckend dicht an die Oberfläche von Kuu heran mußten — nur noch etwa dreizehn Kilometer davon entfernt. Das war dicht genug, um bei einer Abweichung von mehr als null Komma null eins Prozent zum Absturz zu führen.

Kuu war nichts Besonderes, nur eine Steinkugel, eine kleine, nutzlose Welt. Andererseits gibt es keine kleine Welt, wenn man darauf zustürzt. Jedes Detail dieses Billigmondes schwoll auf dem Bildschirm zu furchterregenden Dimensionen an. Die gesamte Oberfläche war mit Kratern übersät. Jeder Stein, der jetzt noch daraufstürzte, würde keinen zusätzlichen Krater schaffen, sondern lediglich einen schon bestehenden umgestalten. Vielleicht hatte es früher einmal Berge und Täler und Ebenen gegeben, aber heute breiteten sich vor dem Betrachter nur noch die kraterförmigen Überreste ihrer Zerstörung aus. Es war das tote, häßliche Skelett einer Welt, dessen Anblick jetzt nicht mehr durch die Entfernung oder die Atmosphäre abgemildert wurde.

Schwitzend erwarteten wir die Rache der *Leviathan*, aber sie blieb aus. Vielleicht hatten wir die Starteinrichtungen zerstört, vielleicht waren wir einfach zu schnell, vielleicht setzten die Jäger der Liga den Geschwadern des Giganten zu heftig zu.

Die rauhe, schwarze Mondlandschaft kam näher. Unser Radar zeigte an, daß wir knapp vorbeikommen würden, aber der Abstand, um den wir den Mond zu verfehlen hofften, war geringer als die Fehlertoleranz des Radars auf diese Entfernung.

»Mac! Kamera Fünf!«

Ich schaltete um und fluchte unterdrückt. Die *Leviathan* startete Jäger. Ein, zwei, drei helle Punkte entfernten sich vom Schiff. Ein vierter tauchte auf, verwandelte sich aber gleich in einen verschwommenen, leuchtenden Nebel.

»Da ist im Startschacht etwas hochgegangen!«

»Wir haben sie nicht blockiert, aber es sieht so aus, als hätten wir sie wenigstens gebremst.« Es tauchten keine weiteren Funken auf.

Ich schaltete auf die Hauptkamera zurück und sah Kuu auf uns zustürzen wie ein Felsbrocken auf eine Ameise. Die Mondscheibe wuchs an, und ich mußte die Vergrößerung zurückschalten, damit wir den Himmelskörper wieder komplett auf dem Bildschirm hatten.

Laut Radar waren wir noch immer dreißigtausend Kilometer entfernt. Der tote Mond wuchs und wuchs, und unsere Antriebsflamme ließ das Bild gelegentlich erzittern.

Als wir auf zehntausend Kilometer heran waren, wurde unser Ansturm merklich verlangsamt. Bei achttausend Kilometern hatten wir das Gefühl, nur noch zu kriechen. Das war jedoch relativ; wir benötigten weiterhin jedes g an Schub, das wir aufbringen konnten, um aus der Sache herauszukommen. Kuus Schwerkraft packte uns und zog uns heran. Wir gewannen wieder an Tempo.

Jetzt schien es nicht mehr ausschließlich auf den Mond zuzugehen, sondern auch um ihn herum. Seine Oberfläche glitt unter uns vorbei, während die Triebwerkstrichter der J. M. weiterhin direkt auf die Kraterlandschaft ausgerichtet blieben. Wir hatten das Gefühl, uns in einem langen, steilen Gleitflug zu befinden.

Ich startete auf dem Computer das Programm für die Aufschlagsvorhersage und fütterte es mit den Daten von Kuu (die Finnen hatten der J. M. gleich nach dem Andocken auf Vapaus die neuesten Daten über ihr Sternensystem eingespeichert). Das Programm stellte mir nun drei Displays zur Verfügung.

Eines war ein einfaches Längen- und Breitengradraster von Kuu. Ein winziges rotes ›x‹ glitt langsam darüber hinweg. Sollten die Triebwerke in diesem Augenblick ihren Geist aufgeben, bezeichnete dieses ›x‹ die Stelle unseres ganz privaten Kraters.

Das zweite Display war eine Zahlenskala, die sich zur Zeit von null bis fünfzehn Komma dreihundertundfünfzig erstreckte – unser Abstand in Metern zum Durchschnittsradius, unter dem man sich eine fiktive ›Meereshöhe‹ vorstellen konnte.

Das dritte Display zeigte eine schwarze Linie, die laufend flackerte und sich verschob. Es handelte sich dabei um eine Radareinstellung des jeweils sichtbaren Horizontes sowie einen Querschnitt der Landschaft unter uns. Dieses Bild beantwortete Fragen wie: Wenn man fünfzehn Kilometer über dem Durchschnittsradius seine Bahn zieht, sind dann irgendwelche sechzehn Kilometer hohen Berge im Weg?

Der Punkt unserer größten Annäherung lag exakt im Zentrum der Rückseite von Kuu, der Gegend, die vergleichsweise schlecht kartographiert war.

Falls die Triebwerke durchhielten und falls wir bis zu dem Punkt überlebten, wo das rote ›x‹ verschwand, so bedeutete das: Falls Kuu ein vollkommen runder Körper ohne Berge oder Täler war (was nicht zutraf) und falls sein Schwerkraftfeld einheitlich war (was ebenfalls nicht zutraf), dann würden wir die Oberfläche verfehlen.

Die Abstandszahl sank nun, fünfzehn Komma drei Kilometer, fünfzehn Komma fünfundzwanzig, fünfzehn Komma fünfzehn. »Verdammt!« sagte ich. Kuus Schwerkraftfeld war nicht gleichförmig, okay. Wir überflogen gerade einen Bereich größerer Dichte und demzufolge auch größerer Schwerkraft im Vergleich zum Durchschnittswert des Mondes. Sie zog uns nach unten.

Von Segeln oder Gleitflug war keine Rede mehr — wir stürzten ab, daran war nicht zu rütteln.

Die häßliche Landschaft raste an den Kameras vorbei.

Die schwankende Linie schwankte noch stärker. »Wir nähern uns einer Hochlandgegend«, bemerkte Joslyn, eine sehr neutrale Ausdrucksweise. Hätte sie gerufen: »O mein Gott, wir knallen gleich in eine Bergflanke!« wäre das nicht weniger präzise gewesen.

»In Ordnung, Mac, ich übernehme die Steuerung manuell. Gib mir den Countdown zur größten Annäherung und den Abstand in Metern durch.«

»Zwanzig Sekunden. Abstand zwölftausendfünfhundert. Neunzehn Sekunden — zwölftausendvierhundert. Achtzehn — elftausendneunhundert.«

Joz hing wie gebannt an ihren Anzeigen und überwachte damit die Triebwerke, den Horizontalradar und die TV-Aufnahme des Geländes unter uns.

»Fünfzehn Sekunden«, fuhr ich fort, »elftausendneunhundert. Vierzehn Sekunden — zwölftausend. Dreizehn, zwölf — wir halten uns bei zwölftausend.«

»Stop! Gehe auf digital, maximale Höhe über Horizont«, befahl Joslyn.

»Maximale Höhe, zehntausendfünfhundert Meter. Wir steigen — zehntausendsechshundert — elftausendachthundert . . . Nur noch Müll! Keine Daten!«

»Ist schon in Ordnung, Mac. Wir sind durch. Der Radar versucht leeren Raum abzuta . . .«

WAMM!

Die Beleuchtung fiel für einen Moment aus, und ich erinnere mich noch, daß ich das alles nicht verstand. Wären wir abgestürzt, hätten wir noch Zeit gehabt festzustellen, daß es aus war. Die Notbeleuchtung ging an, und die Anzeigen wurden wieder lesbar. Auf einmal bemerkte ich, daß wir schwerelos waren.

»Joz, was . . .«

»Still!« schrie sie und drückte wie rasend auf diverse Schalter.

Ich hing mitten in der Luft, obwohl ich sechsmal schwerer hätte sein müssen, und wartete darauf, daß die Pilotin auf dem Nachbarsitz meine Haut rettete und mir alles erklärte.

Die Lichter flackerten, und das Schiff machte einen übelkeiterregenden Satz, als die Triebwerke hinter uns wieder zündeten. Die Ventilatoren verteilten einen neuen Zusatz zu der Schweißausdünstung, die wir inzwischen schon gar nicht mehr wahrnahmen — den Geruch verbrannter Isolierungen und geschmolzener Drähte.

»Ich habe die Kiste jetzt wieder halbwegs unter Kontrolle, Mac, aber wir sind Triebwerk Nummer Zwei los und fahren mit dem idiotischen Reservecomputer. Sieh zu, daß du den Zentralcomputer wieder zum Laufen bringst.«

Ich tippte schon die Startkommandos ein, und das Zentralsystem meldete sich in zehn Sekunden zurück.

»Okay, Joz, probiere mal, ob er wieder das Kommando übernimmt.«

»Gemacht. Puuh! Wenn schon mal was schiefgeht!«

»Haben wir es also geschafft?«

»Ich glaube, die Kiste hält mehr oder weniger zusammen. Triebwerk Zwei ist auf jeden Fall erledigt — vermutlich ist der Trichter nicht mal mehr da. Die Kühlung hat versagt, und das arme Ding ist einfach durchgeknallt.«

»Wie ist das passiert?«

»Vermutlich hat der Höhenzug, den wir zuletzt überquerten, den Computer zu der Annahme veranlaßt, wir würden abstürzen. Daraufhin führte er ein automatisches Ausweichmanöver durch und drehte die Maschinen voll auf. Dann registrierte er, daß kein Aufprall stattfand, und ging wieder heftig mit dem Schub herunter. Das alles in etwa einer halben Sekunde. Nun hatten unsere Triebwerke schon kräftig zu tun, und dieser plötzliche Schub war einfach zuviel für sie. Nummer Zwei ging hoch, und das wiederum führte zu einer erneuten Energieflut im ganzen Versorgungssystem — einschließlich des Antriebes. Soviel zu den Triebwerken Eins und Drei.

Ich habe Eins und Drei wieder hochgefahren, um den Ausfall zu kompensieren, aber sobald es geht, schalte ich von sechs auf zwei g zurück, denn auch die restlichen Triebwerke sind vermutlich stark mitgenommen. Um unseren Wärmehaushalt ist es ebenfalls nicht gerade gut bestellt«, schloß Joslyn ihre Ausführungen mit einer meisterhaften Untertreibung ab.

»Schaffen wir es denn mit zwei g nach Hause?«

»O ja! Wir haben ein Triebwerk verloren, nicht den Treibstoff. Die Reise dauert ein paar Stunden länger als geplant. Und natürlich lauert die *Leviathan* immer noch da draußen.«

Die *Joslyn Marie* ließ den toten Himmelskörper, der sie beinahe verschlungen hätte, hinter sich und nahm Kurs auf ihre Basis, ihre Freunde, ihre Feinde und ihr Schicksal.

Kapitel 17

Unser angeschlagenes Schiff tauchte hinter Kuu auf und sank in Richtung der inneren Umlaufbahnen von Neu-Finnland.

Joslyn arbeitete eilig daran, einen neuen Orbit für uns zu bestimmen. Bei einem ausgefallenen Triebwerk und zweien in fragwürdiger Verfassung hatte sie nicht vor, sich auf anspruchsvolle Manöver einzulassen.

Sie entschied sich schließlich für eine stark elliptische Bahn, die fast auf der Äquatorebene lag und dicht an der Bahn des Brocken vorbeiführte, und deren planetenfernster Punkt fünfzigtausend Kilometer von Neu-Finnland entfernt war. »Wenn wir auf diesem Orbit stranden, müßte uns eigentlich irgend jemand auf dem Brocken oder Vapaus früher oder später bergen können«, erklärte sie.

»Du vergißt die *Uncle Sam*«, sagte ich. »Sie wäre ein brauchbares Rettungsboot und kann obendrein kämpfen.«

»Davon bin ich auch überzeugt, aber meine interstellare Namensvetterin ist ein wertvolles Stück, und wir sollten sie nicht leichtfertig aufgeben. Zunächst mal sollten wir, sobald wir den Orbit erreicht haben, die Schäden prüfen, bevor wir irgend etwas unternehmen. Wir haben ein gutes Schiff, aber das arme Schätzchen wird wahrscheinlich den Geist aufgeben, wenn wir ohne Reparaturen noch mehr von ihr verlangen.«

»Ich vermute, das soll eine Aufforderung sein.« Ich machte mich mit den Diagnosesystemen an die Arbeit. Das meiste konnte man direkt von der Computerkonsole aus erledigen. Der Computer kontrollierte Dutzende von Systemen und Hunderte von Subsystemen. Wenn irgend etwas nicht den festgelegten Maßstäben entsprach, präsentierte er mir die Lage, so gut er konnte. Ich notierte alles für die spätere manuelle Reparatur oder vielleicht auch nur eine visuelle Nachprüfung, oder ich wies den Computer an, auf ein Reservesystem umzuschalten.

Viele Probleme lagen so klar, daß er mich von vornherein nur über Umschaltmöglichkeiten informierte — das Zentralsystem war ein hoffnungsloses Chaos.

Nachdem ich die Umschaltungen vorgenommen hatte, mußte ich die ganze Prozedur noch mal durchführen, denn in komplexen Anlagen kommt es leicht zu Fehlern.

Nirgendwo lag ein kritisches Versagen vor, aber es gab eine Menge kleiner Schäden, die dringend eine Reparatur erforderten. Raumfahrtkatastrophen ergeben sich im Regelfall nicht aus einem Generalversagen, sondern aus einer Reihe kleiner, miteinander zusammenhängender Störungen, deren Folgen einen dann unerwartet treffen.

Aus diesem Grund war auch der *Verlust* eines Triebwerkes beinahe tödlich, obwohl das für das bloße *Fehlen* eines Triebwerkes nicht galt. Die Ingenieure, die das Schiff entworfen hatten, hatten es mit einem ausgezeichneten Kollisionsschutzsystem versehen. Dieses System kalkulierte jedoch vernünftigerweise nicht ein, daß jemand sich mit solchen Geschwindigkeiten einem Planeten zu nähern versuchen würde.

Die Gefahr eines Absturzes hatte nicht bestanden, auch nicht in dem Augenblick, in dem die Hölle ausgebrochen war. Das Antikollisionssystem war einfach nicht flexibel genug. Das Vermeiden von Kollisionen ist natürlich wichtig, und das Antikollisionssystem hat eindeutig Priorität gegenüber der Steuerung und nur eine sehr geringe Toleranz, wenn es darum geht, eine Kollision zu vermeiden.

Als beinahe tödlich hatte sich jedoch seine Einmischung unter unvorhergesehenen Umständen und im genau falschen Augenblick erwiesen. Gefährlich war die Schuberhöhung bei bereits hochbelasteten Triebwerken, eine Art Panikreaktion des Antikollisionssystems. Als die Maschine dann hochging, führte dies zu Energieausfällen im ganzen Schiff, und *das* hatte uns beinahe erledigt.

Unter keinen Umständen wollten wir das noch einmal riskieren.

Sobald ich mit dem Computer fertig war, begann ich meine Inspektionstour. Nach mehreren Ausflügen ins Ersatzteillager waren viele der Systeme ersetzt, die der Bordrechner als fehlerhaft gemeldet hatte.

Selbst danach und nachdem wir bereits länger dem neuen Orbit folgten, zeigten die Kontrollpulte noch deutlich, daß unser Schiff sich im Krieg befand. Anzeigen, die grün hätten sein müssen, leuchteten gelb oder sogar rot. Die Außenbordkameras fuhren auf ihren Balken nach draußen und nahmen die Schiffshülle in Augenschein. Sie zeigten uns eine Reihe schwerer Hitzeschäden. Die Abschirmung gegen die Antriebsflamme der *Leviathan* hatte nur knapp ausgereicht. An einem Dutzend Stellen war der Rumpf verfärbt und deformiert. Den Anzeigen zufolge verloren wir Luft. Ich versiegelte die Luken zu den Achterdecks und pumpte dort die Luft hinaus. Es wäre sinnlos gewesen, sie aus Kabinen entweichen zu lassen, in denen niemand atmete.

Die Kamera im Zentrum der Schubtrichter war zusammen mit dem Triebwerk zerstört worden. Wir schafften es, eine andere Kamera auf einem Balken nach hinten zu fahren und sie auf die Haupttriebwerke zu richten.

Dort sah es katastrophal aus. Maschine Zwei war nicht zerbrochen, sie war gar nicht mehr vorhanden. Der Trichter und die meisten technischen Innenteile mußten innerhalb von Millisekunden nach dem Versagen des Kühlsystems in der Fusionsflamme verdampft sein.

Nummer Eins und Nummer Drei waren noch vorhanden, wiesen aber einige beunruhigende Dellen auf. Die Triebwerke waren so gebaut, daß, wenn eines davon explodierte, die anderen die Katastrophe überstehen konnten, aber es war eindeutig knapp gewesen.

Viele Stunden lang nahmen weder Vapaus noch der Brocken Kontakt mit uns auf. Wir schickten mehrfach kurz unseren ID-Code hinüber, hauptsächlich um zu sagen, daß wir okay waren. Wir erhielten automatische Antworten der Funkcomputer, die dieselbe Botschaft beinhalteten. Wie es schien, waren die Leute dort drüben gegenwärtig zu beschäftigt, um sich mit uns zu befassen.

Im Weltraum blieb es weitgehend still. Wir benutzten den

Radar nicht, um möglichst unentdeckt zu bleiben, aber Infrarot, Funk und Fernkameras lieferten uns schon einige Informationen. Triebwerke tosten hier und da, ein paar Laser wurden abgefeuert, ein paar Raketengefechtsköpfe detonierten. Der bisherige Verlauf der Schlacht schien beide Seiten enorm erschöpft zu haben.

Inzwischen waren auch alle Relaissatelliten, die Meldungen zwischen Schiffen und anderen Satelliten weitergaben, längst abgeschossen worden. Alle Kommunikation beschränkte sich jetzt auf direkte Blickverbindungen.

Wenn die Einsatzleitung sich zur Zeit nicht für uns interessierte, war uns das nur recht. Wir arbeiteten daran, uns selbst und das Schiff in Ordnung zu bringen. Das Duschen in der Schwerelosigkeit war schwierig, aber es gelang uns, die schmierigen Reste der Beschleunigungspolster zu entfernen. Auch die Polster selbst wegzupacken, war eine willkommene Aufgabe. In Anbetracht des Zustandes, in dem sich unser Hauptantrieb befand, wurden sie nicht mehr gebraucht — die entsprechenden Beschleunigungswerte kamen keinesfalls mehr in Frage.

Wir beide waren mit roten Streifen überzogen, hervorgerufen durch Blutgefäße, die durch die hohe Beschleunigung verletzt worden waren. Sie taten nicht richtig weh, sondern vermittelten eher ein unbehagliches Gefühl. Wir hatten eine Salbe dabei, die gut half, obwohl die frischen Overalls davon gleich wieder klebrig wurden.

Wir machten uns nicht die Mühe zu kochen, sondern stopften einfach ein paar Schnellgerichte in uns hinein. Dieses Zeug bildete, ergänzt durch Proteinzusätze und Vitamine, unser Abendessen.

Wir schliefen abwechselnd jeweils vier Stunden lang, während der andere die Pulte im Auge behielt.

Fünfzehn Stunden nach dem Beschuß der *Leviathan* nahm die Einsatzleitung endlich per Laser Kontakt mit uns auf. Ich hatte gerade Wache und weckte Joslyn sofort, als die Hinweislampe aufleuchtete.

».. . hier Einsatzleitung. *Joslyn Marie*, bitte melden. Empfangen Sie uns? Over.« Ich kannte die Stimme nicht, aber sie klang erschöpft, schon über den Punkt des Zusammenbruches hinaus.

»Hier ist die *Joslyn Marie*. Wir empfangen Sie. Over.«

»Halten Sie sich bereit für Instruktionen.« Es trat eine etwa halbminütige Pause ein. »Hier spricht Berman. Hören Sie meinen Befehlen zu und bestätigen Sie in fünf Minuten, daß Sie sie ausführen können.« Ihre Stimme klang völlig leblos, ohne einen Rest Menschlichkeit darin. »Löschen Sie alle erreichbaren Speicherbänke des Computers der *Joslyn Marie* ohne Rücksicht auf späteren Neustart oder irgendwelche Operationen. Bewahren Sie nur solche Programme, die für den Betrieb des Schiffes im antriebslosen Orbit, für volle Funksteuerung und minimale Lebenserhaltungsfunktionen benötigt werden. Alle ballistischen und Manöverfunktionen sowie alle Datenbänke müssen gelöscht werden. Halten Sie sich anschließend bereit, Datensendungen von uns zu empfangen und aufzuzeichnen. Danach werden Sie die Einsatzleitung übernehmen. In fünfzehn Sekunden erhalten Sie eine Zusammenfassung der gegenwärtigen taktischen Lage. Das ist alles. Bestätigen Sie in fünf Minuten. Berman, Ende.«

»Verflixt und zugenäht! ›Die Einsatzleitung übernehmen!‹ Was in aller Welt denkt sie sich eigentlich dabei?« fragte Joslyn überrascht.

»Das da, glaube ich«, antwortete ich. »Der Gegenschlag.« Ich deutete auf die Bildschirme. Die Darstellung der taktischen Situation tauchte im Hologrammtank auf. Drei Raketen näherten sich dem Brocken. Nirgendwo war ein Schiff in Reichweite, das sie noch hätte abfangen können.

Ich fragte im Computer den Status der Verteidigungseinrichtungen des Brocken ab. Der Computer durchlief die Daten, die gerade an uns übermittelt worden waren, und blendete seine Antwort auf dem Hauptbildschirm ein.

ALLE LASERSTELLUNGEN AUSSER BETRIEB. VERBLIEBENE ABWEHRRAKETEN: 1.

Einfachste Mathematik. Drei Raketen griffen an, eine war noch da, um sie abzufangen. Der Brocken war verurteilt. So rächte sich die *Leviathan* für unseren Angriff.

»Verdammt, wir hätten diesen Einsatz niemals durchführen sollen!« schimpfte ich.

»Wir hatten keine Wahl, Mac. Wir mußten das Risiko eingehen.«

»Risiko, Scheiße! Es war doch klar, daß sie zurückschlagen würden!«

»Ich weiß. Eve wußte es auch. Und sie hat uns den Befehl gegeben.« Joslyn seufzte. »Jetzt hat sie uns wieder einen erteilt. Können wir ihn ausführen?«

Ich überlegte für einen Moment. Einen langen Moment. Die J. M. war ein gutes Schiff mit guten Computern, aber sie war keine Kommandozentrale. Wir verfügten nicht über dafür ausreichende Funkkanäle. Unsere Speicherkapazität war nicht groß genug für die Daten aller Schiffe, der eigenen und der feindlichen, geschweige denn dafür, über alle Schiffsbewegungen auf dem laufenden zu bleiben. Auch unser Radar entsprach diesen Anforderungen nicht. Wir mußten uns auf die Meldungen der Jäger verlassen. Unser Schiff war dieser Aufgabe nicht gewachsen. Und doch mußten wir sie übernehmen.

Ich drückte den Sendeschalter. »Hier ist die *Joslyn Marie*. Wir beginnen mit der Löschung unserer Computerspeicher. Bitte bereiten Sie die Datenübertragung vor.«

Nun, was sonst hätten wir tun sollen? Die Menschen auf dem Brocken würden sterben. Wir konnten wenigstens versuchen weiterzukämpfen.

Die Bedienungsprogramme, die ballistischen und Manöverroutinen, die Programme für Lebensmittelzubereitung und Bestandsaufnahme, die Interfaceprogramme für die Beiboote, die Diagnose-, Angriffs- und Schadenskontrollsysteme – sie alle mußten gelöscht werden, mußten verschwinden. Die *Joslyn Marie* wurde paralysiert, stumm gemacht, betäubt. Die Fluglagensteuerung fiel aus, wie vor langer Zeit auf der *Bohica* (war es wirklich so lange her?), und wir gerieten ins Trudeln.

Ich ließ das Logbuch durch den Drucker laufen, ehe ich es löschte. Wenn es eine Zukunft gab, würde es vielleicht jemanden interessieren.

Wir beraubten das Schiff seines Gehirns. So wie funktionsfähige Gliedmaßen durch einen Schlag auf den Kopf nutzlos werden können, so verlor auch das Schiff alle seine Fähigkeiten, oder genauer gesagt, die Möglichkeit, sie auch einzusetzen.

Joslyn und ich arbeiteten wie betäubt. Wir mußten aus dem Schiff, das uns am Leben gehalten und uns zum Heim geworden war, einen regelrechten Idioten machen. Wir wußten, daß das wahrscheinlich auch unseren Tod bedeutete. O ja, wir hätten mit der *Uncle Sam* fliehen können, aber wohin? Der Brocken würde in Kürze pulverisiert sein. Bald würde die *Leviathan* in die Atmosphäre eindringen und den Kampf gewinnen. Es war nur eine Frage der Zeit, bis jemand auf die Idee kam, eine Rakete auf unsere einsame Umlaufbahn zu schicken.

Die Lebenserhaltung. Ich mußte die Sensoren auf den Achterdecks abschalten, auch die Sensoren und die Hilfssysteme vorne. Welchen Nutzen hatte ein Alarmsystem, wenn gar keine Möglichkeit mehr bestand, auf einen Notfall zu reagieren?

Man hätte meinen sollen, das alles wäre manuell zu erledigen gewesen, indem man Schalter drückte oder Regler drehte, aber die Sensoren und die Anzeigen, die Schalter und Regler hingen alle am Computersystem. Der Computer seinerseits verfügte über vier Reserveanlagen, die alle Funktionen übernehmen konnten und deren Speicherbänke wir ebenfalls benötigten.

Nach kaum zehn Minuten startete die Einsatzleitung die Datenübertragung auf jedem verfügbaren Kanal.

Das wichtigste Programm war eine Emulatorroutine, mit deren Hilfe die Computer der J. M. die speziell für die Einsatzleitung geschriebenen Programme fahren konnten. Wir erhielten sie in zweifacher Ausfertigung und mußten dann einen gegenseitigen Abgleich fahren, um sicherzustellen, daß beide Versionen völlig identisch waren.

Und es gab eine Menge Daten. Schiffspositionen, Treibstoff- und Energiezustandsberichte zu jedem Fahrzeug, Unterlagen über die feindlichen Jäger und die *Leviathan*. Dazu kam eine Aufzeichnung der holographischen Darstellung des gesamten bisherigen Schlachtverlaufes — dies in der Hoffnung, wir würden etwas über die Taktiken des Feindes lernen, und nicht zu vergessen, auch etwas über die eigenen Taktiken.

Es würde nicht so schlimm werden, wie ich zunächst erwartet hatte. Einmal gab es gar nicht mehr so viele Schiffe, über die wir auf dem laufenden bleiben mußten. Zweitens machte sich jemand auf dem Brocken die Mühe, Daten herauszunehmen, die vielleicht ganz interessant waren, für deren Nutzung es jedoch nie eine Chance geben würde. Manche dieser Dateien erreichten uns noch als Titeleintrag, hinter dem sich keine Speicherkapazität mehr verbarg — Titel wie LISTE DER JÄGER-PILOTEN MIT BIOGRAPHISCHEN DATEN ... GENERATOR FÜR DREIZEHNSTELLIGE ZUFALLSZAHLEN ... STARTBAHNEN GEGEN PLANETARE ZIELE VOM ORBIT DES BROCKEN AUS ... und so weiter. Ich bemerkte noch ein paar weitere, subtilere Kürzungen; so gab es keine Programme für Operationen oberhalb der gegenwärtig von der *Leviathan* eingenommenen Höhe. Es bestand ja auch keine Notwendigkeit mehr, so hoch aufzusteigen.

Die wichtigsten Daten waren die über den Feind. Wieviel stand ihm noch zur Verfügung? In welchem Zustand befand sich die *Leviathan*? Welche Chance hatten wir, und wie konnten wir sie am besten nutzen?

Zumindest wurde deutlich, daß unser Angriff auf die Startschächte des Giganten etwas bewirkt hatte. Anscheinend hatten sie seitdem kein bemanntes Fahrzeug mehr gestartet, lediglich Raketen.

Unsere Truppe war inzwischen auf bloße achtzehn Beefies und Biester zusammengeschmolzen. Die beiden Hatracks waren vernichtet. Darüber hinaus blieben uns noch die *Uncle Sam*, die *Stars*, die *Stripes* und eine Anzahl ballistischer Lander, dazu einige Schlepper, Drohnen und sonstige nicht kampftaugliche Fahrzeuge.

Wir erhielten auch eine riesige holographische Darstellung von allem, was über die *Leviathan* und ihren gegenwärtigen Zustand bekannt war. Joslyn baute darin noch die Informationen ein, die wir im Vorbeiflug aufgezeichnet hatten.

Alles in allem brach eine wahre Sturzflut von Informationen über uns herein. Allmählich ebbte sie ab, rieselte nur noch, versiegte schließlich.

Es gab noch vieles, was man uns hätte schicken können, aber wir hatten bereits mehr aufgezeichnet, als wir jemals nutzen konnten. Unsere Computer waren beinahe randvoll mit Daten. Ein bißchen Speicherkapazität blieb lediglich dem vorbehalten, was unsere Schiffe noch melden würden, und für nichts sonst.

Da alle Funkkanäle von den Computern in Anspruch genommen worden waren, hatten wir nicht mit den Leuten auf dem Brocken sprechen können. Wer von dort fliehen konnte oder wollte, hatte es inzwischen getan, ein paar in langsamen, kriegsuntauglichen Schleppern, andere in Druckanzügen, voller Hoffnung, daß jemand sie bergen würde. Ein paar schafften es, andere wurden nie gefunden.

Auf dem Brocken zurück blieb eine Rumpfmannschaft, die nun die letzten paar Minuten abwartete, bis sie sterben würde. Eve gehörte dazu, neben ein paar Dutzend anderen, von denen ich nie erfahren werde.

Marie-Françoise und ihre Nachrichtendienstler waren bereits nach Vapaus abkommandiert worden. Dort waren sie weiter dabei, herauszufinden, was die Hüter wohl als nächstes unternahmen. Sie hatte darauf bestanden, daß George sie begleitete, denn er war voraussichtlich noch für lange Zeit ihre beste Informationsquelle über die Hüter, und sie hatte sich Sorgen gemacht, er würde vielleicht auf dem Brocken zurückbleiben wollen, um durch den Tod all seinen Zweifeln zu entrinnen.

Ich kann mich nicht mehr erinnern, wie ich von Eve Abschied nahm. Ich weiß nicht mehr, was ich gesagt habe, ob ich überhaupt etwas gesagt habe, oder was sie mir gesagt hat.

Lediglich ihr Gesicht sehe ich noch vor mir, ihren Ausdruck während der letzten paar Minuten, per Videokamera an uns übermittelt. Sie wirkte so müde, so *erschöpft*, daß man den Eindruck hatte, ein solches Gesicht könnte keine andere Emotion mehr zeigen. Aber das stimmte nicht.

Ich erkannte Spuren von Zorn und Entschlossenheit und vielleicht sogar der Kampfeslust des Kriegers. Angst hatte sie nicht, weder die Zeit dafür noch den Wunsch danach.

Dann schlug die erste Rakete ein, gefolgt von der zweiten und der dritten, und in den Flammen der Zerstörung starben sie alle.

Auf dem Videoschirm wurden wir Zeugen, wie der Brocken langsam auseinanderbrach und die Stücke auf unterschiedlichen Bahnen davontrieben. Auf Neu-Finnland, Kuu und Vapaus schlugen ein paar der neuentstandenen Meteore ein. Dann war es vorüber.

»Mac, Vapaus meldet eine Raketendetonation exakt zehn Kilometer vor dem Dockbereich«, sagte Joslyn. »Ziemlich eindeutige Botschaft — bringt die Einsatzleitung bloß nicht nach Vapaus, sonst zerstören wir es ebenfalls.«

»Das macht uns zum As im Spiel. Auf der *Leviathan* glauben sie vermutlich, daß wir auf Kuu abgestürzt sind«, überlegte ich.

»Ich bezweifle, daß sie uns finden können. Hier werden sie nicht nachschauen, und ihren Radar brauchen sie anderswo. Jetzt liegt alles an uns, Mac. Das Wissen an Bord dieses Schiffes ist jetzt die absolut und unwiderruflich letzte Chance unseres Volkes.« Sie unterbrach sich. »Und du, Sir, befehligst dieses Schiff. Wir alle sind in deiner Hand.«

Allmählich erkannte ich, was los war. In der Befehlskette waren alle Glieder nacheinander gerissen — erst Taylor, dann Berman.

Jetzt lag es an mir. In meiner Hand. Ich bemerkte auf einmal, daß ich tatsächlich ganz konzentriert meine Hände betrachtete, als könnten sie mir sagen, was zu tun war, wie ich uns vor der letzten Katastrophe bewahren konnte. Einen Moment lang verbarg ich das Gesicht in meinen Händen, seufzte dann tief und nahm die Bildschirme in Augenschein. Ich richtete mich auf und gewann die Beherrschung zurück. Tief innerlich war ich überzeugt, daß ich sterben würde. Es war nicht Angst, sondern Überzeugung, so stark, daß man es Wissen nennen kann, das Wissen, daß ich zum Untergang bestimmt war.

Und doch wuchs daraus die Entschlossenheit, mich auf diesem Posten nicht schlechter zu schlagen als meine Vorgänger, nach bestem Vermögen zu kämpfen, und das noch mit dem letzten Lebensfunken. Patriotismus, Eidestreue, ja sogar der Selbsterhaltungstrieb waren von mir abgefallen, zumindest für den Moment. Ich empfand nur noch das Bedürfnis, kämpfend unterzugehen.

Tief in mir entdeckte ich den Schlüssel zum Geheimnis der Befehlsgewalt. Dort draußen, im Weltall verstreut, waren Männer und Frauen, die der Führung *bedurften*. Durch die Umstände blieb ich als einziger für sie übrig, und die laute, ungeformte, unartikulierte Stimme dieser Menschen erweckte in mir die Kraft, Befehle zu erteilen.

»Joslyn, wir müssen siegen!«

»Klar.«

»Das heißt, wir müssen nach wie vor diese Schiffsabwehrraketen außer Gefecht setzen, damit unsere Seite Verstärkungen heranführen kann.«

»Richtig. Was wiederum bedeutet, daß wir zur Raketenleitstelle vordringen und sie zu unserem Vorteil nutzen müssen.«

»Und die Raketenleitstelle befindet sich an einem ausgesprochen sicheren Ort, innerhalb eines Schiffes von der Größe eines Asteroiden. Wir müssen die *Leviathan* entern!«

»Das ist der heikle Teil der Angelegenheit, das stimmt«, pflichtete Joslyn mir bei.

»Nun, ich habe da schon so eine Idee. Zunächst möchte ich aber mit Marie-Françoise sprechen.«

Mit Hilfe der Daten von der alten Einsatzleitung waren wir nun in der Lage, einen sicheren Funkverkehr aufzubauen. Was dafür nur in Frage kam, sollte per Laser übermittelt werden, und selbst das in chiffrierter Form. Theoretisch konnte niemand eine Laserbotschaft ›lesen‹, die nicht an ihn gerichtet war, aber Theorien hatten sich schon häufig genug als falsch erwiesen, und es hatte auch schon immer viele Spione gegeben. Jetzt war ich richtig dankbar für die ganze Vorsicht, die wir bislang schon hatten walten lassen, so ärgerlich sie sich in einzelnen Situationen auch niederschlug. Hätten wir normale Radiowellen benutzt, hätte ich es niemals gewagt, Vapaus anzufunken, aus Furcht, durch die übertragenen Inhalte wäre der Satellit als militärisches Ziel erkennbar geworden.

So jedoch konnten wir einigermaßen sicher sein, unsere verbliebene Orbitalbasis nicht zu gefährden. Als wir die Nachrichtendienstzentrale erreichten, hatte Marie-Françoise gerade Dienst. Ihr Gesicht zeigte bei aller Müdigkeit Überraschung, als sie sah, wer anrief. »Ich hielt Sie inzwischen für tot!«

Ich fluchte lautlos. Die Moral ging allmählich zum Teufel, und ich hätte mir eine besser informierte Leiterin des Nachrichtendiensts gewünscht. Dann fiel mir wieder ein, daß Vapaus gerade erst aus dem Planetenschatten hervorgekommen war — und ohne die Relaissatelliten hatte niemand sie über die Ereignisse der letzten fünfundvierzig Minuten informieren können.

»Mac«, sagte sie nach einer Weile, »was machen wir jetzt? Wir haben unsere Befehlszentrale verloren. Ein paar Jäger sind zwar übrig, aber niemand kann sie noch führen. Ich wage es nicht, unsere hiesigen Einrichtungen als Zentrale zu benutzen. Die Hüter würden uns ausbomben.«

»Marie-Françoise«, sagte Joslyn, »der Brocken hat die Kommandodaten an uns übermittelt, ehe er unterging. *Wir* sind jetzt die Einsatzleitung.«

Ein Hoffnungsschimmer leuchtete in Marie-Françoises Augen auf. »Ihr habt genügend Daten? Genug, um die weitere Entwicklung abschätzen zu können?«

»Ja«, sagte ich, fragte mich dabei aber, ob ich flunkerte. Dabei nahm meine Idee allmählich Form an. »Marie-Françoise, Sie müssen dieses verdammte Schiff inzwischen besser kennen als sein Kapitän. Was ist Ihren Berechnungen zufolge die Höchstgeschwindigkeit der *Leviathan* relativ zur Atmosphäre?«

»Mmm. Zu dem Zeitpunkt, wo sie in die eigentlichen Luftschichten eintaucht, nicht mehr als fünfhundertfünfzig bis sechshundert Stundenkilometer.«

»Wie weit vor der Atmosphäre wird sie ihr Bremsmanöver abschließen? Entfernung und Zeit.«

»Einen Moment . . . Wenn sie dem optimalen Kurs folgt — ein Wendemanöver ausführt, um in Flugposition für die Atmosphäre zu kommen – nicht weniger als einhundert Kilometer, fünfundzwanzig Minuten, höchstens aber einhundertzwanzig Kilometer Distanz bei dreißig Minuten verbleibender Anflugzeit.«

»Haben Sie aktuelle Daten über unsere Jäger? Es sollen noch achtzehn einsatzfähig sein.«

»Das stimmt. Seit der Zerstörung des Brocken liegen mir allerdings keine aktuellen Daten mehr vor.«

»Richtig. Nun, ich habe hier eine Aufgabe für Sie und Joz gleichzeitig. Eine heikle Geschichte. Rechnet mal nach, ob wir das hinbekommen. Ich möchte, daß sich alle Jäger aus dem Kampf zurückziehen und Vapaus ansteuern. Benutzen wir die Masse des Planeten, um die entsprechenden Manöver vor der *Leviathan* zu verbergen. Wie schnell kann der letzte unserer Jäger auf dem Stützpunkt eintreffen? Kann Vapaus alle Maschinen gleichzeitig aufnehmen?«

»Die letzte Frage kann ich gleich beantworten – ja.«

»Gut. Tüftelt ihr beide das mal aus. Ich werde eine Schlachtsimulation durchführen und dabei von der Voraussetzung ausgehen, daß eure Ergebnisse sich als gute Nachricht erweisen werden.«

»Soll ich den Rückruf an die Jäger senden?« fragte Joslyn.

»Noch nicht. Noch etwas, Marie-Françoise – beauftragen Sie jemanden, der nichts zu tun hat, damit, alles an Vehikeln zusammenzukratzen, was einen ballistischen Wiedereintritt in die Atmosphäre mit Menschen an Bord überstehen kann. Machen Sie sich dabei keine Gedanken darüber, wie die Kisten wieder hochkommen – runter ist alles, worauf es ankommt.

Besorgen Sie mir anschließend einen Überblick über Leute, die für einen extrem gefährlichen Auftrag in Frage kommen. Nur Freiwillige, und auf keinen Fall Eltern, die ein Kind zurücklassen, und dergleichen. Können Sie das schnell erledigen?«

»Ja, kein Problem. Aber was planen Sie da? Es würde mir die Arbeit erleichtern, wenn ich es wüßte.«

»Ich verspreche Ihnen, es zu erklären, aber ich möchte das Projekt erst noch besser ausarbeiten. Das ist dringend nötig. Melden Sie sich wieder. Ich muß jetzt nachdenken.«

Ich unterbrach die Verbindung und streckte mich — selbst in der Schwerelosigkeit hatten sich meine Muskeln bislang nicht gelockert. Sechs g machen einem Menschen ganz schön zu schaffen. Ich dachte nach.

Es entsprach dem gebührenden Respekt für die Toten, wenn man Eves Taktik als Schlachtplan bezeichnete, aber zutreffend war das nicht. Ich hatte mich selbst mehr als einmal gefragt, ob ich es besser gemacht hätte, und genau das würde ich nun herausfinden. Eve hatte versucht, die Leviathan ihrer Verteidigung zu berauben, aber ohne eine erkennbare Vorstellung, was sie getan hätte, wenn ihr das gelungen wäre. Sie war immer wieder davor zurückgeschreckt, ausreichend Kräfte für diese Aufgabe bereitzustellen, mit dem Ergebnis, daß wir mörderische Verluste erlitten hatten.

Mit dieser Situation war ich nun konfrontiert.

Ich überlegte mir, was der Feind wohl im Schilde führte.

Die Raumjäger und Raketen der Leviathan entsprachen absolut nicht aerodynamischen Anforderungen. Ihre Luftjäger konnten nicht im Weltraum eingesetzt werden. Lediglich ihre Aerospace-Jäger vom Typ Nova, wie die beklagenswerte Bohica, waren unter beiden Bedingungen flugfähig, konnten aber erst gestartet werden, wenn das Mutterschiff vollständig in die Atmosphäre eingetaucht war, und das aus einem sehr kitzligen Grund: Sie waren zu langsam.

Es klingt vielleicht komisch, wenn man so etwas über einen vier Mach schnellen Jäger sagt, der auf eine Umlaufbahn hochstarten kann, aber man muß dabei folgendes bedenken: Die Leviathan mußte sich, um in die Atmosphäre eindringen zu können, der Rotationsgeschwindigkeit des Planeten exakt anpassen, sich also durch ein regelrechtes Nadelöhr fädeln. Der Gigant mußte auf jeden Fall um mehrere zehntausend Stundenkilometer unter Orbitalgeschwindigkeit bleiben, um nicht in Stücke gerissen zu werden.

Die Novas stellten einen Kompromiß zwischen Luft und Weltraum dar und waren dementsprechend in keinem Medium allzu wirkungsvoll. Mit kompletter Bewaffnung und ausreichend Treibstoff, um auf eine Umlaufbahn zu steigen, war eine

Nova nach dem Abheben zu keiner höheren Beschleunigung als zwei Komma fünf g mehr fähig, ein Wert, der noch etwas stieg, während die Treibstoffmasse durch Verbrennung abnahm. Die Beefies konnten Novas beim Start wie Tonttauben abschießen, sollten die Hüter töricht genug sein, sie zu starten. Die Situation war für die Novas sogar noch ungünstiger, wenn sie sich mit niedriger Geschwindigkeit auf großer Höhe befanden: Sie konnten dort ihre Tragflächen nicht mehr nutzen, und die Fusionstriebwerke verschlangen den Treibstoff regelrecht, nur um die Höhe zu halten.

Das alles lief auf folgendes hinaus:

Die *Leviathan* verfügte nicht über Jäger, die das Mutterschiff an der Grenze zum Weltraum verteidigen konnten, wo die Luft weder für den Düsenantrieb der Novas reichte noch deren Tragflächen ausreichend Widerstand bot, wo es sich aber andererseits zu dicht am Planeten befand und mit zu geringer Geschwindigkeit bewegte, um noch Raumjäger ohne katastrophale Folgen starten zu können.

Die Grenze zum Weltraum. Sobald die *Leviathan* dort eintraf, war unsere Stunde gekommen. Dort mußten wir sie erwischen, von wo aus ihre Raketen Vapaus nicht mehr erreichen konnten, wo ihre Raumjäger im Orbit gestrandet waren, wenn sie das Riesenschiff nicht mehr rechtzeitig vor dessen Eintritt in die Atmosphäre erreicht hatten — wo sie verwundbar war. Wir mußten sie zwingen, ihre Piloten von den Flugdecks zu scheuchen und sie anschließend von dort fernzuhalten. *Dann* konnten wir sie entern, ohne vom Himmel gepustet zu werden.

Klang alles plausibel. Mein Plan konnte funktionieren. Ich startete die Simulation.

Fünfzehn Minuten später brachte Joslyn mir frischen Tee und einen Stoß Druckerpapiere. Sie befestigte beides in entsprechenden Halterungen und sah mir über die Schulter bei der Arbeit zu. Obwohl ich wie von ferne mitbekam, daß sie da war, brauchte ich eine volle Minute, um aus der Konzentration auf die Arbeit aufzutauchen und Joslyns Gegenwart zur Kenntnis zu nehmen.

»Hallo«, sagte ich.

»Selber hallo. Trink deinen Tee und erzähl mir mal von diesem großartigen Plan.«

»Das werde ich. Gib mir nur eine Minute, um meine Nerven zu beruhigen. Wie hält das Schiff bislang durch?«

»Scheint, als hätten wir irgendwo ein Leck, durch das Luft entweicht. Irgendeine unzugängliche Schweißnaht hat ihren Geist aufgegeben. Wir trudeln etwas, allerdings nur ganz langsam. Probiere keine Flugkunststücke. Das Trudeln und der Einfallwinkel der Sonne werden es auch etwas schwierig gestalten, die Kabinentemperatur zu halten. Wir müssen mit Wärmeschwankungen rechnen. Die Luftreinigung funktioniert größtenteils, aber wir müssen damit rechnen, daß es mit der Zeit etwas muffig und feucht wird. Eine Reparatur möchte ich erst riskieren, wenn es wirklich nicht mehr anders geht. Ohne Ersatzteile könnte ich nämlich alles noch schlimmer machen.

Es besteht natürlich keine Möglichkeit, das Schiff noch richtig zu fahren, aber es wird uns eine Zeitlang am Leben halten.«

»Wie lange?«

»Eine Woche, wenn du nicht zuviel erwartest. Zehn Tage, wenn du in einem Druckanzug leben möchtest, aber dann wären wir schon in einer traurigen Verfassung.«

»Ist das Schiff überhaupt noch zu reparieren?«

»Aber natürlich! Wir müßten nur eine Werft und Ersatzteile haben und die Computerprogramme ersetzen. Die Kiste ist im wesentlichen in Ordnung, nur ein bißchen angeschlagen.«

»Genau wie wir.«

»Mac?« fragte Joslyn, und ihr Tonfall wies einen Anflug von Schärfe auf. »Ja?«

»Ich gebe die J. M. nicht auf. Ich möchte sie nicht als Wrack zurücklassen, damit diese mörderischen Bastarde sie wieder zusammenflicken und dazu benutzen, irgendwo Leute zusammenzuschießen.«

Ich betrachtete meine Frau. Sie sah fürchterlich aus. Ihr Gesicht war von blutroten Flecken gezeichnet, da unter dem hohen Druck viele Blutgefäße geplatzt waren. Die Augen waren blutunterlaufen und verschwollen, die Lippen trocken

und rissig. Ihre Stimme klang ruhig und stark, mit einem zorni-
gen Unterton.

»Es ist nicht nur mein Schiff, Mac. Es ist mein Zuhause.«

»Meines auch, Joslyn. Joz — ich habe eine Idee, einen Plan.
Ich denke, er könnte funktionieren. Wenn wir ihn umsetzen
wollen, müssen wir die *J. M.* verlassen, wenn auch nur vorübergehend. Wir bringen Sprengladungen an und jagen sie falls
nötig in die Luft.«

Sie umarmte mich fest, und ich drückte auch sie mit aller
Kraft. »Danke, Mac. Ich weiß, daß ich die Frage eigentlich
nicht hätte zu stellen brauchen. Man hängt an einem Schiff, auf
dem man lange gelebt hat. Und ich war die ganze Zeit deiner
Abwesenheit allein an Bord. Ich könnte es nie diesen Monstern
überlassen.«

»Sie kriegen es nicht«, sagte ich. »Sie kriegen überhaupt
nichts. Ich glaube, ich habe einen Weg gefunden, wie wir sie
schlagen können.«

Joslyn wich ein Stück zurück, um mir in die Augen zu
blicken und festzustellen, ob ich das ernst meinte, ob ich wirklich Anlaß zur Hoffnung hatte. Schließlich lächelte sie und war
auf einmal wieder schön. »O Mac! Es wird aber auch Zeit, daß
jemand eine Idee hat. Wie sieht sie aus?«

»Hast du schon mal was vom ersten Gesetz des Angriffs
gehört?«

»Irgendein schauriger Amerikanismus, nicht wahr? ›Schlag
den Feind dort, wo er es nicht vermutet?‹«

»Snob! Angeberin! Was für Verbündete! Kaum mit dem
Latein am Ende, schon gibt es nur noch Beleidigungen.«

»Ich entschuldige mich, aber jetzt erzähle weiter.«

»Na ja«, sagte ich, »verändere die von dir zitierte Regel mal
zu ›wenn er es nicht vermutet‹.« Ich gab dem Computer die
Anweisung, den Eintrittskurs der *Leviathan* zu zeigen. »Das da
beruht auf unserem besten Wissen über den Gegner. Er muß ein
komplexes Manöver ausführen, um in die Atmosphäre einzutreten, und er muß dabei unglaublich präzise vorgehen. Sieh
dir mal die punktierte blaue Linie an — das ist sein Kurs relativ
zum Planten. Wenn die *Leviathan* nicht abstürzen oder den Ein-

trittskurs aufgeben will, um sich ins Weltall zurückzuziehen, muß sie sich bis auf ein halbes Prozent genau an diese Linie halten. Okay, hier werden die Triebwerke ausgeschaltet. An diesem Punkt entfernt sie sich sogar leicht vom Planeten. Sie muß die eigene Bewegung sehr sorgfältig seiner Schwerkraft anpassen und daran, daß sich Neu-Finnland dem Schiff nähert, nicht umgekehrt.

Die *Leviathan* bewegt sich auf einem etwas schnelleren Orbit um die Sonne als Neu-Finnland und ist der Sonne um etwas mehr als einen Planetenradius näher. Genau zu diesem kritischen Zeitpunkt kann *sie sich nicht verteidigen!*

Sie muß sich auch noch einmal komplett umdrehen. Bislang ist das Heck dem Planeten zugewandt, um mit Hilfe der Triebwerke zu bremsen, aber sobald der Zeitpunkt gekommen ist, in die Atmosphäre einzutreten, muß sie die Tragflächen richtig positioniert haben. Genauer gesagt, sie ist eigentlich eine einzige große Tragfläche, ein aerodynamischer Körper, aber trotzdem muß sie die richtige Fluglage einnehmen.

Nun ist sie verdammt groß und kann nicht übertrieben schnell manövrieren. Vor dem Wendemanöver müssen alle Jäger an Bord und gut befestigt sein, damit sie durch die Rolle, die das Mutterschiff ausführt, nicht herumgeschleudert werden. Während das Schiff im Weltraum seinen Salto schlägt und unmittelbar danach in die Atmosphäre eintritt, ist es verdammt schwierig, einen Jäger zu starten oder auch einen an Bord zu nehmen. Sobald das Rollmanöver eingeleitet wurde, sind die Raumjäger des Gegners aus dem Spiel. Maschinen, die bis dahin nicht an Bord sind, werden es auch nicht mehr schaffen.«

»Sie haben immer noch das Lasergeschütz.«

»Ja, ich weiß, aber das können wir vielleicht umgehen. Irgendwie. Okay, schauen wir uns mal die holographische Simulation weiter an. Die *Leviathan* schließt das Rollmanöver ab und bringt sich in die richtige Fluglage für den Eintritt. Sie trifft auf die äußerste Luftschicht, mehr oder weniger im Sinkflug und mit einer Geschwindigkeit von etwa fünfhundert Stundenkilometern. Sie wird sofort versuchen, den Sinkflug zu stoppen und in einem langen, flachen Winkel tiefere Luftschichten zu erreichen. Dazu muß der Bug ein ganzes Stück nach oben gerichtet bleiben, und zwar fast so stark, daß sie von der Luft abgestoppt wird. Sie muß bis in eine Dichte herabsinken, von der sie getragen wird.

Sobald sie die dichte, untere Atmosphäre erreicht hat, kann sie die Schnauze senken und auf ihre normale Reisegeschwindigkeit von zirka zweihundert Stundenkilometern gehen. Alles klar?«

»Klar«, sagte Joslyn.

»In Ordnung. Mit diesem Tempo entspricht sie im Grunde genommen einfach einem großen, sich rasch bewegenden, lenkbaren Luftschiff. *Bis* dahin jedoch kann sie überhaupt nicht starten, da möchte ich wetten. Nicht mit hochgerecktem Bug bei fünfhundert Stundenkilometern. Die Maschinen würden entweder wegtrudeln oder zerfetzt werden.«

Joslyn betrachtete schweigend den Holotank. Sie schaltete das Display auf den Start zurück und spielte die Simulation noch einmal im schnellen Vorlauf ab. Die winzige Kopie der *Leviathan* schaltete die Triebwerke ab, schlug einen heftigen Salto um hundertachtzig Grad und tauchte jäh in die Atmosphäre ein, sank mit dem Bauch voran bis auf eine Höhe von fünftausend Metern und ging auf Marschgeschwindigkeit.

»Mac, du willst also sagen, daß sie praktisch schutzlos ist vom Augenblick, in dem sie das Eintrittsmanöver beginnt, bis zu ihrer Endposition in der Atmosphäre.«

»Ja, von den Lasern mal abgesehen. Was denkst du?«

»Ich denke, du hast recht. Mein Gott! Wir hätten bis jetzt alle Schiffe zurückhalten und an diesem Punkt all unsere Kräfte massiert in den Kampf werfen sollen. Wir hätten jede Maschine und jeden Piloten von der *Leviathan* wegzwingen sollen. Sie hätte ohne einen einzigen Piloten an Bord in die Atmosphäre eintreten müssen.«

»Ich weiß. Warum haben wir uns das nicht drei Wochen früher überlegt?«

»Mach dir darüber keine Gedanken. Die Frage lautet, ob wir noch genug Maschinen haben, um die Hüter im richtigen Augenblick von ihren Startdecks zu locken.«

»Ich wette, daß wir es schaffen. Ich *weiß* es! Reden wir mal mit Marie-Françoise und Randall darüber und machen unsere Pläne.«

Kapitel 18

»Mac, koordinieren Sie unsere Feuer und geben Sie uns ein paar vernünftige Orbitaldaten, und wir pusten diese Laserkanonen weg. Überlassen Sie das ruhig uns«, sagte Randall Metcalf vom Cockpit seines Jägers aus.

»Können Sie alle Ihre Maschinen rechtzeitig auf Vapaus neu ausstatten und in Form bringen lassen, ohne daß die Leviathan das mitbekommt?«

»Kein Problem«, meinte Metcalf. »Die Umlaufbahn des Brocken ist voller Trümmergestein. Wir müssen vorsichtig fliegen, aber andererseits brauchen wir nicht mehr zu tun, als das Feld zu durchqueren und Vapaus anzusteuern, während der Planet sich zwischen uns und dem großen Schiff befindet. Unmöglich für die anderen, achtzehn kleine Jäger zwischen den Trümmern auszumachen. Vielleicht haben sie einen Verdacht, aber bestätigen können sie ihn nicht.«

»Und vergiß auch nicht, Mac, daß wir weiterhin über Fusionsbomben verfügen, auch wenn sie Vapaus vernichten — und sie wissen das«, gab Joslyn zu bedenken.

»Okay, ich schätze, wir werden das Risiko eingehen müssen«, sagte ich.

»Eine Alternative bleibt uns eh nicht. Also, fliegen Sie Vapaus an.«

»Wir brauchen nicht einmal eine neue Ausrüstung. Knapp waren wir ständig an Personal, nicht an Maschinen. Wir haben noch ein Ersatzbeefie für jeden Piloten, zwei ausgenommen. Die Vapauswerften haben diese Maschinen inzwischen durchgecheckt und auf meinen Wunsch hin ein paar Modifikationen eingebaut.«

»Haben Sie etwas Spezielles vor?« wollte ich wissen.

»Sicher. Ich werde das erste Enterkommando anführen«, antwortete Metcalf.

»Bitte wiederholen! Sind Sie oder der Funk verrückt geworden?«

»Ich sagte, ich werde das erste Enterkommando anführen.«

»Sie können mit der Maschine nicht in der Luft fliegen!« protestierte ich. »Sie werden abstürzen!«

»Deswegen machen wir es auch im Weltraum«, antwortete Metcalf ruhig. »Ich glaube, wir können es schaffen. Sollte es doch nicht gehen, brechen wir ab, schießen noch ein bißchen aufs Geratewohl drauflos und überlassen Ihnen alles weitere.«

»Haben Sie alle fünf Sinne beisammen, Metcalf?«

»Nie mehr gehabt als heute, großer Meister. Ich schulde diesen verfluchten Daumenlutschern noch was. Vorsicht, wir sind in einer halben Sekunde außer Reichweite. Metcalf, Ende.« Ich zuckte die Achseln und schaltete die Verbindung ab. Er hatte seine Befehle. Ich wußte, daß er sie ausführen würde. Wenn er obendrein noch ein paar Ausschmückungen vornehmen wollte, meinetwegen. Ich rechnete damit, daß er denen auf der *Leviathan* eine Menge Kopfschmerzen machen konnte, wenn er es darauf anlegte.

Marie-Françoise hatte ihren Stab in Schwung gebracht. Ich benötigte jedes Schiff, das Truppen befördern und sie in der Luft auf den Decks der *Leviathan* absetzen konnte. Marie-Françoise war dabei, sich darum zu kümmern. Sie berichtete auch, daß sich achtzig Prozent der erwachsenen Einwohner des Satelliten für einen noch nicht spezifizierten Risikoeinsatz gemeldet hatten. Das waren insgesamt zweitausendfünfhundert Personen. Alle noch einsatzfähigen Schiffe konnten insgesamt zweihundert Mann an Bord nehmen.

Obendrein wartete Marie-Françoise mit einer Trumpfkarte auf: Ein-Personen-Rettungsmodule.

Rettungsmodule stellen eine der einfachsten und beängstigendsten Möglichkeiten dar, aus Weltraumnot gerettet zu werden. Man trägt darin einen Raumanzug und ist von einem Hitzeschild umgeben, wozu noch ein schwachsinniges Steuersystem und eine Rakete kommen. Wenn man also im All in der Klemme steckt, kriecht man in das Ding hinein, drückt auf den Knopf und wünscht sich viel Glück.

Die sogenannte Steuerung schwenkt die Rakete einigermaßen in die passende Richtung. Mit ein bißchen Glück zündet sie korrekt und verpaßt ihrem Passagier einen Bewegungsimpuls in Richtung der Atmosphäre. Beim Eintritt schmilzt der Hitzeschild, vielleicht sogar, ohne den Passagier gleich mitzubraten. Letzterer erhält dann Gelegenheit, noch mal auf einen Knopf zu drücken, und Sprengladungen öffnen die Kapsel — oder pusten sie auch direkt durch den Passagier. Passiert letzteres nicht, öffnet sich dafür ein Fallschirm, der seinen Fahrgast mit größter Wahrscheinlichkeit mitten ins Meer befördert, wo er ertrinkt.

Nun, ich vermutete, daß die Dinger alles in allem gar nicht so furchtbar gefährlich waren, aber es gab sogar Leute, die damit Sport betrieben! In der Branche, in der ich meinen Lebensunterhalt verdiene, schrammt man allerdings schon bei der Arbeit so oft am Tode vorbei, daß man keinen rechten Sinn mehr darin sieht, sein Leben nur so zum Spaß aufs Spiel zu setzen.

Bei der Fertigstellung von Vapaus waren zweihundert von diesen Dingern auf dem Satelliten deponiert worden, ursprünglich für die Bauarbeiter gedacht, sollte es zu einem Notfall kommen. Dieser hochoffizielle Vorrat setzte noch immer in irgendeinem Lagerraum Staub an.

Marie-Françoise hatte auch einen Club von sich selbst überschätzenden Idioten ausfindig gemacht, die sich die ›Meteore‹ nannten, ein Name, den ich für ausgesprochen passend hielt. Vor dem Krieg waren sie regelmäßig abgesprungen und hatten sogar ihre eigenen Module hergestellt. Seit Beginn der Kampfhandlungen waren sie nicht mehr dazu gekommen, noch Sprünge zu absolvieren oder neue Module zu fertigen, aber ihr begehrlicher Blick ruhte schon seit langem auf dem offiziellen Vorrat.

Der Vereinspräsident beharrte auf der Behauptung, die Meteore könnten auf dem Deck der *Leviathan* landen, wenn man sie nur präzise genug aus dem Orbit fallenließ. Sie wollten sich mit Greifhaken und reichlich Polstern in ihren Raumanzügen ausrüsten. Ich zögerte zunächst, ihrem Vorhaben zuzustimmen, aber andererseits benötigten wir jeden überheblichen Idioten, den wir nur kriegen konnten.

Es war überall dasselbe – jeder wollte kämpfen, jeder wollte mit, jeder wollte dieses Schiff in die Finger bekommen. Marie-Françoise zufolge glich Vapaus einem aufgeschreckten Bienenschwarm. Jede Werkstatt war voll ausgerüstet, jede Waffe durchgeladen, jedes Schiff startbereit.

Die aufgestaute Frustration, die sich daraus ergab, daß man in einem hohlen Mond festsaß, während andere über das eigene Schicksal entschieden, der Haß auf den Feind und vielleicht am meisten von allem das nervenzermürbende Warten darauf, ob man jemals wieder in Freiheit leben oder von einer Fusionsbombe getötet werden würde – all das kulminierte nun in einem heftigen Ausbruch neuer Hoffnungen, jetzt, da die Chance bestand, etwas zu tun, irgendwas.

Inzwischen hatten Joslyn und ich alle Hände voll zu tun, den Rückzug unserer Seite aus der Schlacht zu organisieren, die nach wie vor im Himmel tobte. Unsere Jäger gingen kämpfend auf Distanz, damit der Feind nicht Gelegenheit erhielt, ihnen in den ungeschützten Rücken zu fallen. Es gelang uns auch, die paar Schiffe, die wir noch hatten, in die Basis zurückzuziehen, ohne daß es zu weiteren Verlusten kam.

Der Feind sollte den Eindruck haben, daß die Vernichtung des Brocken den erwünschten Erfolg hatte. Niemand griff die Jägerstaffeln der Hüter mehr an, niemand nahm mehr die *Leviathan* unter Beschuß.

Wir erarbeiteten einen dichten Zeitplan, um all unsere Piloten auf Vapaus durchzuschleusen, wir ließen sie duschen und essen, und nach einer Ruhepause übernahmen sie ihre neuen Schiffe.

Vielleicht wußte der Kapitän des Giganten ja, daß unsere Maschinen nach Vapaus zurückkehrten – vielleicht verlor er aber auch zwischen den Trümmerstücken des ehemaligen Brocken ihre Spur. Entscheidend war, daß keine unserer Maschinen aus Vapaus heraus zum Vorschein kam. Ich hoffte, daß die Hüter die Überzeugung gewonnen hatten, wir hätten aufgegeben.

Auf unserer Seite hatten die Wendungen des Schicksals mich als den höchstrangigen Offizier zurückgelassen. Das wiederum bewirkte, daß Menschen, denen ich nie begegnet war, die fünfzig Lichtjahre von meiner Heimat entfernt geboren waren, die meine Sprache nicht beherrschten, die nichts mit mir zu tun hatten, voller Ruhe und Zuversicht die Waffen entgegennahmen, um ihre Rolle in einem halbfertigen Plan zu spielen, der wahrscheinlich aus zu viel Koffein und zu wenig Schlaf resultierte.

Der Plan war jedoch gar nicht übel. Das erstaunliche am Oberbefehl ist, daß er *funktioniert*! Ich erlebte, daß ich vage allgemeine Anweisungen über irgendeine Phase unseres Angriffes erteilte und wenig später die Meldung erhielt, daß die Vorbereitungen eingeleitet waren, daß man Computersimulationen durchgeführt und die Soldaten instruiert hatte und jetzt alles bereit war. Jedes Rädchen unserer Maschinerie griff, und zwar perfekt.

Ich machte mir Gedanken über den Kommandanten der *Leviathan*. Wieviel wußte er von uns? Wahrscheinlich war es ihm gelungen, mit irgendeiner kleinen Gruppe überlebender Hüter-Bodentruppen, die sich irgendwo verkrochen hatte, Kontakt aufzunehmen. Davon mußten wir zumindest ausgehen. Er hatte sicher Rundfunksendungen aufgefangen. War er sich über die eigene Verwundbarkeit beim Eintritt in die Atmosphäre im klaren? Hatte er eine Möglichkeit gefunden, unsere Züge zu kontern? Hatte er unser Fenster in der Zeit geschlossen? Was überlegte er sich?

Ich wußte jedoch, daß wir ihm bald reichlich Stoff zum Nachdenken geben würden.

Es ging los. Die erste Phase unseres Plans bestand darin, unmittelbar vor dem Atmosphäreneintritt auf den Decks des Giganten Chaos zu stiften, um Starts und Landungen seiner Jäger zu unterbinden. Marie-Françoise war wie wir der Meinung, daß die Raumjäger, die er mitführte, wahrscheinlich zur Lieferung an eine Orbitalbasis bestimmt gewesen waren; sobald die

Leviathan in die Atmosphäre eindrang, waren sie nämlich nutzlos und vergrößerten sinnloserweise das Gewicht des Mutterschiffes.

Dem Kommandanten des Riesen standen einige schwierige Entscheidungen bevor. Wenn er sich das beträchtliche Gewicht von über zwanzig Raumjägern leisten *konnte, sollte* er es dann tun?

Nun gut, man konnte die *Leviathan* als eine fliegende Maschine bezeichnen, aber als solche war sie weder schnell noch elegant. Konnte der Kommandant sich ein Ruder leisten, das träge reagierte? Konnte er sich mit einem schnelleren Eintritt und einer niedrigeren Marschflughöhe aufgrund von Zusatzballast abfinden? Wenn er die Raumjäger loswerden wollte, konnte er sie dann auf einem Parkorbit zurücklassen und damit riskieren, daß sie uns in die Hände fielen? (Glauben Sie mir, wir arbeiteten daran!) Oder würde er sie lieber in die Atmosphäre stürzen lassen, damit sie auseinanderbrachen oder verbrannten? Wir waren dabei, seine Probleme noch schwieriger zu gestalten.

Von unserem behelfsmäßigen Kontrollzentrum aus schickte Joslyn die Beefies gegen die Jäger der Hüter, um sie von der *Leviathan* zu locken und in Kämpfe zu verwickeln. Es war ein heikles Katz-und-Maus-Spiel — zwar wollten wir dem Feind verlockende Ziele bieten, ihm andererseits aber keine Gelegenheit geben, eines davon zu treffen.

Was uns half, war das umfangreiche Wissen über die feindlichen Schiffe. Wir wußten, wie stark die Jäger der Hüter beschleunigen konnten, wie schnell sie reagierten, wie präzise ihre Waffen waren. Ein großer Teil der Daten, die wir vom Brocken übernommen hatten, drehte sich um derartige Informationen.

Die Crew auf dem Brocken hatte so detaillierte Kenntnisse gesammelt, daß wir fünfzehn bis zwanzig eindeutige ›Signaturen‹ kannten, Verhaltensmuster, denen bestimmte Piloten zu folgen schienen. Wir wußten, daß ein bestimmter Heißsporn, der seiner Maschine beim Start noch ein halbes g zusätzlich verpaßte, sehr zurückhaltend im Einsatz seiner Laser war. Ein anderer kümmerte sich nicht nennenswert um seinen Heck-radar.

Wir benutzten diese Informationen und unsere ganze Geschicklichkeit, um die Maschinen der Hüter von der *Leviathan* wegzuholen.

Es funktionierte ziemlich gut. Die kleinen Lichtpunkte im Hologrammtank trieben nun nicht mehr aufs Geratewohl durch den Raum. Die Jäger wurden immer weiter weggelockt, und nach einiger Zeit war die *Leviathan* fast allein am Himmel.

Wer auch immer die Show auf der Brücke der *Leviathan* leitete, konnte das Schema ebenfalls erkennen. Er schickte einen Rückruf an die Jäger hinaus, und so steigerten wir den Druck in dem Bestreben, die Dringlichkeit des Rückrufes durch unsere Provokationen und Angriffe möglichst auszugleichen. Je näher die Flieger der Hüter wieder dem Mutterschiff kamen, desto heißer wurde es für sie. Die Zeit arbeitete für uns. Unsere Jäger gingen mehr Risiken ein und packten die Sache etwas härter an, als ich sie angewiesen hatte, aber ich machte mir nichts daraus. Ich wollte, daß sie sich aggressiv zeigten. Zum erstenmal ging die Initiative von uns aus, und der Feind mußte reagieren.

Wenn ich auch die Erfahrung machte, daß Jägerpiloten ein ungebärdiger Haufen sind, so erging es meinem Gegenspieler auf der *Leviathan* nicht besser. Lange nachdem Joslyn und ich seinen Rückruf aufgezeichnet hatten, waren seine Maschinen immer noch weit verstreut und in ein Dutzend bislang unent-schiedener Einzelgefechte verwickelt. Metcalf ließ es sich nicht nehmen, mich darauf aufmerksam zu machen.

»Großer Boß, wir haben diese Cowboys so schießwütig gemacht, daß sie sich bald gegenseitig abschießen«, meldete er über Funklaser.

»Wenn sie damit anfangen, halten Sie sich raus.«

»Ich war bislang gut – dreimal hätte ich einen von ihnen erledigen können.«

»Ich hatte den Tank im Auge. Es ist mir aufgefallen, daß der dritte plötzlich aus dem Display verschwand.«

»Okay, ich gebe zu, ich bin auch schießwütig. Oder möchten Sie, daß ich den Hütern bei der Suche nach dem Kerl helfe?«

»O nein, genießen Sie Ihr Vergnügen, aber wenn Sie sich ein bißchen zurückhalten können, verspreche ich Ihnen eine fettere Beute in etwa acht Stunden.«

»Das ist ein Wort, Mac! Ich verspüre das überwältigende Bedürfnis, noch mehr kleine Raumschiffe auf meinen Jäger zu malen. Ich verspreche Ihnen aber, Ihnen das nächste zu widmen.«

»Nun, mehr kann ich wirklich nicht verlangen. Legen Sie jetzt mal eine Pause ein. Sie sind für jeden außer Reichweite und brauchen ja nicht zwei Stunden lang nur herumzumanövrieren.«

»Okay, aber melden Sie sich, wenn Sie was von mir wollen. Metcalf, Ende.«

Die Auseinandersetzung zog sich noch viele Stunden lang hin. Unsere Jäger setzten ihren Gegnern zu, führten sie in langen Schleifen über den Funkhorizont der *Leviathan* und zurück, verfolgten mal diese gegnerische Maschine, ließen dann von ihr ab und wandten sich einer anderen zu. Wir taten unser Bestes, damit die Hüter nicht wieder auf ihr Flugdeck zurückkehrten. Joslyn und ich saßen stundenlang nur da, lauschten den Stimmen im Kopfhörer, schalteten besorgt von einer Frequenz auf die nächste und versuchten Zahlen abzulesen, die vor unseren müden Augen verschwammen. Zu viel Tee und Kaffee, zu wenig Essen, kein Schlaf.

Rings um uns starb die *Joslyn Marie* weiter. Die Luft wurde allmählich feucht und muffig, und der Geruch von altem, verbranntem Gummi mischte sich mit hinein. Der Anteil von Kohlendioxyd stieg. Wir hatten weder die Zeit noch die Energie, etwas dagegen zu tun, und nötig war es ebenfalls nicht, da wir bald an Bord der *Uncle Sam* gehen würden, um eine Aufgabe zu erledigen und unserem Schicksal zu begegnen, wie es auch aussehen mochte.

Und zwei kleine, schrumpfende Flotten bekämpften sich weiterhin.

Unser Fenster in der Zeit öffnete sich langsam. Der entscheidende Zeitpunkt war gekommen, wenn die *Leviathan* ihre Triebwerke abschaltete.

Die Stunden krochen dahin, bis nur noch Minuten blieben. Dann war der Augenblick gekommen, und die Glutbahnen, die das Vordringen des großen Schiffes markiert hatten, verschwanden vom Himmel.

Ich schaltete die Laserverbindung zu Metcalf ein. »Okay, Randall. Heizen Sie ihnen ein!«

»Bin Ihnen schon zuvorgekommen, großer Meister. Wir sind bereits im Anflug für den geplanten großen Angriff. Wir feuern jetzt von allen Maschinen aus die lasergesteuerten Redeye-Raketen ab.«

»Haben sie denn etwas, woran sie sich orientieren können?« fragte ich.

»Oh, ich denke schon!«

Die Redeyes waren Raketen, die von Laserstrahlen ins Ziel gelenkt wurden. Sie verfügten über extrem starke Abschirmungen, die enorme Energiemengen an Wärme und Licht verkraften konnten. Metcalfs Jäger hatten eine ganze Salve von ihnen abgefeuert in der Erwartung, daß einige treffen würden, obwohl die riesigen Lasergeschütze des Feindes die meisten erledigten.

Aber die Redeyes benötigen schließlich Laserlicht, um ihr Ziel zu finden, und das lieferte ihnen die *Leviathan*. Unsere Jäger tauchten über dem Horizont des Planeten auf, und die Redeyes flogen ihnen schon voraus.

Die Laser der *Leviathan* eröffneten das Feuer auf sie. Das war der entscheidende Moment für uns.

»Raketen auf Kurs«, meldete Metcalf. Auf einmal klang seine Stimme gar nicht mehr so heiter und zuversichtlich. Seine Maschine und zwei oder drei weitere lagen unter Beschuß. Die Beefies waren allerdings mit derselben leitfähigen Hitzeabschirmung versehen worden, wie die J. M., als sie die Triebwerksflamme der *Leviathan* kreuzte.

»Sie setzen mir ganz schön zu.« Er entzog sich den Laserstrahlen immer wieder, die seinem Zickzackkurs über den Himmel folgten. »Die verstehen sich wirklich darauf, wie man mit dem Ding zielt! Scheint, als ginge es Vaajakoski nicht besser — und da steckt auch Takiko in einem Strahl. Wird echt heiß hier! Die Abschirmungen helfen, aber sie werden nicht halten.«

Die Raketen näherten sich ihren Zielpunkten.

»Ich muß mich verdrücken. Das Kühlsystem kriegt Probleme.« Er riß seine Maschine herum und gab kräftig Schub, um dem Geschützfeuer zu entgegen. Eine der Raketen detonierte im All, weichgekocht von den Lasern der *Leviathan*. Eine weitere ging hoch, aber dann schlug eine am Zielpunkt ein, und Metcalf war gerettet.

»Puuh! Das war knapp. Ich wende und geh' wieder ran. Vaajakoski und Takiko werden noch angegriffen . . . jetzt nur noch Vaaj. Und auch sie hat endlich Ruhe. Drei Lasergeschütze haben auf uns gefeuert, aber sie sind erledigt.«

»Randall, die *Leviathan* verfügt über *vier* Laserkanonen«, erinnerte ihn Joslyn.

»Yeah, weiß ich. Entweder ist die letzte noch k.o. von dem Angriff vor drei Tagen, oder wir haben es da unten mit ganz schön zugeknöpften Bastarden zu tun. Wir gehen jetzt ran!«

Die Beefies schlossen auf, um den Jägern der *Leviathan* den Rückweg zu versperren.

»Das große Schiff hat das Feuer eingestellt«, berichtete Metcalf. »Wenn sie uns verfehlen, würden sie die eigenen Jäger hinter uns treffen. Hey, großer Meister, nur eine kleine Anmerkung: Die Flugdecks können aber mächtig was einstecken! Die fünfhundert-Kilogramm-Raketen haben nicht mal Dellen reingemacht. Glücklicherweise waren die Laserstellungen nicht so zäh.«

Die Hauptgruppe der Hüterjäger war siebzig Kilometer vom Mutterschiff entfernt; und Metcalf und sein Team steckten genau dazwischen. Wir hatten den Feind übel erwischt — er stand dicht vor seinem Ziel und war knapp an Treibstoff, und doch nur so lange unbehelligt, wie er nicht versuchte, ans Ziel zu gelangen.

Die Beefies feuerten nur dann, wenn ein Jäger der Hüter sich der *Leviathan* zu nähern versuchte. Wir hätten sie abdrehen lassen, aber das konnten sie sich nicht leisten. Sie hatten vielleicht nicht genug Treibstoff und ganz gewiß nicht genug Zeit.

314

Ich überprüfte den Zeitplan für das große Schiff und stellte fest, daß es sein Kippmanöver verzögerte. Es *brauchte* die Piloten.

Sämtliche am Kampf beteiligten Fahrzeuge trieben inzwischen Richtung Neu-Finnland, oder genauer gesagt, sie stürzten dorthin ab. Alle bewegten sich deutlich unter Orbitalgeschwindigkeit. Die *Leviathan* hielt ihren geplanten Kurs. Die Jäger der Hüter mußten ihr entweder folgen oder auch noch die letzte Chance verlieren, wieder an Bord zu gelangen. Aber selbst wenn sie auf Orbitalgeschwindigkeit beschleunigten, konnten sie es niemals rechtzeitig schaffen.

Der Kommandant der *Leviathan* mußte abwarten, was unsere Jäger vorhatten. Würden unsere Flieger ihren absturzgefährdeten Kurs noch rechtzeitig aufgeben, so daß seine Jäger zurückkehren konnten?

Wir sorgten dafür, daß diese Frage positiv beantwortet wurde. Metcalfs kleine Streitmacht zog sich plötzlich Richtung Orbit zurück.

Sofort trafen die Jäger der Hüter Anstalten, die *Leviathan* anzufliegen, und bildeten die entsprechend enge Formation.

In diesem Moment änderten wir unsere Taktik. Metcalfs Geschwader kehrte um und stürzte sich auf sie.

Das Tontaubenschießen begann.

Die Hüter konnten nicht manövrieren, weil sie sonst nie wieder ins Mutterschiff hätten einfliegen können. Sie hingen schutzlos im Raum.

Die Beefies brausten mit brennenden Lasern heran, jede ihrer Raketen auf ein Ziel gerichtet. Die *Leviathan* versuchte das Feuer zu erwidern, aber die eigenen Leute befanden sich zwischen ihr und den Angreifern. Zwei Hütermaschinen zerplatzten im Feuer des Riesen. Explosionen und herumwirbelnde Trümmerstücke erfüllten den Raum.

»Skipper, Sie haben Ihr Wort gehalten! Das ist das beste Schützenfest, an dem ich je teilgenommen habe! Bis jetzt habe ich drei erwischt.«

»Achten Sie nur darauf, daß niemand Sie erwischt.«

»Obacht! Das letzte, große Lasergeschütz mischt wieder mit!

O Gott, sie haben Greenblat erledigt! An alle Maschinen! Haltet euch unterhalb ihres Oberdecks! Die letzte Kanone ist noch im Spiel!«

Die Schlacht ging weiter, und die *Leviathan* trieb gemächlich auf Neu-Finnland zu.

»Mac, ihre Formation ist durchbrochen. Die meisten Hüter, die es nicht zurück an Bord geschafft haben, sind tot. Zieh unsere Jäger zurück!« sagte Joslyn.

»Du hast recht. Hier *Joslyn Marie* an alle Jäger. Ihr habt sie erledigt! Die *Leviathan* muß jetzt jede Sekunde ihr Rollmanöver ausführen. Ziehen Sie sich auf Ihre Umlaufbahn zurück!«

»Hier Metcalf. Ich bitte um die offizielle Erlaubnis, einen Enterversuch zu unternehmen.«

»Metcalf, meinen Sie das wirklich ernst?«

»Ja, Sir! Erlaubnis erteilt?«

»Was ist mit der letzten Laserkanone?«

»Sie können damit nicht aufs eigene Schiff zielen! Mac! Um Gottes willen ja oder nein! Uns bleiben höchstens neunzig Sekunden, um das durchzuziehen!«

Es war verzweifelter Irrsin. Etwas in Metcalfs Tonfall verriet mir, daß auch er das wußte. »Erlaubnis erteilt . . . Möge Gott mit Ihnen sein«, sagte ich und flüsterte die letzten Worte nur noch.

»Sehe Sie unten, *Joslyn Marie*. Metcalf, Ende.«

Es waren noch ein paar Jäger der Hüter am Himmel unterwegs, aber die Beefies kümmerten sich nicht mehr um sie, da den feindlichen Jägern jetzt der Rückweg zu ihrer Basis versperrt war. Später ergab sich einer von ihnen einem finnischen Schlepper. Ein anderer versuchte sich auf die Schale von Vapaus zu stürzen und verglühte im Abwehrfeuer des Satelliten.

Die Beefies sammelten sich zu einer engen Formation, schossen unter dem großen Schiff hervor und strebten aufwärts. Dann fegten sie über die Steuerbordtragfläche der *Leviathan* hinweg und stürzten sich zum Planeten hinunter, ein kurzes Aufblitzen vor den Sichtluken des Giganten.

Das große, behäbige Schiff segelte weiter durch den Himmel, als bedeuteten all die kleinen Mücken, die ringsherum aufgeleuchtet hatten und gestorben waren, gar nichts für sein eigenes Schicksal. Jetzt streckte jedoch die Schwerkraft von Neu-Finnland unsichtbare Finger nach dem Ungeheuer am Himmel aus, das im Begriff stand, sich dem Planeten auszuliefern. Die *Leviathan* sank nicht nur der Atmosphäre Neu-Finnlands entgegen, sondern auch in die Fänge ihrer Peiniger.

Die Beefies zündeten erneut die Triebwerke, um abzubremsen, und warteten auf den Giganten.

Letzterer leitete sein Rollmanöver ein und drehte sich erstaunlich schnell für seine Größe in eine Position, in der die Tragflächen die Winde unter ihnen packen konnten.

Die *Leviathan* senkte sich auf die Beefies. Ihr letztes Lasergeschütz zuckte auf furchtbar kurze Entfernung ein-, zweimal auf, und wo der leuchtende Finger das kleine Geschwader traf, wurden Maschinen zerstört.

Dann jedoch zündeten die Beefies wieder ihre Triebwerke und stürzten sich auf die Flugdecks des Riesen wie Falken auf ihre Beute.

Aus jeder Maschine schossen schlanke Kabel hervor. Am Ende jedes Kabels zerplatzte ein Kanister mit vakuumbindendem Zement, und dieser Kleister wurde sofort hart wie Eisen.

Die Jäger paßten ihre Geschwindigkeit dem Riesen an und zogen sich mit automatischen Winden entlang der Kabel zu seinem Rumpf hin.

Jetzt begriff ich, welche Änderungen Metcalf an seinen Ersatzmaschinen angeordnet hatte. Die Kabelanbauten waren Standardausrüstung von Asteroidenforschern, die sich an einem Stück Felsen im All festhalten wollten. Offensichtlich funktionierten diese Anlagen genausogut, wenn man ein Schiff einfangen wollte.

Von den fünfzehn verbliebenen Maschinen, die am Enterversuch teilnahmen, wurden zwei weitere vom Laser der *Leviathan* erledigt. Bei zweien versagten die Kabelanlagen. Sie konnten sich jedoch auf eine Umlaufbahn zurückziehen und wurden dort später geborgen. Takiko bekam zwar das Deck zu fassen, prallte jedoch zu heftig auf. Er verlor Luft aus der Kabine und seinem Raumanzug und starb einen schnellen Tod.

Somit brachten wir insgesamt zehn Laser, zehn Augen- und Ohrenpaare und zehn Gehirne an Bord des Feindes. Die Laser der Beefies waren stark genug, um im Weltraum andere Schiffe zu erledigen, und mit ihrer Macht konnten wir das Deck halten.

»Hier Metcalf. Das ist vielleicht für längere Zeit meine letzte Meldung. Zehn von uns sind gelandet und am Leben. Ich habe meine Maschine bereits mit Klebesätzen hübsch fest montiert. Es soll wohl nun eine echte Teufelsfahrt werden!«

»Metcalf, das war verdammt gute Arbeit! Wir werden jeden einzelnen von Ihnen für das Fliegerkreuz vorschlagen.«

»Ich gebe das an die anderen weiter, aber wenn Sie daraus eine lobende Erwähnung für die ganze Einheit machen, sparen Sie Porto. Ich muß meine Mühle jetzt für die Abfahrt zuknöpfen. Metcalf, Ende.«

»In Ordnung, Joslyn, das ist unser Stichwort. Bring die *Uncle Sam* in Schwung, während ich hier die Lichter ausschalte.« Nachdem ich noch einmal aktuelle Daten zum Verlauf der Schlacht nach Vapaus weitergegeben hatte, fuhr ich die laufenden Anlagen an Bord herunter. Die Sendung nach Vapaus diente vor allem den Archiven, denn unsere Pläne waren bereits zu weit fortgeschritten, um sie noch zu ändern; die Jäger waren mit ihrer Arbeit fertig, und es gab keinen nennenswerten Grund mehr, die *J. M.* − oder sonst etwas − als Einsatzleitung zu benutzen.

Jetzt waren wir auf die *Uncle Sam* angewiesen. Ich setzte ein letztes Mal den Funklaser ein. »PLES 41 *Joslyn Marie* ruft Vapaus-Zentrale. Machen Sie das Enterkommando startklar. Wir gehen davon aus, daß wir in einer Stunde anlegen.«

Innerhalb weniger Minuten war die Energieversorgung des Schiffes weitgehend heruntergefahren. Ein Radartransponder und Positionslampen blieben in Betrieb, um die *J. M.* später wieder ansteuern zu können. Auch eine batteriegespeiste Selbstzerstörungsanlage und eine Funkverbindung blieben an die Stromversorgung angeschlossen.

Schneller als erwartet waren wir bereit, das Fahrzeug zu evakuieren, wie es das Handbuch mit den Bestimmungen der Flotte ausgedrückt hätte. Wir selbst sprachen davon, unser Heim zu verlassen.

Joslyn und ich betrachteten die Bildschirme der *Uncle Sam*, während wir uns vom Mutterschiff entfernten. Der kleine Satz von Positionslampen blinkte alle zwei Sekunden einmal auf und würde damit fortfahren, bis jemand an Bord ging und sie abschaltete oder bis die Energiezellen der *J. M.* in dreißig oder vierzig Jahren versagten. Von diesem kleinen Zeichen abgesehen war sie nun dunkel und leblos. Ich nahm Joz' Hand in meine, während das trudelnde Schiff auf den Bildschirmen kleiner wurde.

Ob wir je zurückkehren würden, dessen war ich mir nicht sicher.

Dann gab es jedoch Wichtigeres zu tun. Ein Kurs mußte bestimmt und das Schiff gecheckt und noch mal gecheckt werden — und nicht zuletzt hatten wir eine Aufgabe zu erfüllen. Es war schön, wieder mit einem funktionsfähigen Schiff zu fahren, auf dem die Ventilatoren summten und das Ruder flink der Hand des Piloten folgte. Die nächste Haltestelle war Vapaus, wo eine Entercrew und Waffen auf uns warteten. Joslyn überließ das Boot dem Autopiloten, und wir versuchten, für den Kampf wieder einigermaßen in Form zu kommen.

Zu allererst duschten wir gemeinsam — die Zeit reichte nicht, um nacheinander hineinzugehen, und es war ohnehin keiner von uns bereit, dem anderen den Vortritt zu lassen. Wieder einmal hatten wir Tage in derselben Kleidung hinter uns gebracht, ohne Gelegenheit zu einer heißen Dusche. Und es war eine Zeit gewesen, die uns ziemlich ins Schwitzen gebracht hatte. Wir hatten nur eins im Sinn: endlich wieder sauber werden. Danach gab es eine Mahlzeit mit reichlich Protein und Vitaminen, ergänzt durch Muntermacher, die uns für die nächsten paar Stunden in Schwung halten sollten.

Nichts hielt uns jedoch lange vom Bildschirm fern. Korsky war eine der Piloten, die es bis auf die *Leviathan* geschafft hatte. Sie hatte eine Funkantenne darauf eingestellt, die Bilder ihrer Bugkamera zu übermitteln, die direkt in Richtung des

Bugs der *Leviathan* ausgerichtet war. Die Finnen empfingen die Bilder und schickten sie an uns weiter, ergänzt durch Material von ihren Schleppern, die nur zu dem Zweck unterwegs waren, den Atmosphäreneintritt des großen Schiffes aufzuzeichnen.

Selbst wenn sie nicht die Himmelsfestung des Feindes gewesen wäre, selbst wenn unsere Leute nicht als unwillkommene Gäste an Bord gewesen wären und unser Schicksal nicht mit dem ihren verknüpft gewesen wäre, der Flug der *Leviathan* war ein Spektakel, das zu beobachten sich lohnte.

Kapitel 19

Man gewöhnt sich daran, daß im Weltraum alles so riesig ist. Vor fünfzig Jahren baute man Energiesatelliten, die größer waren als Manhattan, und seitdem ist alles immer noch größer geworden. Die Masse von Vapaus übersteigt um ein Vielfaches die jeden Schiffes auf dem Meer oder am Himmel, das je gebaut worden war. Im Weltraum war *groß* einfach sinnvoller als *klein* — und sei es auch nur, um der Menschheit einen Maßstab zwischen sich selbst und der ungeheuren Leere des Alls zu bieten.

Aber in der Luft, am wirklichen Himmel, verliert Größe jenseits einer bestimmten Obergrenze einfach ihre Bedeutung und vermittelt keinen Sinn für Maßstäbe mehr. Die *Leviathan* ging über alles hinaus, was man als riesig und gigantisch oder mit einem anderen Ausdruck der Größe bezeichnen konnte. Kein Superlativ war ihr angemessen. Nichts, was *so groß* war, konnte fliegen!

Aber die *Leviathan* flog. Nie zuvor hatte es einen solchen Atmosphäreneintritt gegeben, nie zuvor einen solchen Flug. Für ein Raumschiff bedeutet der Eintritt ungeheures Tempo und gewaltige Energieentfaltung, wenn die Umlaufgeschwindigkeit in das Rotglühen der Hitzeschirme umgewandelt und auf ein Niveau zurückgenommen wird, wo Aerodynamik wieder Bedeutung gewinnt.

Die *Leviathan* stieß jedoch gleich mit aerodynamischer Geschwindigkeit in die Lufthülle Neu-Finnlands vor und schien, von den Kameras der Orbitalschlepper gesehen, so sanft dahinzugleiten wie ein Blatt.

Aus der Sicht von Korskys Kamera ritt der Gigant auf der Schaumkrone eines Malstroms, den Bug direkt auf den Planeten gerichtet. Und er stürzte — daran gab es überhaupt keinen Zweifel.

Die *Leviathan* hatte die Form eines Teufelsrochens mit geschwollenem Bauch. Innerhalb der riesigen Deltatragflächen und innerhalb dieses Bauches befanden sich die großen Schwebezellen, gefüllt entweder mit Helium oder mit Wasserstoff. Eingebettet zwischen diese Zellen lagen die Decks für Besatzung, Schiffe und Ausrüstung. Der Rumpf zwischen den Tragflächen beherbergte die Verwaltungsdecks und Werkstätten.

Auf halber Höhe seitlich am Rumpf zogen sich die Start- und Landeeinrichtungen für die Raumjäger entlang. Das waren die Ziele für den Angriff der *Joslyn Marie* gewesen.

Das Heck wurde von einer riesigen Leitfläche gekrönt, einem senkrechten Stabilisator, der gleichzeitig auch als Tower für die Flugleitung diente.

Das Hauptdeck für die Jäger breitete sich zu Füßen des Towers aus. Die Maschinen starteten über die bugseitige Bordkante hinweg. Unsere Jäger hatten sich mitten auf diesem Flugdeck postiert und blockierten damit die Startbahnen.

Sechs große, kegelförmige Spoiler ragten am Bug des Hauptdecks auf und boten so Schutz vor dem Luftstrom, damit Personen und Maschinen nicht am Heck hinuntergefegt wurden, während die *Leviathan* mit mehreren hundert Stundenkilometern am Himmel kreuzte.

Korskys Kamera überblickte einen Großteil des flachen Decks, das die Welt in zwei Hälften schnitt. In der Ferne erblickte man zwei winzige Beefies. Korsky vergrößerte die Darstellung einer dieser Maschinen, und wir sahen eine kurze Bewegung – der Pilot winkte.

Die riesigen Spoiler wankten und bebten jetzt, als die *Leviathan* endlich ihr Rendezvous mit Neu-Finnland erreichte und der Luftwiderstand zuschlug. Die gewaltige Größe und hohe Geschwindigkeit des Schiffes erzeugten eine große Druckwelle, eine Schockzone, durch die der Gigant sich hindurchbohren mußte.

Heftige Luftwirbel brachen über das Deck herein. Wir sahen, wie die Beefies durchgeschüttelt wurden. Das Bild von Korskys Kamera wackelte mehrfach.

Wolkenfetzen peitschten und wirbelten wie gepeinigte

Gespenster über das Deck. Der Vorbeiflug der *Leviathan* konzentrierte und erhitzte winzige Spuren von Wasserdampf, so daß sich plötzlich Wolken auf einer Höhe bildeten, auf der es gewöhnlich keine gab.

Es war ein Ausblick auf die Hölle, als der zu scharfe Horizont, der vom Bug der *Leviathan* gebildet wurde, plötzlich in einem dumpfen, düsteren Rot aufleuchtete. Der wärmeleitende Anstrich verdampfte dort und wurde vom Wind weggerissen.

Der Gigant tauchte steil zum Planeten hinunter, auf der Suche nach einem Luftdruck, in dem er von seinen Tragflächen aufgefangen wurde, und bestrebt, so schnell wie nur möglich zu werden, ehe es schließlich geradeaus weiterging.

Neu-Finnland verwandelte sich von einer Scheibe in einen runden Himmelskörper und wuchs weiter, bis es jeden Fleck am Himmel ausmachte, der nicht von der Decklinie des Schiffes abgeschnitten wurde. Es kam zu jenem undefinierbaren Übergang, bei dem der Betrachter das Gefühl gewann, die Kamera würde nicht mehr auf etwas zustürzen, sondern wäre jetzt angekommen und durchquerte diesen Ort. Die *Leviathan* wurde zu einem Teil des Planeten und seines Himmels.

Das Schütteln wurde immer heftiger, bis wir kaum noch etwas klar erkennen konnten. Den Beefiepiloten mußte es wirklich übel ergehen. Der von der Wärmeentwicklung des Atmosphäreneintritts rot gefärbte Planet wurde allmählich deutlich sichtbar.

Schließlich wurde Korskys Sendeantenne von einer Windböe abgerissen, und das Bild verschwand. Metcalf, dessen Stimme klang, als würde er ganz schön durchgeschüttelt, meldete jedoch, daß Korskys Maschine zusammenhielt.

Ein Schlepper im Orbit lieferte uns jetzt Bilder. Die Teleobjektive zoomten auf das vibrierende Schiff zu. Die *Leviathan* stand jetzt kurz vor dem Ende ihres Sinkfluges und zog eine Spur von Sturmwirbeln hinter sich her, während sie darum kämpfte, den Bug hochzuziehen.

Ich fluchte unterdrückt. Über einen langen Zeitraum hin,

währenddessen ein Beben von den Spitzen der Tragflächen zum Rumpf lief und wieder zurück, *verbogen* sich doch glatt diese kilometerbreiten Rochenschwingen, verbogen sich immer stärker . . .

»Mac . . . Die Tragflächen!«

»Ich sehe es. Mein Gott, wissen diese Bastarde eigentlich, was sie tun?«

Joslyn schien vergessen zu haben, zu wessen Seite das Schiff gehörte, und redete wie ein Pilot darauf ein: »Komm schon, du großes, verfluchtes Biest! Zieh hoch! Reck die Nase hoch! Guter Gott, ich glaube, sie verlieren die Backbordtragfläche! Nein, Gott sei Dank, sie ist noch dran. Komm schon, ruhig, locker, du Riesentrampel, oder du wirst doch noch eine Tragfläche los!«

Eine Zeitlang war die *Leviathan* nicht mehr das Flaggschiff des verhaßten Feindes, sondern ein großartiges Ungeheuer, ein Monstrum der Lüfte, das gegen seine Wunden und den Zorn seines Elementes ankämpfte, um zu überleben.

Mit einem Kribbeln im Bauch erinnerte ich mich daran, daß von einem Scheitern der *Leviathan* auch die Raketenleitstelle betroffen sein würde. Wenn das passierte, war alles umsonst gewesen.

Immer wieder zuckten meine Hände zu einem unsichtbaren Steuerknüppel. Eine tiefsitzende Liebe zu fliegenden Maschinen wollte dieses ringende Ungeheuer packen und es zu einem sicheren Hafen in stiller Luft weiter unten führen.

Langsam und bedächtig und mit der gequälten Pracht kämpfender Größe bremste sich das Monstrum der Lüfte ab, zog den Bug hoch und ging von einem Sturzflug in den Abgrund in einen kraftvollen, sicheren Gleitflug über. Gigantische Kondensstreifen und winzige Wirbelstürme bildeten sich hinter ihm. Schließlich sprangen die Düsentriebwerke an. Das Schiff machte einen Satz nach vorn und stabilisierte seine Flughöhe.

Die *Leviathan* war am Ziel.

Joslyn schaltete die Bildübertragung der Orbitalkameras ab, und auf unserem Frontbildschirm tauchte der Dockkomplex von Vapaus auf. Joslyn hatte uns mit Hilfe unserer Instrumente herangesteuert, noch während sie den Anflug der *Leviathan* beobachtete.

Derweil sie den Lander ins Dock steuerte, wechselte ich in meinen Kampfanzug — ein kugelsicherer, laserreflektierender Overall mit jeder Menge Taschen — ging zu unserem Pillenschrank und suchte ein paar passende Mittel für uns heraus: Konzentrierte Vitamine, ein extrem starkes Amphetamin mit Warnhinweis auf ein mögliches Bedürfnis, Mauern einzureißen, sowie ein weiteres Anti-Erschöpfungsmittel, das der Ansammlung von Ermüdungsgiften im Blut entgegenwirkte. Dazu kamen noch ein Dämpfungsmittel gegen die wilde Hektik unseres Tempos und irgendein Hexentrank. Ich stürzte den Mix hinunter und brachte Joslyn ihre Dosis.

Sie zuckte zusammen, als sie ihren Anteil an den scheußlichen kleinen Dingern herunterschluckte und mit Wasser nachspülte. »Würg. Dafür werden wir büßen müssen, wenn der Morgen dämmert.«

»Falls es noch einen Morgen gibt. War das nun ein Zitat, oder hast du es dir ausgedacht, und sind wir schon im Dock?«

»Ich habe es mir ausgedacht, glaube ich, und unsere Gäste kommen bereits, und ich bin noch nicht mal passend angezogen. Würdest du dich um sie kümmern, während ich in etwas Umwerfenderes schlüpfe?«

Ich öffnete gerade die Luke zum Unterdeck, als die Wirkung der Medikamente einsetzte. Auf einmal war ich so wach wie schon seit Wochen nicht mehr. Ich warf einen kurzen Blick auf das Metallgeländer, um mich davon zu überzeugen, ob es sich unter dem Druck meiner Hand verbog. Das tat es natürlich nicht, aber diese Flutwelle an künstlicher Ausdauer half sehr. Mehrere Stunden unter dieser Art Turboantrieb konnten einen Menschen zwar ins Krankenhaus befördern, aber für eine kleine Weile fühlte ich mich wenigstens wieder normal.

Als ich auf dem Unterdeck eintraf, ging gerade die Innenluke der Luftschleuse auf, und Leute kamen herein. Ein Drucktunnel war aus dem Inneren von Vapaus herangeführt worden, so daß unsere Fahrgäste an Bord kommen konnten, ohne nacheinander den Zyklus der Luftschleuse zu durchlaufen. Der erste trug die

Abzeichen eines zweiten Leutnants. Die übrigen gehörten teilweise auch zur Armee, aber viele waren Zivilisten: meine tollkühnen Freiwilligen. Sie wußten, wohin es ging, und blickten dem Kampf erwartungsfroh entgegen. Ein paar von ihnen waren Frauen. Alle trugen schwere, kugelsichere Westen und waren mit umfangreicher Ausrüstung beladen. Jeder hatte eine Pistole und ein Gewehr, und viele verfügten auch über gefährlich aussehende Wurfmesser.

Ich winkte den zweiten Leutnant heran. Er war ein hitzköpfiger, kleiner Mann mit einem widerspenstigen, weißblonden Haarschopf und einem tückischen Glitzern in den Augen. Die Nase sah aus, als wäre sie mindestens einmal gebrochen gewesen, und darunter trug er einen frechen Schnurrbart mit herabhängenden Spitzen. Er salutierte zackig. »Zweiter Leutnant Raunio, Sir.«

»Willkommen an Bord, Leutnant. Sie haben fünfzehn Minuten Zeit, um ihre Leute für die Beschleunigungsphase vorzubereiten. Packen Sie Ihre Ausrüstung in die entsprechenden Fächer und strecken Sie sich dann auf den gepolsterten Stellen des unteren Schotts aus. Versuchen Sie, nicht davonzuschweben. Wir haben Haltegriffe, also benutzen Sie sie auch. Möglicherweise werden wir uns zu einer ganzen Reihe von Manövern gezwungen sehen, so daß Sie Ihre Ausrüstung erst dann wieder an sich nehmen sollten, wenn Sie von uns die Freigabe erhalten. In Ordnung?«

»Ja, Sir. Alles prima. Die Leute hier haben schon jede Menge Erfahrung im Weltraum. Sie wissen, was sie tun müssen.«

»Gut. Ich hoffe, daß ich auch weiß, was ich tue, wenn wir erst mal da unten sind.«

Er grinste wölfisch. »Da wette ich drauf!«

Ich schrieb diese Zweideutigkeit einem Übersetzungsproblem zu, salutierte wieder, wie Raunio es zu erwarten schien, und ließ ihn stehen. Er brüllte Befehle auf finnisch, gewürzt mit einer Reihe von Obszönitäten der allerersten Wahl.

Ich traf gerade Anstalten, aufs Oberdeck zurückzukehren, als ich eine vertraute Gestalt entdeckte. »George!«

Er grinste und drückte mich fest an sich. »Mac, ich hatte gar nicht erwartet, daß zu diesem Zeitpunkt noch einer von uns am Leben ist.«

Ich lachte. Keiner von uns beiden erwähnte, wie schnell sich das ändern konnte, sobald wir die *Leviathan* erreicht hatten. Dies war eine der Gelegenheiten, bei denen man am meisten zum Ausdruck bringt, indem man gar nichts sagt. Ich verzichtete auf Floskeln wie, das ist nicht dein Kampf, George, oder ich freue mich, dich zu sehen, und ähnliches Gesülze. Seit dem Tag, als er mir das Leben gerettet hatte, indem er einen Angehörigen des eigenen Volkes tötete, war George ein Einzelgänger, abgeschnitten und ohne Vaterland. Die eigene Anständigkeit hatte ihn auf Distanz zu seinem Volk gebracht. Seitdem lebte er auch damit, daß diejenigen, denen er half, ihn mit Begriffen wie *Fremder* oder *Feind* auf Distanz hielten. Auf eine seltsame Art war Mac Larson, der Mann, den George gerettet hatte, als Mac selbst noch allein unter Fremden gewesen war, der einzige, von dem George akzeptiert zu werden glaubte. Instinktiv wußte ich, er war hier, weil er beschlossen hatte, mit mir zusammen zu sterben, wenn es denn dazu kam.

Was mich anging, war das in Ordnung, aber jetzt mußten wir in die Schlacht ziehen, und das war nicht der richtige Zeitpunkt für Worte. Ich führte George aufs Oberdeck.

Joslyn, die inzwischen einen Kampfanzug trug und bis an die Zähne bewaffnet war, zeigte ihr wärmstes Gastgeberinnenlächeln, als sie uns erblickte. »George, wie wundervoll! Du hast einfach verdient, jetzt mitzumachen! Und ich glaube, die Party geht jeden Moment los.«

»Wie sieht *Sam* aus?« fragte ich.

»Ein Prachtvogel. Die Vapaus-Hafenbehörde hat alle Rekorde eingestellt, um unsere Tanks zu füllen, und alle Systeme funktionieren erstklassig. Wir können jede Menge Schub geben.«

Ich setzte mich an meine Konsole und funkte Marie-Françoise an. »Wie sieht die Lage aus?«

»Bislang nicht schlecht. Das Rettungsmodulteam ist startklar. Fünfzehn Schiffe unterschiedlichen Typs sind bereit, Ihnen nach unten zu folgen. Metcalf und seine Piloten wurden bislang nicht sonderlich bedrängt. Es kommt einfach niemand an ihren Schiffslasern vorbei. Obendrein herrscht da unten gutes Wetter. Die *Leviathan* folgt einem strikt westlichen Kurs, der sie zur Küstenstadt Vipurii führen wird, und im Zielgebiet wird die Mittagssonne scheinen. Joslyn hat das geplante Zielgebiet bereits in ihren Navigationssystemen. Die anderen folgen Ihrem Leitsignal dorthin.«

»Irgendwelche Änderungen, was unser Ziel angeht?«

»Nein. Es gilt weiterhin, den Hauptfunkraum ausfindig zu machen. Halten Sie also den Funksignalspürer bereit.« Alle Angriffsteams führten eine ›Black Box‹ mit, die auf den elektronischen ›Lärm‹ reagierte, wie ihn eine Leitstelle der Art von sich gab, die wir auf Vapaus gefunden hatten. Die Leitstelle auf der *Leviathan* mußte eigentlich dieselben Geräusche von sich geben.

»Viel Glück, Mac.«

»Ihnen auch, Marie-Françoise. *Uncle Sam*, Ende.« Ich unterbrach die Verbindung. An Bord unseres Bootes herrschte eine unnatürliche Ruhe. Die Gefahren, denen wir ausgesetzt waren, konnten jetzt wieder sauber und klar eingeschätzt werden. Unser Leben stand auf dem Spiel, und das Ergebnis würde bald endgültig feststehen. In wenigen Stunden waren wir entweder lebende Sieger oder tote Verlierer. Als wir uns auf den Beschleunigungsliegen festschnallten, war es seltsam tröstlich zu wissen, daß, wenn überhaupt, meine Frau, mein Freund und ich zusammen sterben würden.

Dann drückte Joslyn einige Knöpfe, und es ging los.

In dem Augenblick, in dem die Triebwerke zündeten, war es mit der Ruhe vorbei. Ich spürte, wie mein Herz losraste. Die Schlacht stand vor der Tür, und ich fand meine Hände an der Steuerung des Lasergeschützes wieder, ohne daß ich sie bewußt dorthin geführt hatte.

Zunächst jedoch mußten wir in die Atmosphäre vorstoßen. Die Triebwerke der *Uncle Sam* tosten in der Stille des Alls, und das Boot stürzte zum Planeten hinunter. Weitere Schiffe mit finnischen Besatzungen folgten uns in geschlossener Formation, jeweils mehrere Kilometer voneinander entfernt.

Die *Stars*, die *Stripes* und ein Dutzend unbewaffneter ballistischer Lander, überwiegend von der *Kuu*-Klasse, zündeten ihre Jets parallel zu unseren. Bei den Piloten handelte es sich um Schlepperkapitäne, um Handelsschiffer ohne Kampferfahrung. Andere hatten wir nicht.

Wenn alle Fahrzeuge es bis nach unten schafften, würden wir mit zweihundert Kämpfern an Bord der *Leviathan* gehen.

Joslyn beschleunigte mit konstant einem g, und sobald wir dem Planeten nahe genug waren, drehte sie das Boot, um mit Hilfe der Triebwerke abzubremsen. Bei konstanter Beschleunigung dauerte die Fahrt entlang des Atmosphärenrandes nur wenige Augenblicke.

Unmittelbar vor dem Eintritt in die Lufthülle schaltete Joslyn die Maschine ab. Für ein paar Sekunden fuhren wir schwerelos dahin, und dann wuchs ein zunächst kaum spürbarer Zug von unten zu einem mörderischen Druck an, der mich tief in die Beschleunigungsliege preßte.

Ich entdeckte vier neue Stellen, an denen man sich durch den eigenen Kampfanzug Schnittwunden zuziehen kann. Wir hatten die Lufthülle erreicht.

Joslyn führte uns auf die harte und schnelle Tour hinein, indem sie den steilsten möglichen Eintrittswinkel nahm, damit die Leute am Radar der *Leviathan* so wenig wie möglich Zeit fanden, uns zu begutachten.

Der Beschleunigungsdruck ließ im Zuge der sinkenden Geschwindigkeit allmählich wieder nach. Der Eintritt in die Atmosphäre hatte unsere Formation etwas verstreut, und die anderen Fahrzeuge rückten erneut enger auf. Diesen Teil des Jobs beherrschten die Schlepperkapitäne gut, und die abgetriebenen Schiffe waren schnell wieder an ihren Plätzen in der Formation.

Immer tiefer tauchten wir in die Atmosphäre hinab.

»Okay, Joz, ich habe die *Leviathan* jetzt auf dem Radar. Wir sind oberhalb ihres Horizontes.«

»Richtig, Mac. Ich habe sie auch. Genau da, wo sie sein

sollte, vielleicht einen Kilometer mehr oder weniger. Wir sind auf Kurs.«

Eine hohe Wolkendecke lag zwischen uns und unserer Beute. Ich versuchte Metcalf über eine Funkfrequenz zu erreichen.

»*Able Archer*, hier ist die *Uncle Sam*. Bitte kommen!«

»Hier *Able Archer*. Kommen Sie rein, wir halten Ihnen einen Platz frei. Es wird ein bißchen heiß hier, großer Meister, also machen Sie schnell! Sie versuchen, Jäger in die Luft zu bekommen, aber wir haben drei weichgekocht, als sie unter dem Deck auftauchten. Es sind auch Soldaten auf dem Deck, aber wir haben sie einigermaßen unter Kontrolle. Korskys Laser ist fast schon ohne Saft, und uns anderen geht es auch bald so. Ziehen Sie die Aufmerksamkeit des Feindes auf sich, so daß wir eine Chance erhalten, unsere Energiezellen wieder aufzuladen. Eine Sekunde — *irgendwas* ist gerade unterm Deck hervorgekommen. Irgendwie haben sie einen Jäger starten können.«

»Yeah, sie müssen an der Unterseite des Schiffes eine Abwurfvorrichtung haben. Wir haben den Bandit in der Ortung — jetzt sind es zwei, und sie nehmen Kurs auf uns. Können Sie uns irgendwelches Bildmaterial liefern?«

»Vielleicht. Sie sind extrem weit entfernt, aber die Kamera ist für alle Fälle eingeschaltet.«

Störungen liefen über den Bildschirm und wichen dann einem ruhigen, wenn auch verschneiten Bild vom Hauptdeck der *Leviathan*. Während wir noch hinsahen, fegte ein verschwommener Fleck vorbei, und ein dritter Bandit tauchte auf unserem Radarschirm auf. Wir waren noch fünfhundert Kilometer von der *Leviathan* entfernt, näherten uns ihr aber mit hoher Geschwindigkeit.

Die feindlichen Jäger nahmen uns schnurstracks aufs Korn. Ich empfing ihr Bild jetzt mit der Telekamera, schwenkte die Laserkanone ins Ziel und feuerte. Der erste Bandit eruptierte nach wenigen Sekunden zu einem Feuerball. Den zweiten fegte ich genauso schnell vom Himmel. Der dritte tauchte plötzlich ab und zog dann wieder hoch, nahm direkt Kurs auf unseren Auspuff. Unsere Achterlaser waren nach wie vor im Rumpf verstaut. Das Heck lag mitten im Luftstrom. Wenn ich die

Geschütze jetzt ausgefahren hätte, wären sie abgerissen worden, ehe ich Gelegenheit zu einem Schuß fand.

»Ich kümmere mich darum, Mac«, sagte Joslyn mit ruhiger Stimme. »An alle Fahrzeuge: Lösen Sie die Formation auf und landen Sie nach eigenem Ermessen.« Sie zog die *Uncle Sam* aus dem Gleitflug hoch und zündete die Fusionstriebwerke. Der dritte Bandit verschmorte in der Lohe.

»Saubere Arbeit, Kameraden. Ich glaube, ich habe Sie jetzt auf dem Bildschirm«, gab Metcalf über Funk bekannt. »Winken Sie mal in die Kamera und lächeln Sie. Und da haben wir noch drei von diesen kleinen Teufeln — nein, zwei. Schreiben Sie Gilbert den dritten gut.«

Unsere Schiffe verstreuten sich, als die Piloten Schub gaben. Metcalfs Kamera zeigte einen dunstigen Himmel voll winziger Lichtpunkte, die sich mit hohem Tempo näherten.

Wir durchbrachen die Wolkendecke, und da lag die *Leviathan* vor uns, eine Insel am Himmel, aber eine Insel, die belagert wurde. Über Metcalfs Kamera sahen wir die *Uncle Sam* in die Schlacht segeln, die stolzen Sterne und Streifen auf dem Rumpf deutlich sichtbar. Die beiden Jäger, die Metcalf angekündigt hatte, flogen auf uns zu und verglühten unter meinem Laser. Es folgten ihnen keine weiteren.

Die *Leviathan* zog majestätisch ihre Bahn über den Himmel, während hier und da Brände auf ihrem Deck loderten, das übersät war mit den ausgebrannten Ruinen von Jägern, die beim Startversuch von den Beefies erledigt worden waren. Das Riesenschiff ähnelte in der teuflischen Pracht seiner Linien einem Seeungeheuer, das allen Widrigkeiten zum Trotz kühn seinen Weg fortsetzte.

»Schalte um auf Hilfstriebwerke«, sagte Joslyn. Die *Uncle Sam* schlingerte kurz, als Joslyn von den Fusionsmaschinen auf die chemischen Raketen umschaltete. Die Fusionsflamme hätte das Deck zu Schlacke geschmolzen, und auf Schlacke ist nicht gut landen und noch weniger gut gehen. Die chemischen Raketen verbrannten mehr Treibstoff und verwerteten ihn weniger effektiv, aber die von ihnen erzeugten Temperaturen hielten sich vergleichsweise in Grenzen.

Wir suchten uns einen Landeplatz.

Und die gesamte Außenwelt wurde rot, ehe die Kamera ganz ausfiel.

»Großer Meister, das war der letzte, große Laser, der im Kontrollturm!«

Joslyn schaltete die Raketen ab, und wir sackten wie ein Stein weg. Innerhalb weniger Sekunden befanden wir uns unterhalb der *Leviathan*, wo der Laser uns nicht mehr treffen konnte, ohne das eigene Schiff zu durchschneiden. »Das war verdammt knapp! Mac, kannst du den Tower mit einem Torpedo erwischen?«

»Ich kann es versuchen. Gib wieder Saft auf die Raketen, während die da oben sich ein anderes Ziel suchen.« Direkt über uns schwenkte der rubinrote Strahl auf ein neues Opfer, eines der finnischen Schiffe. Der Kapitän probierte sein Glück mit einem Ausweichmanöver, aber der Laser war schneller als er. Das kleine Handelsschiff ging in Form einer pilzförmigen Feuerwolke hoch. Mir wurde schlecht.

Joslyn schob die manuelle Triebwerkssteuerung mit einem Ruck nach vorn, und wir schwangen uns wieder hinauf über die *Leviathan*. Hier schaltete Joz die Raketen ab und betätigte die Fluglagedüsen, bis wir mit der Schnauze nach unten zur Leitfläche hinabstürzten. Ich zündete unsere vier Bugrohre gleichzeitig, direkt auf das immer noch feuernde Lasergeschütz gerichtet. In dem Sekundenbruchteil, ehe Joslyn das Ruder herumriß, sah ich noch die vier winzigen Laserstrahlen der auf dem Deck ruhenden Beefies, die ebenfalls den Tower unter Beschuß nahmen. Joslyn wartete nur ab, bis die Torpedos aus den Rohren waren, schwenkte dann im rechten Winkel ab und feuerte die Antriebsraketen, damit wir rechtzeitig dem auf uns zustürzenden Deck entkamen.

Erneut fielen wir an dem Riesenschiff vorbei zum Planeten hinunter.

»Randall, wie haben wir getroffen?« fragte ich über Funk.

»Die sind aus dem Spiel, das ist mal sicher. Kommen Sie jetzt rauf, Mac. Der rote Teppich ist ausgerollt.«

»Noch eine Sekunde, Mac«, warf Joslyn ein. »Wo wir gerade

hier unten sind, laß uns mal einen Schuß auf diese Bauchstart-
röhre riskieren.«

»Okay.«

Sie bremste unseren Sturz ab, wobei sie diesmal etwas behut-
samer zu Werk ging, und brachte uns in eine Schwebeposition
direkt unterhalb der *Leviathan*. Ich sah über uns ein langes
Rohr, das an der Mittellinie des Schiffes entlanglief und an beiden Enden offen war. »Das muß sie sein, Joslyn.« Ich feuerte
einen weiteren Torpedoschwarm ab und lenkte die Geschosse
mit der Fernsteuerung in den Tunnel. Sie detonierten darin, und
orangefarbenes Feuer brauste an beiden Enden heraus.

»Das wird sie eine Zeitlang aufhalten. Sehen wir zu, daß wir
landen.«

Joslyn zog hoch, bis wir wieder oberhalb des Decks waren.
Drei unserer Schiffe waren inzwischen gelandet. Zwei weitere
setzten gerade zur Landung an. Mit Hilfe der Fluglagedüsen
schwebten wir über das Riesendeck, und es war, als überquerte
man eine große, flache Hochebene über den Wolken. Über
mehreren Stellen dieser großen Ebene kamen unsere Schiffe
herunter.

Wir setzten auf. Joslyn manövrierte dabei so sachte wie möglich, ließ die Landebeine ausfahren und das Schiff darauf sin-
ken, so daß die Hydraulik den Stoß abfederte.

»So, wir haben es geschafft.«

»Soweit schon. Sehen wir mal nach, wie es unseren Passagie-
ren ergangen ist.« Ich schaltete die Unterdeckkameras ein.
»Leutnant, wir sind gelandet. Es ist alles klar für Sie. Wie halten sich Ihre Leute bislang?«

Ein benommener Leutnant Raunio erhob sich schwankend
und winkte in die Kamera. »Nicht schlecht, Sir. Zwei oder drei
sind luftkrank, aber ich sorge später dafür, daß sie wieder sau-
bermachen.«

»Setzen Sie sie jetzt in Marsch.«

Während ich redete, behielt ich die Bugkameras im Auge, die
übers Deck schwenkten. Dann wandte ich die Aufmerksamkeit
ganz der Außenwelt zu. »Metcalf, was geht da unten vor sich?«

»Hallo, Mac, willkommen an Bord. Eine Zeitlang ist es überwiegend ruhig geblieben, aber sie haben vor ein paar Minuten einen Deckfahrstuhl heruntergeholt, und ich glaube, er ist nun mit einem Empfangskomitee auf dem Rückweg. Wenn Sie den Bug als zwölf Uhr betrachten, dann liegt der Fahrstuhl bei vier Uhr, zweihundert Meter von Ihnen entfernt. Vor ein paar Minuten haben wir Gilbert verloren. Sieht so aus, als wäre jemand mit einer Granate dicht genug rangekommen.«

»Okay, ich kümmere mich darum. Ich richte einen Strahler auf den Fahrstuhl. Joslyn, mach Tempo mit der Kühlanlage, damit wir den Haufen nach draußen bekommen.«

Joslyn drückte einen Schalter und öffnete damit das Ventil für den Flüssigstickstoff. Die extrem kalte Flüssigkeit strömte auf die von den Raketenflammen erhitzten Deckplatten und verdampfte darauf. Die Bodentemperatur sank dadurch draußen in kürzester Zeit um mehrere hundert Grad. Wir warteten eine oder zwei Minuten ab, um zu sehen, ob die Deckplatten der Spannung des plötzlichen Temperaturabfalls standhielten, aber es kam nirgendwo zu Rissen oder Durchbrüchen. Wir öffneten das Schiff.

»Mac, da kommt der Fahrstuhl!« schrie Joslyn.

Ich schoß mit der Laserkanone. Ein Düsenjäger explodierte zu Stichflammen, kaum daß er in mein Blickfeld geriet. Der Fahrstuhl hielt abrupt ein paar Meter unterhalb der Deckebene. Die Spitze des Jägers war direkt auf die *Uncle Sam* gerichtet gewesen, um seine Geschütze und Raketen vom Deck aus auf uns abzufeuern.

In einem halben Kilometer Entfernung tauchte eine weitere Fahrstuhlplattform auf, die einen Jäger trug. Sobald die Maschine auf Deckhöhe war, eröffnete sie das Feuer auf eines der finnischen Schiffe. Brandgeschosse suchten und fanden die Wasserstofftanks, und der Finne explodierte. Ich programmierte einen Luft-/Lufttorpedo auf Boden-/Bodenfunktion um, und der Jäger folgte seinem Opfer in die Vernichtung. »Jesus, wie viele von diesen Fahrstühlen gibt es denn hier? Metcalf? Metcalf, bitte kommen!«

Ich entdeckte eine Gestalt, die über das Deck auf uns zugerannt kam, und richtete das Lasergeschütz auf sie. »Ich *komme* ja, wenn Sie nur die verdammte Luke öffnen!« hörte ich über Funk. In einiger Entfernung erfolgte eine Explosion, und die Gestalt — natürlich Metcalf — warf sich flach zu Boden und deckte den Kopf mit den Händen.

Der von der Explosion ausgelöste Feuersturm beruhigte sich wieder, und Metcalf stand auf und rannte weiter. Joslyn öffnete die innere und äußere Luke gleichzeitig, und dreißig Sekunden später war Metcalf bereits in der Steuerkabine und lehnte sich nach Luft ringend an die Wand. »Okay, das war ein bißchen knapp«, sagte er. »Nebenbei, da draußen herrscht eine ansehnliche Brise. Die Spoilerkegel am Vorderdeck lenken den Luftstrom zwar zum größten Teil ab, aber es kommt noch genug durch, damit man einen echt kühlen Kopf bewahrt.«

»Was haben Sie gemacht — die eigene Maschine hochgejagt?«

»Richtig. Wir müssen schließlich irgendwo einsteigen, und ich wollte deshalb ein Loch ins Deck pusten. Ich habe alle Systeme an Bord überladen und die ganze Muni gleich mitverfeuert.«

Ich betrachtete kopfschüttelnd den Bildschirm. Wo Metcalfs Jäger gestanden hatte, waren nur noch ein paar Fetzen rauchenden Metalls zu sehen sowie ein glattes, ordentliches Stück Deck ohne jede Delle.

Metcalf sah selbst hin und fluchte. »Verdammt! Das Ding ist aber wirklich stabil! Die feindlichen Soldaten hatten auch überhaupt keine Hemmungen, auf dem eigenen Schiff mit Granaten nach uns zu werfen.«

»Wir werden wohl eine Luke benutzen müssen.«

»Und sie werden dort auf uns warten.«

»Mac! Der Radar!«

Auf dem Radarschirm wimmelte es vor Punkten. »Was zum Teufel ist denn da los?«

»Das sind die Soldaten aus den Rettungsmodulen.«

»Yeah, *ein Teil* dieser Punkte«, meinte Metcalf. »Aber die großen Dinger da sind Bandits. Schießen Sie erst und stellen Sie später Fragen. Fackeln Sie sie ab!«

Ich griff nach der Lasersteuerung, zögerte dann doch und

schaltete eine Funkfrequenz ein, die wir bislang nicht benutzt hatten. Ein Orkan von finnischen Worten schlug über uns zusammen, ehe ich den Lautstärkerregler fand. »Wenn das Bandits sind, dann sind es aber phantastisch gute Schauspieler.« Ich schaltete den Interkom zum Unterdeck ein. »Leutnant, schicken Sie den Mann mit den besten Englischkenntnissen herauf!«

»Mein Englisch ist gut genug, Sir!« verkündete Raunio, als er selbst durch die Luke geklettert kam.

»Fein, schnappen Sie sich das Horn. Sieht so aus, als hätten wir finnische Jets da draußen, und . . .«

Meine Worte gingen im Getöse eines Düsenjägers unter, der über uns hinwegdonnerte. »Bitte Sie mir geben das Mikrophon«, sagte Raunio und redete eindringlich mit dem Piloten. Sie schienen sich rasch zu verständigen, und die finnischen Flugzeuge gingen auf eine Ringpatrouille um das große Schiff. »Jetzt er weiß, wer wer ist«, erklärte Raunio schlicht.

»Da kommen die Fallschirmspringer«, gab Joslyn bekannt. Winzige Sonnenschirme sprenkelten den Himmel und wurden schnell größer, als die *Leviathan* sich ihnen näherte.

Raunio meldete sich wieder. »Einer der finnischen Piloten sagt, da sammeln sich irgendwelche Truppen an der Basis der Heckleitfläche.«

»Und damit außerhalb des Schußfeldes unserer Laser«, sagte Metcalf mißmutig. »Das heißt, daß gleich der Teufel los ist.«

»Nun, es wird Zeit, daß wir uns einmischen. Randall, ich hoffe, Sie haben eine Schußwaffe dabei.«

Ich stieg die Leiter zum Unterdeck hinunter. Die finnischen Soldaten waren praktisch zum Ausstieg bereit und kontrollierten gerade gegenseitig ihre Ausrüstung. Ich schnappte mir meine eigenen Waffen, darunter auch einen Raketenwerfer, eine kleine Ausgabe des Instrumentes, bei dessen Einsatz Krabnowski gefallen war. Ich kontrollierte den Signalspürer, der auf die Geräuschfrequenz der Leitstelle programmiert war. Hier auf dem offenen Deck bestand keine Chance, etwas aufzufangen, aber ich sah wenigstens, wie eine Lampe aufleuchtete und Bereitschaft meldete. Ich steckte das Ding in meinen Tornister.

»Leutnant!« rief ich. »Hierher!« Wir gingen hinüber zum Durchstieg. »Die Situation sieht folgendermaßen aus: Das Deck ist zu widerstandsfähig, um ein Loch hineinzusprengen. Ein Deckfahrstuhl steckt da draußen mitten im Schacht fest, darauf ein brennender Jäger. Dieser Fahrstuhl ist unser Weg ins Schiff. Führen Sie einen Trupp dorthin, der das Feuer löscht. Wir haben Schaumbomben an Bord.«

Ein ballistischer Lander wie die *Uncle Sam* neigt dazu, eine Menge Buschfeuer zu legen; Schaumbomben, um die Flammen zu ersticken und die Hitze abzuführen, gehören zur Standardausrüstung.

»Okay. Überlassen Sie das ruhig uns«, sagte Raunio. Er brüllte seinen Leuten Befehle zu, und ein paar von ihnen schnappten sich die Schaumbomben von den Ständern. Raunio trat an die offene Luke, gab Deckungsfeuer ab und sprang aufs Deck der *Leviathan*. Ich folgte ihm die Leiter hinunter und legte die letzten ein, zwei Meter im Sprung zurück. Hinter mir kamen George, Metcalf und Joslyn herunter.

Diese Szene ist mir stärker als jede andere im Gedächtnis haften geblieben. Alles, was ich sah, war von einer Aura der Unwirklichkeit umgeben. Alle Farben erschienen leuchtender, alle Entfernungen größer, alles Fremdartige noch weniger vertraut, als es eigentlich hätte sein dürfen.

Kaum waren wir aus der *Uncle Sam* ausgestiegen, kam die *Leviathan* unter einer Wolkendecke hervor, die uns bislang den Blick auf die Sonne versperrt hatte, und die ganze Umgebung zeichnete sich scharf und klar ab. Am Heck erhob sich der Tower fünfzig Meter hoch, und seine Spitze war durch die von mir abgefeuerten Torpedos völlig zerfetzt und verdreht worden. Die Ruinen des Towers und das Lasergeschütz darauf brannten noch. Auch überall auf dem Flugdeck brannten die Überreste von Schiffen der Finnen und der Hüter, und die leuchtend orangefarbenen Flammen hoben sich deutlich vom dunkelgrauen Metall der Schiffshülle ab. Tintenschwarzer Rauch quoll aus einem Wrack hervor und schlängelte sich fast träge ein paar Meter weit hinauf, bis er aus dem schützenden Schatten der Bugspoiler hervortrat und vom Wind in fantastischen Knäueln auseinandergerissen wurde, ehe er vollständig hinter dem schnell fliegenden Schiff verschwand.

Während unsere Truppen aus der *Sam* ausstiegen, setzte das letzte der finnischen Begleitschiffe auf und versprühte seine Wolke aus Stickstoffkühlmittel. Kleine Gruppen von Soldaten kamen überall aus den Schiffen hervor. Automatische Waffen knatterten.

Es gab nichts zu sehen außer dem großen Schiff und dem Himmel; die *Leviathan* flog zu hoch und war zu breit, als daß wir den Erdboden hätten sehen können. Die Wolkendecke lag inzwischen weit hinter uns. Der Himmel war strahlend kobaltblau und mit einem Muster aus dünnen, makellos weißen Wolken überzogen. Organefarbene Flammen, schwarzer Rauch, graues Deck, blauer Himmel und weiße Wolken machten unsere gesamte Umgebung aus. Ein Universum aus elementaren Farben.

In diese Welt gerieten diejenigen, die sich aus dem Himmel heraus in die Schlacht stürzten. Das Schiff gelangte auf seiner Fahrt jetzt direkt unter die Vorhut der Fallschirmspringer. Während das Deck unter ihnen vorbeizog, schossen sie Klebebomben an Kabeln ab, kleinere Versionen der Vorrichtungen, die die Beefies benutzt hatten.

Zwanzig Springer hatten das Schiff gleichzeitig unter sich. Nur zwei davon konnten ihre Kabel nicht richtig abfeuern und segelten am Heck vorbei zum Erdboden hinunter. Der Rest konnte landen, und ihre Fallschirme verwandelten sich auf einmal in große Drachen, als die Kabel sich durch die Fortbewegung des Schiffes spannten und brutal am Geschirr ruckten.

Drei oder vier mußten durch diesen Ruck ums Leben gekommen sein, mit gebrochenem Genick hingen sie schlaff im Wind, makabre Dekorationen am Himmel.

Die Überlebenden schalteten die Motorwinden ihrer Kabel ein und wurden sicher aufs Deck heruntergezogen.

Weitere Fallschirmspringer regneten herab. Einige waren zu niedrig, und ihre Schirme verschwanden unter dem Kiel des Schiffes. Die Springer selbst mußten durch den Zusammenprall mit dem Schiffskörper zerschmettert worden sein und jetzt dort kleben wie Fliegen auf einer Windschutzscheibe.

Einige derjenigen, die zu hoch gewesen waren, landeten sicher auf dem Erdboden. Einer segelte durch die lodernden Flammen auf der Spitze des Towers und setzte als menschliche Fackel seinen Weg fort. Er wand sich vor Schmerzen, bis das Feuer die Leinen des Fallschirms durchtrennte. Er stürzte abrupt in die Tiefe, und die Fallgeschwindigkeit löschte das Feuer. Gerade, als er hinter dem Heck verschwand, sah ich, wie sich der Reservefallschirm öffnete. Ich fand nie heraus, ob der Mann lebendig den Boden erreicht hatte.

An die zweihundert Männer und Frauen waren in Rettungsmodulen aus der Umlaufbahn Richtung *Leviathan* unterwegs. Etwas weniger als einhundert erreichten lebendig das Deck, aber mein Gott, wie wir diese hundert brauchten! Wir benötigten alles an Deckungsfeuer, was wir nur kriegen konnten.

Metcalf schüttelte den Kopf und wandte sich an George. »Marie-Françoise hat uns immer wieder erklärt, dies hier wäre auch ein fliegendes Verwaltungsgebäude, nicht nur eine militärische Befehlszentrale«, sagte er. »Entsprechend ist das Schiff so entworfen, daß es furchterregend wirkt, aber gar nicht *so* viele Truppen und Kampfflugzeuge mitführt. Vielleicht wird sie recht behalten, aber andererseits funktioniert das Konzept. Ich habe Angst.«

Die *Leviathan* brauchte weniger als zwei Minuten, um das Absprunggebiet der Fallschirmjäger zu durchqueren. Bis dahin hatte Raunio seine Feuerwehr organisiert und führte die vier Männer im Trab zum Fahrstuhl hinüber. Als sie bis auf zehn Meter heran waren, eröffnete jemand aufs Geratewohl das Feuer auf sie, und sie warfen sich sofort zu Boden. Raunio warf eine Granate in Richtung des Schützen. Ein dumpfer Schlag war zu hören, grauer Rauch quoll empor, und die Schüsse hörten auf. Sofort rappelten sich die fünf Männer wieder auf und warfen die Schaumbomben in das brennende Wrack. Die Bomben explodierten in der starken Hitze sofort, und ein dichter, rötlicher Schaum breitete sich zischend in den Flammen aus und löschte sie.

Ein zweites Team kam mit kleinen Tanks voller Flüssigstickstoff zum Fahrstuhl gerannt. Sie warfen die Tanks auf die Plattform und schossen ein paar Löcher hinein. Der Stickstoff strömte aus und verdampfte beim Kontakt mit der extrem heißen Plattform sofort. Ich hoffte, daß sie danach ausreichend abgekühlt war, um sie mit isolierten Stiefeln zu betreten. Raunio winkte uns zu, daß wir nachkommen sollten. Wir ließen fünf Mann als Wache für die *Uncle Sam* zurück und rannten über das so schrecklich offene Deck in Richtung des blockierten Fahrstuhls.

Das Ding war etwa eine Mannshöhe unterhalb des Hauptdecks steckengeblieben und ließ damit einen breiten Spalt offen, durch den wir eindringen konnten. Raunio stellte oben zwei Posten auf, und wir anderen sprangen hinunter auf die noch heiße, aber erträgliche Fahrstuhlplattform. Jemand warf einen Haufen Strickleitern zu uns herab, und wir befestigten sie am schaumbedeckten Wrack des Düsenjägers.

Die Leitern waren etwa zehn Meter lang, was gerade ausreichte, um das Innendeck zu erreichen. Wir stiegen hinunter. Dort entdeckte ich unseren Heckenschützen, den Raunios Granate in Stücke gerissen hatte.

Das Flugzeug hatte hier unten offensichtlich ein Feuer verursacht, als es explodierte. Das Deck war eine verkohlte Ruine. Fünf weitere Jäger in verschiedenen Stadien der Zerstörung lagen wie glotzäugige Monster in ihren Buchten. Ich fing den Geruch von verkohltem Fleisch auf, und mein Magen rebellierte. Es war ein kurzer Brand gewesen, ein paar Sekunden der Weißglut und schon erloschen. Wasserstoff wahrscheinlich. Der Heckenschütze mußte nach dem Brand eingedrungen sein. Niemand, der zum Zeitpunkt der Detonation hiergewesen war, konnte noch am Leben sein.

Wir waren unter der Haut, wenn nicht schon im Bauch des Ungeheuers. Wir stellten eine Wache am Ausgang auf und drangen weiter vor.

Wir befanden uns an der Backbordseite des Schiffes, etwa auf halbem Weg der Tragflächenbreite. Unser Team war unterwegs zu der Position, an der sich die Raketenleitstelle aller

Wahrscheinlichkeit nach befand. Dazu mußten wir entlang der Mittellinie unter die große Heckleitfläche mit dem Kontrollturm vorstoßen.

Wir setzten uns in Marsch. Raunio und seine Feuerwehr bildeten die Vorhut. Joslyn und ich kamen als nächste, gefolgt von den restlichen Finnen und George und Metcalf am Schluß. Es dauerte ein oder zwei Minuten, um mit Hilfe einer Taschenlampe einen Ausgang aus dem verkohlten Hangardeck zu finden.

Raunio postierte sich vor der geschlossenen Luke und gab seinen Leuten mit einem Wink zu verstehen, daß sie sie öffnen sollten. Er hielt die Maschinenpistole schußbereit auf den Durchgang gerichtet, als die Luke aufklappte.

Nichts zu sehen.

Er duckte sich und rollte sich auf den Korridor, trabte dann zur Ecke des Querganges, der zur Steuerbordseite hinüber führte, und winkte uns andere schließlich nach.

Wir näherten uns Richtung Steuerbord der Mittellinie des Schiffes. Wir gingen vorsichtig zu Werke und kontrollierten sorgfältig jeden Seitengang. Hier wirkte alles völlig verlassen, und doch enthielt diese Leere eine Drohung, die unsere Schritte beschleunigte, uns fast zum Laufen brachte. Etwas Wachsames schien in den hell erleuchteten Gängen zu lauern, und wir beeilten uns nach Kräften, Boden zu gewinnen.

Immer weiter ging es, manchmal langsam und vorsichtig, manchmal im Laufschritt.

Die Korridore waren an jeder Kreuzung deutlich numeriert. Nach dieser Beschriftung befanden wir uns auf dem B-Deck in Korridor 36. Die Seitengänge trugen die Bezeichnung B-16, B-15, B-14 und so fort. Meiner Auffassung nach stand B für Backbord und waren die Seitengänge in der Reihenfolge ihres Abstandes zur Mittellinie numeriert.

Eine heftige Explosion in der Nähe erinnerte uns daran, daß wir wieder mitten im Gefecht waren. Ich trat fast auf Raunios Rücken, als der Leutnant sich zu Boden warf und in den nächsten Seitengang hineinspähte. Er schoß. Eine weitere Explosion in größerer Entfernung war das Resultat, er stand auf und ging weiter.

Eilig setzten wir unseren Vormarsch fort, immer in Richtung Steuerbord und Heck.

»Vorsicht, hinter uns!« hörte ich Metcalf schreien, und der Korridor, an dem wir gerade vorbeigekommen waren, versank in einem Wirbel von Detonationen und Feuer.

Wir gingen in Deckung, soweit es die Umgebung erlaubte, und feuerten zurück, bis von der Gegenseite kein Beschuß mehr kam. Wir hatten zwei Mann verloren und gingen weiter.

Erneut wurden wir beschossen, diesmal direkt von vorne. Ich erkannte, daß die feindliche Stellung sich im Hauptkorridor befinden mußte, der sich an der Mittellinie des Schiffes entlangzog. Dort hatten die Hüter Position bezogen, um Enterkommandos abzuwehren.

Ich zog den Raketenwerfer aus dem Tornister und lud ihn mit einem Satz Brandgeschosse. Ich feuerte drei der gemeinen kleinen Dinger ab, und einen kurzen Moment später schossen Flammen hoch, gefolgt von Dunkelheit und Stille. Jemand hinter mir warf eine Rauchgranate ins Dunkel, und wir rückten weiter vor.

Der Rauch blieb lange in der Luft hängen. Wir erreichten den Hauptkorridor und hörten aus der Ferne die gedämpften Geräusche von Feuergefechten.

Joslyn stieß mir in die Rippen und deutete mit dem Kopf nach rechts. Dort führte ein breiter Niedergang auf das nächsttiefere Deck. Handsignale liefen die Reihe unserer Truppe entlang, und wir stiegen nach unten. Auf dem C-Deck war alles ruhig. Raunio ließ zwei Mann als Wache zurück. Es ging tiefer in die ungewöhnliche Stille, und auf jedem der Decks D, E und F ließen wir zwei Posten stehen. Raunio verteilte seine Leute nur ungern, aber es war die beste Sicherung für einen freien Rückweg.

Am oberen Absatz des Niedergangs zum G-Deck hielten wir an, und ich konsultierte den Signalspürer. Der Höhenanzeiger deutete weiterhin abwärts, also mußten wir mindestens noch ein Deck tiefer.

Pulverdampf, Rauch und der Gestank verbrannter Isolierungen hingen überall in der Luft. In der Ferne knatterten Handfeuerwaffen, und hin und wieder kündete ein tiefes Rumpeln, gefolgt von Vibrationen unter unseren Füßen, von einer größeren Explosion. In unserer Umgebung war es allerdings ruhig. So ruhig wie eine Falle vor dem Zuschnappen.

Raunio spähte den Niedergang abwärts nach G und warf eine Rauchgranate hinunter. Der Rauch verteilte sich auf dem Korridor unten und quoll auch zu uns herauf. Wenig später knatterten in der Nähe Schüsse. Explosionen erfolgten, und ein Laser zischte irgendwo.

Raunio deutete auf einen Lichtstrahl, der sich im Rauch abzeichnete, etwa in Hüfthöhe und auf halber Strecke des Niedergangs. Joslyn machte eine schnipsende Bewegung mit den Fingern und setzte ihren Tornister ab. Sie holte eine Drahtschere hervor, legte sich auf den Rücken und gab mir mit einem Wink zu verstehen, daß ich sie an den Fußknöcheln halten sollte. Ihr Helm scharrte auf den Stufen. Mit leisen Bewegungen der freien Hand zeigte sie an, wie tief ich sie hinunterlassen sollte. Sobald sie sich unterhalb der Falle befand, zeigte sie mit einer heftigen Handbewegung, daß es jetzt genug war.

Die Drahtschere schnappte zu, der Lichtstrahl erstarb und mit ihm die Laser.

Ich wollte Joslyn schon wieder heraufziehen, als sie nach unten deutete. Nachdem sie eine zweite und dritte Falle entschärft hatte, war der Weg zum G-Deck endlich frei.

Jetzt wußten wir, wonach wir Ausschau halten mußten. Auf unserem Weg durch den Korridor entdeckten wir ohne Probleme noch drei weitere Lichtschranken.

Ich kontrollierte den Signalspürer. Keine Höhenanzeige mehr, also waren wir auf dem richtigen Deck. Das Gerät zeigte eine immens starke Impulsquelle genau in Heckrichtung. Wir näherten uns allmählich dem Ziel.

Wir gingen weiter Richtung Heck. Raunio stellte zwei weitere Posten auf, und damit waren wir nur noch zwölf Mann. Wahrscheinlich machte das nichts; mehr wären sich hier unten eh gegenseitig in die Quere gekommen.

Wir steckten jetzt wirklich tief im Bauch des Ungeheuers. Zum erstenmal in meinem Leben verstand ich, was Klaustrophobie bedeutete. Wir waren überall von Feinden umgeben, vor und hinter uns, an Back- und Steuerbord, über und unter uns. Jeden Moment konnten sie uns aus jeder Richtung angreifen.

An jeder Gangkreuzung ging Raunio jetzt mit quälender Sorgfalt vor, kniete sich auf den Boden, streckte die Pistole in Kopfhöhe vor, nahm ein Wurfmesser in die andere Hand und kontrollierte beide Richtungen kurz mit einer plötzlichen Kopfbewegung, und erst nachdem er das wiederholt hatte, gab er sich zufrieden.

So ging es immer weiter. Unser leiser Vormarsch stoppte alle paar Dutzend Meter, um diese Routine zu wiederholen, und fand schließlich sein Ende, als Raunio seinen Kopf mal wieder vorstreckte und sofort zurückriß, um sich eine Kugel anzuschauen, die dort abprallte, wo sein Kopf eben noch gewesen war.

Er sprang auf und machte einen Satz über die Kreuzung, wobei er im Sprung einen Schußhagel aus der MP abgab. Irgendwo erfolgte ein dumpfer Aufprall. Ich warf mich zu Boden und feuerte blind in beide Seitenkorridore. Zu beiden Seiten der Kreuzungen lagen Menschen. Raunio lief zu einem hin, hielt ihm die Pistole an den Hinterkopf und schoß und wiederholte das bei den anderen. Ich fragte mich, ob er Tote verstümmelte oder Verletzte tötete. Ich bezweifle, daß er selbst es wußte oder sich darum scherte — er wollte einfach kein Risiko eingehen.

Ich hatte keine Zeit, um mir darüber Gedanken zu machen — ich ertappte mich dabei, wie ich ohne nachzudenken auf irgendwas schoß. Ich hörte Raunio fluchen, und ein Messer schwirrte an meinem Ohr vorbei. Ich fiel zu Boden und feuerte weiter. Ein Hüter war mit dem Messer im Hals gestürzt, ein anderer schoß immer noch auf uns. Ich packte den Raketenwerfer und jagte drei weitere Dinger hinüber. Zu spät fiel mir ein, daß ich Brandgeschosse geladen hatte. Eine halbe Sekunde später erfüllte der magenumstülpende Gestank von brennendem Menschenfleisch den Korridor. Jemand schrie vor Schmerzen und hörte erst auf, als Raunio in die Flammen schoß. Eine Wand aus Hitze und Feuer raste auf uns zu, und ihre Kraft reichte, meine Augenbrauen und Wimpern zu verkohlen, ehe es wieder kühler wurde. Außer Menschen befand sich nichts Brennbares im Gang, und die Flammen erloschen bald wieder.

Wir mußten fast am Ziel sein. Ich konnte es richtig spüren. Bombenfallen und Wachtposten . . . Ich holte den Signalspürer hervor, und er zeigte unmißverständlich in einen Seitengang.

»Da ist sie! Kommt!« Meine Wort durchbrachen eine Stille, die, von Flüchen und Schüssen abgesehen, Stunden gedauert zu haben schien. Dabei waren wir gerade seit dreiundzwanzig Minuten im Schiff.

Ich übernahm die Führung, während Leutnant Raunio, der jetzt das Schlußlicht bildete, die Rückendeckung übernahm. Ich versuchte, über die immer noch schwelenden Leichen hinwegzugehen, ohne hinzusehen oder zu riechen. Oder zu denken. Dämonische Stimmen wisperten durch meinen Kopf.

Joslyn hob die Pistole und feuerte im gleichen Augenblick, als eine Kugel von meinem Helm abprallte. Ich spürte einen betäubenden Schlag und senkte den Blick auf meine Brust. Eine zweite Kugel war dort im Kampfanzug eingeschlagen und jetzt als formlose Masse darin eingebettet. Ohne nachzudenken griff ich danach, um sie wegzuwischen und verbrannte mir die Finger an dem Geschoß, das noch heiß war vom Lauf der Waffe und vom Aufprall. Ich steckte die verbrannten Finger in den Mund, und lutschte daran vor Schmerzen zuckend. Während ich dort hockte, wußte ich gleichzeitig, daß es besser wäre aufzustehen, weiterzulaufen und zu schießen. Plötzlich trat mir jemand kräftig in den Hintern, packte mich am Kragen, zog mich auf die Beine und trieb mich an, weiterzugehen. Ich hörte Metcalfs Stimme:

»Kommen Sie, großer Meister, er ist tot, nicht Sie.« Er zeigte mit dem Kopf auf den Toten, den Joslyn niedergestreckt hatte.

»Danke, Randall.«

»Vergessen Sie es. Gehört alles zum Service.«

Ich zerrte ihn herunter, als ein weiterer Schütze in unser Blickfeld trat. Mit schmerzhafter Wucht prallten wir auf. Von dem Schützen waren nur die Waffe sowie eine Hand und ein Auge sichtbar, während er hinter der Ecke der nächsten Kreuzung hervorlugte. Ich hielt meine Pistole in der Hand, nahm nun die bewährte liegende Schußposition ein und drückte sorgfältig zweimal ab. Beim zweiten Schuß erstarb das Auge, und die Hand ließ ihre Pistole fallen.

Ich warf einen Blick auf den Signalspürer. Das Gerät spielte verrückt. Der Zeiger sauste im Kreis herum, und alle Lampen leuchteten. Wir mußten in unmittelbarer Nähe der Leitstelle sein. Ich ging ein paar Meter weiter zu einer nicht gekennzeichneten Tür. »Da ist sie«, sagte ich.

Joslyn reichte mir einen Klumpen Plastiksprengstoff. Ich klebte Stücke davon an den Griff, in die vier Ecken, schätzte ab, wo sich wohl die Angeln befanden, und klatschte auch dort Brocken hin. Joslyn steckte winzige Funkzünder in jedes der Stücke.

Wir winkten den anderen zu, sich flach an das Schott zu drücken, in dem sich die Luke befand, und taten das gleich. Joslyn betätigte den Zündschalter, und es machte KRA-WUMM. Wir waren alle fast taub. Die Luke sprang mit einem Satz aus ihrem Rahmen und landete mit einem widerhallenden Scheppern an der gegenüberliegenden Wand. Das war das einzige Geräusch, das laut genug war, damit wir es noch hören konnten. Eine Wolke aus Staub und Rauch quoll aus der Öffnung hervor.

Raunio betrat den Raum dahinter und schoß dreimal. Ich folgte ihm und entdeckte drei tote Männer. Irgendwas bewegte sich, und ich ballerte darauf. Vier tote Männer.

Der Rauch verzog sich rasch.

Da war sie, die Raketenleitstelle.

Hier standen die Sender, über die die Schiffsabwehrraketen gesteuert wurden, die in den Außenbereichen dieses Sternensystems lauerten. Wenn die finnischen Techniker die zerstörte Vapaus-Kommandozentrale korrekt ausgewertet hatten, konnten wir diese Geschosse von hier aus anweisen, sich selbst zu zerstören.

Die Ligaschiffe, die an der Grenze zum interstellaren Raum

warteten, konnten ins System schwärmen und den Krieg mit einem Schlag gewinnen. Da war sie.

Joslyn und ich wußten, was zu tun war. Wir hatten einige Dutzend Mal mit der Vapaus-Zentrale geübt. In dem großen Schiff verstreut gab es noch weitere Teams, die genauso hart trainiert hatten und ebenso gut vorbereitet waren. Noch ein zweites Team war auf diese Stelle im Schiff angesetzt gewesen, aber es tauchte nie wieder auf.

Ich versuchte mit Joslyn zu sprechen, zu sagen: »Fangen wir an.« Doch ich hörte die eigenen Worte nicht. Joslyns Lippen bewegten sich, und ich hörte wieder nichts. Ich begriff, daß ich taub war. Joslyn ebenfalls. Und die anderen. Das war schlecht, das war verdammt schlecht.

Die beiden Kontrollpulte standen einander gegenüber, und die einzige Möglichkeit, die Befehle aufeinander abzustimmen, bestand darin, daß der führende Operator dem anderen zurief, was dieser einzugeben hatte. Ohne funktionierendes Gehör konnten wir unsere Aufgabe nicht ausführen.

Wir brachten lange, qualvolle Minuten damit zu, erst den Finnen und Metcalf das Problem verständlich zu machen und uns dann die Hälse wundzuschreien, bis wir einander endlich durch das Klingeln in den Ohren verstehen konnten. Währenddessen hielt ein zunehmend nervöser Raunio auf dem Korridor Wache.

Endlich konnte Joslyn und ich uns mit rauhen Hälsen und wunden Ohren an die Arbeit machen.

Die Techniker von Vapaus hatten uns mit Nachschlüsseln versorgt, die sie aufgrund der Schlösser an der dort erbeuteten Station hergestellt hatten. Aber hier stand uns eine zuverlässigere Quelle zur Verfügung. Wir nahmen den Leichen der beiden Hüteroperatoren die Schlüssel ab.

Wir schalteten die Anlage ein.

»Schlüssel eins drin!« rief Joslyn.

»Schlüssel eins«, bestätigte ich.

»Schlüssel eins auf mein Kommando in die erste Position drehen. Eins, zwei, drei!«

Wir drehten die Schlüssel über einen klickenden Widerstand hinweg, und eine grüne Lampe leuchtete an meinem Pult auf.

»Schlüssel zwei drin!« sagte Joslyn.

»Schlüssel zwei.«

»Schlüssel zwei auf erste Position drehen. Eins, zwei, drei!«
Eine zweite Lampe ging an.

»Schlüssel eins rechte Hand!« rief Joslyn. »Schlüssel zwei
linke Hand! Gleichzeitig in jeweils zweite Stellung drehen. Eins,
zwei, drei!«

Zwei weitere Lampen gingen an, und eine Abdeckplatte glitt
vor mir auf. Darunter kam ein Satz Steuerelemente zum Vorschein. In der Ferne hörte ich Schüsse.

»Moduswahlschalter zur Hand nehmen. Auf mein Signal drei
Kerben weit auf volle Handbedienung drehen. Ich zählte jede
Stellung ab. Eins — jetzt. Zwei — jetzt. Drei — jetzt.« Ich
konnte Joslyns Stimme allmählich wieder besser hören, ruhig
und sicher in ihren Kommandos. Wieder knatterten Schüsse in
der Ferne, und sie schienen jetzt lauter zu sein.

»Linker Daumen auf Modusaktivierung eins. Rechter Daumen auf Modusaktivierung zwei. Beide gleichzeitig auf mein
Signal drücken! Eins, zwei, drei!«

Plötzlich ertönte von einem Band eine laute Stimme mit
einem rauhen, nasalen Akzent. »Sie haben das System auf volle
Handbedienung eingestellt. Sie haben dreißig Sekunden Zeit,
einen korrekten Befehl einzugeben. Ist in dreißig Sekunden kein
korrekter Befehl verzeichnet, werden die Steuerelemente
gesperrt, die Kabine wird abgeschlossen und Giftgas hineinge-
leitet. Dreißig Sekunden — ab!«

Hinter mir erklang Joslyns Stimme so ruhig wie eh und je.
»Sicherheitsabdeckung über Selbstzerstörungsschaltern entfernen. Eins, zwei, drei. Drei Schalter werden freigelegt.«

»Noch zwanzig Sekunden«, verkündete die Lautsprecherstimme.

»Auf mein Signal hin linken Schalter drücken. Eins, zwei,
drei. Rechten Schalter, eins, zwei, drei. Mittleren Schalter, und
jetzt drück mit der anderen Hand den Daumen, Liebster! Eins,
zwei, DREI!«

Die Steuertafel vor mir erstrahlte wie ein Weihnachtsbaum.
Wieder dröhnte die Stimme durch den Raum. »Sie haben die

Schiffsabwehrraketen auf Selbstzerstörung eingestellt. Wenn innerhalb von fünf Minuten kein Gegenbefehl erfolgt, werden die entsprechenden Signale an die Raketen abgestrahlt. Fünf Minuten — ab! Dreißig Sekunden nach der Abstrahlung wird diese Leitstelle alle ihre Speicher und Programme löschen, vorausgesetzt, es wird kein Gegenbefehl erteilt. Noch vier Minuten und fünfundvierzig Sekunden.«

Mit einem Freudenschrei fielen wir uns in die Arme, aber in diesem Moment krachten Schüsse in der Nähe. »Nicht so schnell, Kinder!« schrie Metcalf uns zu. »Vielleicht bleiben uns diese fünf Minuten gar nicht!«

Raunio und George feuerten durch die Tür nach draußen und deckten dabei den Korridor zu beiden Seiten ab.

Knurrend schob ich eine Ladung Hochexplosivgeschosse in den Raketenwerfer, steckte ihn durch die Tür und feuerte eine Rakete in jede Richtung. Die Explosionen rissen uns alle von den Beinen, erschütterten uns bis ins Mark und raubten uns erneut das Gehör. Ich warf einen Blick hinaus. Im Korridor war niemand mehr, der auf uns schießen konnte, und vom Korridor selbst kaum noch etwas übrig.

Und dann warteten wir die längsten Minuten meines Lebens ab. Als sie sich dem Ende näherten, konnten wir allmählich wieder etwas hören.

»Noch neunzig Sekunden«, verkündete die Lautsprecherstimme.

Ich spielte mit der Idee, eine Kugel in den Lautsprecher zu jagen.

Draußen wurde wieder geschossen, mit Kugeln und Lasern. Raunio und seine Leute erwiderten das Feuer. Es versprach ganz schön schwierig zu werden, hier herauszukommen, und ich entschied, es gar nicht erst zu probieren. Wir hatten schließlich immer noch Plastiksprengstoff übrig, mit dem wir herumspielen konnten. Das Zeug war ›gerichtet‹ und in Gelb und Blau farblich codiert. Die Explosion entfaltete ihre Kraft in Richtung der gelben Seite. War man scharf auf eine gute, alte Rundum-Detonation, knetete man die Masse einfach zu einem homogenen grünen Klumpen.

Ich stieg auf einen Schemel und kleisterte den gesamten gerichteten Sprengstoff, den ich noch hatte, mit der gelben Seite an die Decke, wobei ich einen Ring mit etwa einem halben Meter Durchmesser formte. Das Deckschott bestand aus Aluminium, nicht aus dem stahlharten Material, das bei der Außenhülle verwendet worden war. Mit Aluminium konnten wir fertig werden. Ich steckte vier Funkzünder in den Sprengstoff und sprang wieder zu Boden.

»Noch sechzig Sekunden«, verkündete die nasale Roboterstimme.

Eine der finnischen Freiwilligen wurden herumgeschleudert und fiel zu Boden. Dort, wo einmal ihre Stirn war, klaffte ein blutiges Loch.

»Jesus Christus!« sagte Metcalf. »Komm schon, du verdammte Aufzeichnung, schick endlich das Signal ab, oder wir enden noch alle als Hamburger!«

Ich zog den Schemel so weit zurück, daß die bevorstehende Detonation ihn nicht erreichen konnte, und betrachtete die Situation an der Tür. Dort war kein Platz für einen weiteren Schützen. Wir konnten nichts anderes tun, als die Zeit untätig verstreichen zu lassen.

»Komm schon, Mister Maschine, verkünde uns die dreißig Sekunden«, brummte Metcalf.

Ich hustete und spuckte einen Mundvoll Speichel aus, der nach Schießpulver schmeckte. Meine Hände waren zerschnitten, das merkte ich erst jetzt, und ich fragte mich, wann das passiert war.

Endlich ertönte die gute Nachricht: »Noch dreißig Sekunden.«

»Dachte schon, die Anlage hätte den Geist aufgegeben«, sagte Metcalf.

»Noch nicht, und hoffen Sie bloß, daß sie es noch weitere einunddreißig Sekunden lang nicht tut«, erwiderte ich.

Raunio warf Granaten nach rechts und nach links durch die Tür. Rauch breitete sich draußen aus und quoll auch in die Kabine.

»Noch fünfzehn Sekunden.«

»Raunio! Wir steigen durchs Dach aus! Halten Sie sich bereit, mit der Schießerei aufzuhören. George, komm nach hinten!«

»Noch zehn Sekunden!«

»Hierher!« brüllte ich den Finnen zu. Raunio schob die Maschinenpistole ins Halfter, warf eine Granate in jede Richtung und zog sich von der Tür zurück. Er drehte sich um und grinste mich an. Das Gesicht war rußverschmiert, das Haar zur Hälfte versengt, und drei lange Schnittwunden, die sich vom linken Ohr bis zum Kinn zogen, bluteten ungehemmt vor sich hin. »Okay, Mister Larson, Sir, bringen Sie uns hier raus!« schrie er, während auf dem Korridor die Granaten detonierten.

George steckte seine Pistole ein und rappelte sich auf. Er nickte mir zu und lehnte sich erschöpft an die Wand.

»Noch fünf Sekunden.«

»Vier.«

»Drei.«

»Zwei.«

Joslyn legte den Finger auf den Zündschalter.

»Eins.«

Dann war außer den Schüssen draußen kein Geräusch mehr zu hören. Der längste Augenblick meines Lebens verstrich.

Etwas klickte.

Die nasale Stimme ertönte wieder: »Der Funkimpuls zur Selbstzerstörung ist an alle Schiffsabwehrraketen gesendet worden. Die Signale erreichen ihre Ziele in vier bis zehn Stunden. Die Leitstelle wird sich in dreißig Sekunden abschalten und löschen.«

Wir hatten gesiegt.

Wir hatten den Krieg gewonnen.

Joslyn drückte den Zündschalter, und die Ladung ging mit einem heftigen Donnern hoch und füllte den Raum von neuem mit Rauch. Sekundenlang war er zu dicht, um irgendwas zu sehen.

Endlich verzog er sich wieder so weit, daß man ein Aluminiumstück sehen konnte, das noch an einem fingergroßen, verdrehten Metallfetzen von der Decke hing. Ich zog den Laser und durchschnitt das Metall. Das Deckenstück krachte zu Boden.

Kugeln prasselten an die Wand gegenüber der Tür. Ein halbes Dutzend Waffen feuerte wie aus einem Rohr, und ein feindlicher Soldat kippte blutüberströmt in den Raum.

Metcalf und Raunio schossen wie die Wilden durch die Tür, während ich den Schemel packte und unter das Loch in der Decke stellte. Ich packte Joslyn, und halb schob ich sie und halb warf ich sie durch die Öffnung. Anschließend kletterte George hindurch, gefolgt von den finnischen Gefreiten.

»Metcalf, Raunio! Jetzt Sie!« Ich feuerte mit der Pistole durch die Luke; Metcalf war in weniger als zwei Sekunden hinaufgestiegen, Raunio auf seinen Fersen, dann folgte ich.

Ich sah mich um. Der Raum sah aus wie eine Offizierskabine. Dann erblickte ich den Offizier. Tot. Joslyn hatte ihm eine Kugel zwischen die Augen gesetzt, ehe er auch nur Gelegenheit gefunden hatte, die eigene Waffe zu ziehen.

Raunio trat die Tür zum Korridor auf, und wir stürmten hinaus.

Wir versuchten, demselben Weg zurück zu folgen, den wir ein Deck tiefer genommen hatten, aber wie es schien, war dieses F-Deck anders strukturiert.

In kürzester Zeit hatten wir uns verirrt. Raunio führte uns, und er vergeudete keine Zeit mit Vorsicht. Er ballerte einfach um jede Ecke, für den Fall, daß dahinter jemand lauerte. Ich zählte die Korridornummern ab und fluchte. Wir gingen in die falsche Richtung. »Sie Verrückter, das ist die falsche Richtung!« schrie ich Raunio zu.

Wir drehten um und nahmen Kurs auf den Bug.

Ich bog nach Steuerbord ab und dann wieder Richtung Bug, so daß wir jetzt dem Steuerbordgang Eins folgten, denn ich überlegte mir, daß auf dem Hauptkorridor entlang der Mittellinie mit dem meisten Widerstand zu rechnen war. Wir mußten zum Frontkorridor sechsunddreißig gelangen, zu F-36, und dort zu der Stelle am Mittelgang, wo wir unsere Posten aufgestellt hatten.

Da fiel mir etwas Wichtiges ein, und ich zog das Funkgerät

hervor. »An alle finnischen und Ligatruppen! Codewort MUT-
TERERDE! MUTTERERDE! Auftrag wurde ausgeführt. Ziehen
Sie sich zurück, retten Sie sich! Der Auftrag wurde ausgeführt.
Geben Sie das Codewort weiter!« Ich warf Raunio das Gerät zu
und wies ihn an, das auf finnisch zu wiederholen. Es ging wei-
ter.

Die Luft roch beißend nach Feuer und Schweiß. F-50. Noch
vierzehn Gänge.

Ein Abschnitt von S-1 war mit eingestürzten Schotts
blockiert. Wir liefen Richtung Steuerbord zu S-2 und setzten
dort unseren Weg nach vorne fort, und vier Kreuzungen weiter,
auf Höhe von F-42, kehrten wir nach S-1 zurück.

Immer weiter ging es. Schließlich erreichten wir die Kreuzungen des Mittelganges mit F-36.

Zwei überraschte finnische Posten hätten uns beinahe über
den Haufen geschossen, ehe sie uns erkannten. Wir schrien
nach den Posten auf dem G-Deck und stürmten den Niedergang
hinauf.

Vom F-Deck ging es bis B hinauf. Vier Stockwerke oder
Niedergänge oder was immer. Das scheint nicht viel zu sein,
aber nach einem Tag, wie wir ihn gehabt hatten ist das verdammt hart. Wenn wir vorbeikamen, schlossen sich uns
jeweils die Wachtposten an. Als wir endlich B erreichten, sah
ich Sterne vor den Augen, und meine Lungen rangen schwer
nach Luft.

Bis hierher hatten wir Glück gehabt, aber der Mittelgang auf
dem B-Deck war Schauplatz einer bislang unentschiedenen
Schlacht. Schüsse aus Bugrichtung hielten uns nieder. Fünf
Meter vor uns sah ich den Niedergang, der zum A-Deck führte,
nach draußen aufs Flugdeck. Die Versuchung war verdammt
groß, aber wir konnten unsere Nasen nicht über den Niedergang vom C-Deck nach B hinaus recken, ohne weggepustet zu
werden. Zehn Meter in der anderen Richtung lag der Korridor,
durch den wir eine Stunde zuvor gekommen waren.

Da saßen wir nun. Meine Leute und ich keuchten vor
Erschöpfung, und die Erschöpfung war auch der Grund für
meine nächste Entscheidung. Ich wußte, daß wir es nicht schaf-

fen würden, auf die Backbordseite und von dort wieder aufs Flugdeck zu gelangen. Wir mußten eine Abkürzung nehmen.

Und wir mußten so schnell wie möglich hier raus, wenn uns unser Leben lieb war. Wir mußten uns den Weg sofort freikämpfen, sonst war es zu spät. Ich rammte den letzten Ladestreifen Brandgeschosse in den Raketenwerfer. »Raunio«, sagte ich, »signalisieren Sie Ihren Männern am Fahrstuhl, daß wir nicht dort entlangkommen werden. Wir nehmen gleich den Niedergang dort vor uns.« Ich behielt den Kopf unten und streckte nur den Raketenwerfer über den oberen Treppenabsatz.

Sofort prallten Kugeln von ihm ab. Ich drückte ab, und die erste Rakete zog pfeifend ihre Bahn.

Einen Augenblick später raste eine Flammensäule durch den Korridor. Mit einem Kriegsschrei auf den Lippen sprang ich nach oben, baute mich breitbeinig auf und nahm den Raketenwerfer in beide Hände. Vor mir tobte ein Inferno, ein Korridor, durch den sich ein faszinierendes Höllenfeuer wand.

Eine brennende Gestalt brach um sich schlagend auf dem Deck zusammen. Ich schoß direkt hinein, und der Körper explodierte. Flammenzüngelndes Menschenblut spritzte mir auf Hände, Gesicht und Brust.

Das Feuer, die Flammen, das orangefarbene Monster. Wieder und wieder feuerte ich mit dem Raketenwerfer und verdoppelte die sinnlose Verwüstung ein ums andere Mal.

Meine kleine Gruppe von Kämpfern rannte zum A-Deck hinauf, während ich ihr Deckung gab und mich an ein anderes, lange zurückliegendes Feuer erinnerte. Selbst als die Munition längst verfeuert war, drückte ich immer noch wie rasend den Abzug des Raketenwerfers. Schau ins Feuer, preise das Blutbad!

»Mac, bitte mach schnell!« rief Joslyn.

Und dann hörte ich endlich das Klicken des leeren Raketenwerfers, der trotz meiner Bemühungen nichts mehr ausspuckte, und erkannte, was ich tat. Ich warf das verfluchte Ding hin und rannte aufs A-Deck hinauf.

Auch dort herrschte ein Blutbad.

Zwei unserer Schiffe waren weggepustet worden, Dutzende kleiner Gefechte tobten auf dem großen Flugdeck. Die Gegner duckten sich hinter Wrackteile und feuerten aufeinander. Die *Uncle Sam* war bislang intakt, und ihre stolze, rot-weiß-blaue Bemalung sah verdammt gut aus. Auch die Sterne auf der *Stars* und die Streifen der *Stripes* zeichneten sich immer noch kühn vor dem finnischen Himmel ab.

Die *Leviathan* flog jetzt langsamer und tiefer und neigte sich leicht nach Backbord, so daß man nun von ihrer Oberseite aus den Boden Neu-Finnlands sehen konnte. An hundert Stellen auf dem Bugdeck tobten Brände.

Ich holte mir mein Funkgerät von Raunio zurück und schaltete wieder auf Sendung. »An alle finnischen und Ligasoldaten! Ziehen Sie sich zurück, ziehen Sie sich zurück! Dies ist der Rückruf! Sehen Sie zu, daß Sie vom Schiff entkommen und Ihre Haut retten! Geben Sie die Meldung an andere weiter!« Erneut übergab ich Raunio den Kommunikator. »Wiederholen Sie das. Schicken Sie den Rückruf auch an die Jungs, die immer noch da unten den Hangareingang bewachen. Wir sollten hier verschwinden, ehe uns jemand entdeckt!«

Die erschöpften Soldaten folgten Raunio auf einen letzten Lauf um ihr Leben. Ein junger Bursche stoppte plötzlich und brach dann mit einem Loch in der Brust zusammen. Eine verirrte Kugel.

Von überall auf dem riesigen Deck rannten Soldaten auf die Landeschiffe zu. Ich sah, wie zwei oder drei Fallschirmjäger zum Heck liefen und im Vertrauen auf ihre Reservefallschirme einfach über Bord sprangen. Die übrigen taten dasselbe wie unsere Gruppe, das heißt, sie zogen sich kämpfend zurück. Zweimal überrannten wir buchstäblich Hütersoldaten, die mit dem Rücken zu uns standen und auf unsere Kameraden feuerten. Sie hielten nicht lange durch. Raunio gingen die Wurfmesser aus.

Quälend langsam näherten wir uns dem Lander. Ein Düsenjäger der Hüter donnerte in einiger Entfernung an uns vorbei, verfolgt von einem Finnen. Die Hüter hatten also die Startröhre an der Unterseite der *Leviathan* schnell wieder flottgemacht. Eine Rakete übersprang die Entfernung zwischen den beiden Maschinen, und der Hüter explodierte. Die Trümmerstücke prallten von der Heckleitfläche der *Leviathan* ab, hüpften über das Deck und stürzten vom Heck herunter.

Plötzlich war die *Uncle Sam* in greifbarer Nähe. Noch fünfundsiebzig Meter. Noch fünfzig Meter. Und immer näher. Wir hatten es geschafft. Joslyn schlüpfte als erste durch die Luke und erreichte das Flugdeck des Landers, aber ich war verdammt dicht hinter ihr.

Erschöpfung. Es schien mir so verlockend, einfach Pause zu machen, mich hinzulegen und einzuschlafen. Aber wir waren schon so weit gekommen, und vielleicht konnten wir es jetzt ganz zu Ende bringen.

Auf den Bildschirmen sahen wir die Schlacht und die Finnen, die aufs Unterdeck stiegen. Joslyn warf ihre Kampfausrüstung weg und ließ sich auf den Pilotensitz fallen. Ich zog ebenfalls den Kampfanzug aus, ließ die restlichen Waffen einfach auf den Boden fallen. Dann setzte ich mich auf meinen Platz.

»Joslyn, mach alles soweit klar, daß wir in fünf Sekunden abheben können, und warte dann erst mal. Es kommen bestimmt noch Nachzügler. Setz sowohl die chemischen als auch die Fusionstriebwerke unter Energie. Ich möchte fünfzig Prozent Antriebskraft, die wir zur Einhaltung der Flughöhe brauchen, von den Fusionsmaschinen haben, und zwar so lange wie möglich.«

»Aber nicht die Energie zum Abheben?«

»Es wird Zeit, die Geschichte zu beenden. Ich will doch mal sehen, ob eine Fusionsflamme durch diese Metallhülle schneidet.« Ich schaltete den Interkom ein. »Leutnant Raunio! Kommen Sie bitte herauf. Ich brauche hier jemanden, der gut Finnisch spricht. Randall, wir benötigen vielleicht auch einen Ersatzpiloten.«

Sie kamen heraufgeklettert. »Leutnant, Rundspruch an alle Schiffe. Jedes soll sofort starten, wenn es so viele Leute an Bord hat, wie es nur tragen kann. Die *Stars* und die *Stripes* sollen etwas länger bleiben. Wir werden versuchen, das Deck zu durchstoßen und soviel Schaden wie möglich anzurichten.«

Raunio gab meine Befehle weiter. Metcalf ließ sich schwer auf den freien Pilotensitz fallen und half Joslyn bei den Startvorbereitungen. George, gebannt vor Schrecken und Erschöpfung, betrachtete gedankenverloren das Gemetzel unter uns.

Ich warf einen kurzen Blick durch unsere Einstiegskamera. Zunächst bewegte sich nichts da draußen, dann stolperte ein schwitzender Soldat ins Blickfeld und warf sich ins Schiff. Ein weiterer folgte ihm.

Das erste finnische Schiff startete vom Bug aus und machte sich auf die Suche nach einem geeigneten Landeplatz. Ich sah zu, wie es himmelwärts strebte. Unter ihm breitete sich die grandiose neu-finnische Landschaft aus. Am Horizont lag die Küste, der wir uns rasch näherten.

Ein weiterer Finne startete. Die letzten beiden Jäger der Hüter versuchten ihn anzugreifen, aber die finnischen Jäger vertrieben sie.

Ein dritter finnischer Lander entkam.

»Die *Uncle Sam* ist in fünf Sekunden startklar und hält diesen Zustand. Chemische und Fusionstriebwerke einsatzbereit«, meldete Joslyn. Sie lehnte sich in die Andruckliege zurück und seufzte schwer. »Mein Gott, Mac, wir haben es wirklich durchgezogen!«

»Bislang jedenfalls ist es gutgegangen. Leutnant Raunio, welchen Status melden die *Stars* und die *Stripes*?«

Er funkte die beiden Schiffe an und antwortete: »Alle Systeme startklar. Beide bitten um Erlaubnis abzuheben.«

»Abgelehnt!« bellte ich. »Wir versuchen jetzt, dieses Monster ein für allemal fertigzumachen. Wir führen den Job verdammt noch mal zu *Ende*!«

»Das sagte ich ihnen schon.«

»Großer Meister, da hebt das letzte Handelsschiff ab«, verkündete Randall.

»Gut. Jetzt alle Kameras einsetzen! Noch irgend jemand da draußen zu sehen?«

»Niemand.«

»Nein.«

»Alles frei.«

Ich betete darum, daß sie recht hatten. Es sah zumindest danach aus. »Mach die Luken dicht, Joslyn.«

»Moment noch!« rief Metcalf. Drei Gestalten liefen auf uns zu, so schnell sie das mit erhobenen Händen konnten. Hütersoldaten, die sich ergeben wollten. »O verdammt! Aber laßt sie kommen. Leutnant Raunio, steigen Sie hinunter. Drei Gefangene ergeben sich und kommen an Bord. Achten Sie darauf, daß Ihre Leute sie nicht umbringen.« Die drei stiegen vorsichtig ein und achteten darauf, daß man ihre Hände ständig sehen konnte. Durch die Einstiegskamera sah ich Raunio auftauchen. Er boxte jedem kräftig in den Magen, so daß sie zu Boden stürzten, packte sie nacheinander am Kragen und warf sie durch die Innenluke. Dann winkte er in die Kamera.

Ich fragte mich, für welche Tätigkeit ein Typ wie Raunio wohl in Friedenszeiten geeignet war. Vielleicht für Alligatorringen oder etwas Vergleichbares.

»Machen wir die Mühle jetzt dicht«, sagte ich. »Halbe Schwebekraft auf Fusionsdüsen.« Die Fusionsmaschine erwachte unter uns rumpelnd zum Leben. »Gib auch der *Stars* und der *Stripes* die entsprechenden Befehle.« Auf den Unterseiten beider Schiffe zuckten weiß-violette Lichtbahnen und flachten an dem unglaublich harten Decksmaterial ab. Lange Zeit geschah überhaupt nichts.

Metcalf stieß einen langen, tiefen Pfiff aus. »Nach fünf Sekunden hätte das Deck eigentlich verdampft sein müssen.«

Zehn Sekunden, zwanzig Sekunden, und die Außenhülle hielt weiterhin. Dann jedoch schien unterhalb der *Stars* der Boden in Bewegung zu geraten und wegzusacken. Im selben Augenblick schwankte auch das Grollen unseres eigenen Antriebes und vertiefte sich dann.

»Die *Stars* meldet, daß die *Uncle Sam* die Hülle durchstoßen hat«, berichtete Joslyn mit ruhiger Stimme. Ich warf ihr einen kurzen Blick zu und sah, wie ihre Augen leuchteten, begierig auf den endgültigen Sieg.

»Okay, Joslyn, bring uns auf zehn Meter Flughöhe.«

Das Grollen wurde lauter, und die *Uncle Sam* schoß in die Höhe. Die Fusionsflamme schnitt durch das normale Material, das unter der Außenschicht der *Leviathan* lag, wie durch Butter. Das Aluminium verdampfte auf der Stelle. Ein Dämon blies auf einmal seinen Atem aus chemischem Rauch durch das Loch in der Hülle und blendete damit die Kameraaugen unseres Landers. »Zwanzig Meter Höhe und Kurs aufs Heck mit einem Meter pro Sekunde«, sagte ich. »Leutnant Raunio, weisen Sie die *Stars* und die *Stripes* an, mit einem halben Meter pro Sekunde das gleiche zu tun, sobald sie sich hindurchgebrannt haben.«

Die Antriebslohe des Landers durchschnitt das Metall der Außenhülle ganz mühelos, sobald das erste Loch hineingestanzt war. Wir zogen einen Graben durch das Flugdeck, aus dem das Feuer und der Rauch der Hölle aufstiegen. Dann stiegen auch die *Stars* und die *Stripes* nacheinander sachte auf und schnitten ihre eigenen Schlitze in die Haut der *Leviathan*.

Jetzt erfolgte der eigentliche Angriff. »Joslyn, steuere uns über die Backbordtragfläche hinaus.«

Die *Sam* erhöhte abrupt die Geschwindigkeit und stieg über die Tragfläche auf. »Okay, auf fünfzehn Metern Höhe Position halten, bis ich das Signal gebe. Triff alle Vorbereitungen, um mit Höchstgeschwindigkeit von hier zu verschwinden.« Joslyn nickte und steuerte den Lander auf die neue Position.

»Mac, wir müßten hier direkt über den Schwebezellen sein. Wenn das da unten kein Helium ist . . .« gab Metcalf besorgt zu bedenken.

»Ich weiß, ich weiß. Aber es müßte verdammt gut funktionieren.«

»Die *Stars* und die *Stripes* melden noch Treibstoff für zwei Minuten und bitten um Landeerlaubnis.«

»Verflucht! Okay, gewährt.«

Sofort tauchten die beiden kleineren Boote ab.

»Mac, sie werden wassern müssen. Wir sind schon ein gutes Stück über dem Meer«, sagte Joslyn. »Und wir haben selbst nicht mehr allzuviel Treibstoff«, setzte sie sanft hinzu.

Die beiden Beiboote stiegen vom Deck auf und sanken dann

in Formation zum Meer hinunter, wobei sie mit den Triebwerken abbremsten und keinen Gedanken darauf verschwendeten, zur Küste zu gelangen, die jetzt schon mindestens zehn Kilometer entfernt war. Als die Triebwerksflammen auf das Wasser stießen, explodierte dieses zu wilden Dampffontänen, die uns für Momente den Blick auf die Boote versperrten.

Randall hörte über Kopfhörer mit und meldete dann: »Beide sind sicher gelandet.«

Die *Uncle Sam* schwebte über der Tragfläche ihrer großen Widersacherin und war das letzte Schiff am Himmel über der *Leviathan*, von ein paar kämpfenden Jagdmaschinen in etlichen Kilometern Entfernung abgesehen. Unsere Antriebsflamme bohrte sich direkt unter uns in die Außenhülle des Giganten. Als wir kurz ins Schwanken gerieten, sagte Joslyn: »Mac, ich glaube, wir sind gerade durchgekommen ...«

BLAMM! Die Schockwelle schleuderte uns hoch in den Himmel und damit aus dem Wirkungsbereich der Explosion.

Die Hüter hatten zu sehr auf ihre massive Außenhülle vertraut und die Schwebezellen der *Leviathan* mit Wasserstoff gefüllt, dem Gas, das leicht und entflammbar wie kein anderes ist.

Joslyn gab Schub und brachte uns in eine Position hoch über dem brennenden Schiff. Die Backbordtragfläche war von einer Flammenwand umhüllt. Die *Leviathan* erbebte heftig. Ein großes Stück der Tragfläche brach ab und trudelte gemächlich zum Meer hinunter. Der Gigant geriet außer Kontrolle und steuerte in einer großen Kurve auf die Küste zu, wobei er stetig an Höhe und Geschwindigkeit verlor. Wir hielten unsere Position relativ zu ihm und sahen dem Tod dieses großen Ungeheuers zu, dieses großen Schiffes, dieses schrecklichen Feindes.

Der Absturz beschleunigte sich. In kaum sechshundert Metern Höhe überquerte die *Leviathan* die Küstenlinie. Eine weitere Explosion riß ein megatonnenschweres Stück der Backbordtragfläche ab, und es prallte in einem Feuerball auf den Erdboden. Die Heckleitfläche schien in sich zusammenzubrechen. Sie kippte am Heck herunter und hing nur noch am verdrehten Rest eines Stahlträgers. Sie schlug auf dem Erdboden auf und riß eine Riesenfontäne aus Erde und Sand, aus Bäumen und Felsbrocken hoch. Sie grub eine lange, tiefe Furche in den Boden, bevor sie das ganze übrige Schiff mit herunterriß.

Der Absturz der *Leviathan* erschütterte auf weite Entfernung das Land, die See und sogar den Himmel.

Wie ein entwurzelter Berg hüpfte und rollte das Riesenschiff über die Erde und zerbrach in wogende Flammenfelder, die kilometerweit zum Himmel hinaufschossen. Teile, die klein wirkten im Vergleich zum ganzen Schiff, von denen aber jedes größer war als die *Joslyn Marie*, rissen sich los und krachten zu Boden.

Nach minutenlangem Todeskampf kamen allmählich die letzten Trümmer des gepeinigten Monsters zur Ruhe und gingen in Flammen auf. Die Flammen breiteten sich aus und verzehrten mit ihrer sagenhaften Hitze in weitem Umkreis das Grasland, die Bäume, sogar die Erde selbst. Dieser Brand würde noch für Stunden weiterwüten.

Entsetzt, ungläubig, siegreich betrachteten wir das Blutbad, das wir selbst angerichtet hatten.

Wir hatten gesiegt, vollständig gesiegt.

Ich lehnte mich in die Beschleunigungsliege zurück. In meiner Vorstellung sah ich durch die Schotts unserer guten, alten *Uncle Sam* den klaren Himmel über mir.

Wir hatten gesiegt.

»Bring sie runter, Joslyn«, sagte ich leise. »Bring sie runter, damit wir uns endlich ausruhen können.«

Kapitel 20

Joslyn und ich gingen Hand in Hand zum Meer und folgten dann dem ruhigen Strand. Draußen vor dem Hafen erblickten wir die Umrisse der *Stripes*, die gerade herangeschleppt wurde. Die *Stars* dümpelte ein paar Kilometer weiter unten an der Küste am Dock und wartete darauf, aus dem Wasser gehoben zu werden.

Es war spät am Abend eines der langen Tage Neu-Finnlands, und die Sonne breitete einen reichen, warmen Schimmer auf dem Wasser vor uns aus. Joslyn entdeckte in der Nähe eine vertraute Gestalt, die zum Himmel hinaufblickte, und wir gingen auf sie zu.

Der erste lautlose, ferne Blitz erschien, kaum daß wir George erreicht hatten, und leuchtete hoch am Himmel über der verblassenden Sonne.

George beobachtete, wie er flackernd wieder erlosch, und nickte uns dann wortlos zu.

So standen wir drei da. Vapaus tauchte über dem Horizont auf und fuhr über uns hinweg, ein freundlicher Wächter in der Nacht. Ich drehte mich um und blickte ins Land hinein, wo die riesigen Wrackteile der *Leviathan* auf den verbrannten Wiesen verstreut lagen.

Die nahegelegene Stadt Vipurii war beschossen und teilweise zerstört worden, doch sie stand noch. Ein paar Städte wie Mannerheim und Neu-Helsinki waren für immer verschwunden, zumindest in der Form, in der sie einmal bestanden hatten. Morgen war es früh genug, mit dem Wiederaufbau zu beginnen.

Hunderte, Tausende, Zehntausende waren tot und viele weitere furchtbar verwundet. Helden und Feiglinge hatten gleichermaßen den Tod gefunden, die meisten wird man vergessen, einige wenige werden für immer in der Erinnerung leben. Eine

Welt war verwundet und gebeugt worden, ihr Blut vergossen, und doch war sie ungebrochen.

Es war vorbei.

Man konnte vielleicht sagen, daß die Tausende von Gefallenen gerade lange genug gelebt hatten, um ihr Geschick zu erfüllen, daß sie ihren Beitrag zum Sieg geleistet hatten und weitergezogen waren. Der Baum der Freiheit war wieder einmal durch das Blut von Patrioten zu neuem Leben erweckt worden.

Jetzt an Sieg, Niederlage oder überhaupt an den Krieg zu denken, fiel schwer. Alles, was ich sicher wußte, war, daß ich noch lebte, frei und ohne Angst.

Ein weiteres Licht flackerte plötzlich lautlos am Himmel auf, und Joslyn ergriff meine Hand. Die Radiowellen trugen die unsichtbaren Befehle einer Maschine hinaus, die schon vernichtet war, und die Killerroboter im Weltraum starben, begingen allesamt Selbstmord — die letzte Zuflucht der Wahnsinnigen. George seufzte und fummelte mit den Händen in der Luft herum, als wollte der Ingenieur in ihm irgend etwas reparieren oder bauen. »Da stürzen die Gefängnismauern ein. Ich habe mitgeholfen, sie zu errichten, und Gott sei Dank konnte ich dazu beitragen, sie niederzureißen. Bald werden eure übrigen Leute eintreffen, und dann werdet ihr — nein, werden *wir* aufbrechen, um die Hüter auf Capital, ihrer Heimatwelt, zu bekämpfen. Und es gibt eine Menge Leute bei uns zu Hause, die nur froh wären, wenn unsere Seite, wenn die Liga gewinnen würde.«

»Wir werden gewinnen.«

»Mac, Joslyn, dieser kleine Planet hatte verdammt viel Glück, daß ihr beide es wart, die ihm zur Hilfe kamen. Sie werden manches nach euch benennen, wenn der Wiederaufbau erfolgt ist. Wäre jemand mit weniger Mumm gekommen, hätten die Finnen vielleicht ein für allemal verloren.«

»Wir hätten so oder so gesiegt, George. Die Hüter hätten ihre Angriffsserie fortgesetzt und wären dabei entdeckt worden und sie hätten ihre Kräfte bei den Eroberungen noch stärker verstreut. Vielleicht hätten sie für eine Zeitlang zwei oder drei Welten in ihre Gewalt gebracht, aber die Gefahr, die sie darstellten, war genau das, was die Liga gestärkt und ihr mehr Mut verliehen hat, als wir je zu träumen gewagt hätten.«

»Möglich. Aber ihr zwei habt durch eure Tapferkeit die Sache verkürzt und viele Menschenleben und viele Welten gerettet, vielleicht sogar Capital, wenn wir auch dort einen Sieg erringen.«

»Das ist uns auch recht so«, sagte Joslyn und drückte meine Hand fest mit ihren beiden Händen.

George seufzte wieder, und ich bemerkte, wie schwer es ihm immer noch fiel, die Hüter als ›sie‹ zu bezeichnen. Er gab sich Mühe, aber seine Seele war noch nicht frei von ihrem Einfluß. »Dann sind sie für immer geschlagen.«

»Nein, sind sie nicht«, erwiderte ich. Ich ließ Joslyns Hand los und trat zur Gezeitenlinie, damit die Wellen meine Füße umspülten.

»Der Himmel ist ungeheuer groß«, sagte ich, »und solange Menschen ihn weiter erschließen und die Freiheit haben zu tun, was ihnen gefällt, werden manche immer herrschen und erobern wollen, mächtig und voller Gier. Diesmal haben wir sie bezwungen. Und solange es Männer und Frauen gibt, seien es auch nur wenige, die sich mehr um andere als um sich selbst kümmern – Menschen, die ihr Leben für das eines Kindes geben würden – werden wir immer wieder in der Lage sein, sie zu schlagen.«

Ich dachte an Pete Gesseti und seine Theorie über unsere verschollenen Kameraden, die Besatzung und die Passagiere der *Venera*. Sie waren da draußen auf Capital. Dessen war ich mir sicher. Sie warteten darauf, daß wir sie fanden, daß wir den Hütern zu ihrer Heimatwelt folgten und unsere Kameraden befreiten. Diese Aufgabe war noch nicht erfüllt.

ENDE

Im Dezember 1993 erscheint das neue Abenteuer von MacKenzie Larson. In

Die Allianz der Freiheit

(Bastei-Lübbe 23146) taucht eine neue Gefahr auf — Aliens mit biologischen Waffen.

Band 23 141

Allen Steele

Labyrinth der Nacht

Deutsche
Erstveröffentlichung

Ein kalter, unwirtlicher Planet, eine rote Wüste, ein pink-
farbener Himmel – und eine Handvoll Männer der NASA, die
das größte Rätsel in unserem Sonnensystem lösen soll. Allen
Steele erzählt eine phantastische Geschichte, die gleichwohl
mehr als eine kunstvoll ausgestaltete Spekulation sein kann.
Seine Helden untersuchen jene seltsamen Gebilde auf dem
Mars, deren Abbilder die Sonde *Viking* 1976 zur Erde funkte.
Was bedeuten jene Phänomene aus Schatten und Licht?
Sind es Artefakte einer untergegangenen Kultur? Oder
Skulpturen, die Aliens als Zeichen für die Menschen zurück-
ließen? Steeles Raumfahrer dringen tief in die rote Mars-
Wüste ein – und sie finden Ruinen einer alten Stadt: das
Labyrinth der Nacht.

Sie erhalten diesen Band
im Buchhandel, bei Ihrem
Zeitschriftenhändler sowie
im Bahnhofsbuchhandel.

Band 24 172

Edward Gibson

Sternenheld

**Deutsche
Erstveröffentlichung**

Joe Costello ist nicht gerade der beliebteste Astronaut der World Space Federation, aber er ist der Mann, wenn es darum geht, irgendwo in der Galaxis die Kastanien aus dem Feuer zu holen. Eine Reihe rätselhafter Unglücksfälle beunruhigt die Federation. Immer sind die Opfer Wissenschaftler und ihre Familien. Die wenigen Spuren, die es gibt, deuten auf eine Verschwörung hin – und auf einen Geheimbund, der vor langer Zeit durch genetische Experimente die Welt beherrschen wollte. Die Bosse der Federation kennen nur einen, der das Rätsel lösen kann: Der ungeliebte Costello soll unter die Verschwörer geschleust werden, die man in einem Labor auf dem Mond vermutet.

Sie erhalten diesen Band im Buchhandel, bei Ihrem Zeitschriftenhändler sowie im Bahnhofsbuchhandel.

Band 24 174

Greg Egan

Quarantäne

**Deutsche
Erstveröffentlichung**

Am 24. November 2034 geschieht das Unfaßbare. Eine riesige Barriere
versperrt unser Sonnensystem, und die Sterne erlöschen.
Wir schreiben das Jahr 2068: Für den Privatdetektiv Nick Stavrianos ist
der sternenlose Himmel bereits eine Alltäglichkeit geworden. Außerdem hat er andere Sorgen. Er muß die junge Laura finden, ein Mädchen,
das trotz einer schweren Gehirnschädigung aus einem Pflegeheim
entwichen ist. Die Spur führt nach Hongkong, ins Zentrum der Genfor-
schung. Doch bevor er Laura findet, wird Nick selbst gefangengenommen und von skrupellosen Forschern programmiert. Und dann erkennt
er, daß zwischen dem verschwundenen Mädchen und der Barriere ein
unglaublicher Zusammenhang besteht . . .

GREG EGAN, *ein junger australischer Autor, setzt einen neuen Meilen-
stein der SF. QUARANTÄNE ist ein visionärer Roman, der phantastische biotechnologische Entwicklungen der Zukunft vorwegnimmt und
sie mit einer packenden Detektivgeschichte verbindet.*

**Sie erhalten diesen Band
im Buchhandel, bei Ihrem
Zeitschriftenhändler sowie
im Bahnhofsbuchhandel.**